Abkader Chrifi
Strijd van een vreemde

Van drugsverslaafde
tot succesvol trendsetter

KOSMOS

Kosmos Uitgevers, Utrecht/Antwerpen

KOSMOS

www.kosmosuitgevers.nl

© 2008 Abkader Chrifi
M.m.v. drs. Rombout Jas
Omslagontwerp: Nico Richter
Omslagfoto (voorkant): © Shutterstock
Vormgeving: Julius de Goede
ISBN 978 90 215 3376 6
NUR 402

Inhoud

Het leven achter de horizon

Als kind had ik bij ons in het Marokkaanse stadje aan de Middellandse Zee de gewoonte bij zonsopgang naar de horizon te gaan zitten staren, in de richting waarin mijn vader was vertrokken. Hij was samen met andere volwassenen uit de stad naar een land in Europa verhuisd waar zij veel geld konden verdienen. In de zomervakantie kwamen zij voor een maand terug. Zij werden dan met veel gejuich en blijdschap door de achtergebleven vrouwen en kinderen ontvangen. Maar als zij weer weggingen, lieten zij in de huizen een leegte achter.

Mijn vader vertrok dan in de richting van de horizon. Zijn leven was niet meer bij ons, maar elders, ver weg in Europa. In mijn beleving was dat leven achter de horizon, waarvan ik mij nauwelijks een voorstelling kon maken, een paradijs. Er werden veel verhalen verteld over dat leven, waar geen armoede was, waar iedereen rijk was, waar de mensen in molens woonden en houten schoenen droegen.

Ik stond bijna elke morgen, als mijn moeder mij naar de bakker stuurde om brood te halen voor het ontbijt, lange tijd naar de horizon te kijken, waar de zon als een enorme vuurbal langzaam midden uit de wereld omhoogschoot. Ik werd telkens weer gefascineerd door dat schouwspel en de gedachte aan het leven verborgen achter de horizon. Ik droomde van de dag dat ik volwassen zou zijn en ook zou vertrekken naar het leven elders! Het leven achter de horizon. Maar de horizon leek altijd zo ver weg, net zo ver als mijn volwassenheid.

Het gebeurde regelmatig dat mijn oudste broer er door mijn moeder opuit werd gestuurd om uit te zoeken waar het brood voor het ontbijt bleef en mij terugvond zittend op een rots, weggekropen in mijn fantasie. Hij gaf mij dan een trap en duwde mij in de richting van de bakker. En toch bleef ik dromen van de wereld van de volwassen mannen en er groeide een enorm verlangen om ze achterna te reizen. Die gedachte vervulde mijn geest met spanning en blijdschap en ik begon een plan te maken.

Op een ochtend, kort nadat mijn vader was vertrokken na zijn vakantie bij ons en ik nog vol verdriet was van het afscheid, stond ik voor zonsopgang op. Ik haalde een stuk brood, vulde een fles met water en stopte die in een legertas. Geruisloos liep ik het huis uit en ik verdween in het ochtendlicht in de richting waarvan ik droomde: de horizon!

Toen de zon begon op te komen, was ik al een eind van huis. Ik liep net zo snel als mijn kleine beentjes mij konden dragen mijn vader achterna. Ik had de hele ochtend gelopen zonder te rusten. Er waren niet zo veel mensen onderweg; zo nu en dan passeerde er iemand. Aan het begin van de middag begon de zon fel op mijn lichaam te branden. Hoe lang ik ook liep, de horizon leek nauwelijks dichterbij te komen.

Toen ik bij een olijfboom was aangekomen, besloot ik om vanwege de vermoeidheid een beetje koelte te gaan zoeken. Ik ging onder de schaduw van de olijfboom zitten en begon mijn brood, dat inmiddels hard was geworden, op te eten. Ik dronk wat van het water, dat lauw voelde in mijn mond. Terwijl ik daar zat te eten en drinken, dacht ik aan thuis – zouden ze mij missen? Mijn moeder was altijd zo druk bezig met mijn andere broers en mijn enige zus dat het mij onwaarschijnlijk leek dat ze mij miste. Misschien had ze nog niet eens in de gaten dat ik weg was.

Even later stond ik op en vervolgde ik mijn weg. Vanuit de tegengestelde richting kwam een fietser op een oude fiets met knarsende wielen aanrijden. Het geluid kwam mij bekend en vertrouwd voor.

En inderdaad, het was de wijkvertegenwoordiger, die iedereen in de wijk kende. Hij hield bij mij stil en zonder van zijn fiets te stappen vroeg hij wat ik zo ver van huis deed. Ik antwoordde niet en probeerde langs hem heen te lopen, maar hij hield me tegen.

'Weet je moeder dat je hier rondloopt, knul?' Ik zei dat ik het niet wist. De wijkvertegenwoordiger raakte geïrriteerd. 'Kom knaap, laten we je moeder gaan zoeken,' zei hij en duwde mij hardhandig in de richting van onze wijk. Terwijl hij op zijn fiets zat, moest ik lopend hem proberen bij te houden. Mijn voeten deden zo'n zeer.

De man bracht mij naar huis, waar mijn moeder bijna gek van angst was geworden. Zij omhelsde mij eerst en daarna gaf ze mij een flink pak slaag, terwijl de wijkvertegenwoordiger tevreden toekeek. Mijn moeder bedankte hem onderdanig en de man vertrok.

Toen mijn moeder met mij klaar was, gaf mijn oudste broer mij nog een paar meppen op mijn hoofd om mij het weglopen af te leren. Mijn zoektocht naar het leven achter de horizon was mislukt; moe en geslagen ging ik die avond zonder eten naar bed.

Na de onafhankelijkheid van Marokko in 1956 trad mijn vader in het nieuwe Marokkaanse koninklijke leger, Jaishe el Malaki. Mijn vader trok met zijn hele gezin door (Spaans) Noord-Marokko, van Tanger tot Nador en van Figig tot Oujda. Wij hebben in de tien jaar dat ik in Marokko woonde, altijd in militaire wijken gewoond met eigen voorzieningen op het gebied van onderwijs en beveiliging.

Ik ben in 1958 in Driouch geboren, een klein dorp tussen Nador en Oujda. Mijn moeder vertelde later dat ik erg mager was, omdat er in de jaren zestig veel armoede heerste. Later, toen ik vier was, ondervond ik wat de armoede met ons had gedaan. Omdat mijn vader in het leger zat, hadden wij altijd gratis huisvesting, in militaire wijken die vroeger werden gebruikt door de Spaanse militairen. Wij hadden verder geen bezittingen, behalve dekens en wat pannen en borden die mijn moeder in de verder ongemeubileerde keuken gebruikte. Wij deden alles op de grond: koken, eten, slapen. Dit gebrek aan middelen was een groot voordeel bij verhuizingen.

Als kind vond ik de jaarlijkse verhuizing in militaire vrachtauto's naar nieuwe steden en dorpen wel erg spannend en stoer. Later konden wij, zittend op onze weinige meubels in de vrachtauto en reizend door de nacht naar onze nieuwe bestemming, urenlang met elkaar praten over onze vriendjes en vertelden wij elkaar verhalen om snel te vergeten. De nachtelijke hemel was meestal helder, zodat wij de sterren konden bewonderen. Wij speelden soms ook spelletjes met de sterren door ze met elkaar te verbinden en zo figuren te maken, en ze mooie namen te geven.

Niet leuk vonden we dat we onze buurtvriendjes kwijtraakten en elke keer opnieuw in een andere plaats moesten vechten om weer nieuwe vrienden te maken. Dat ging niet vanzelf. Wij werden nooit zomaar door de nieuwe omgeving geaccepteerd: we waren buitenstaanders, vreemden. Het was een lang en moeizaam proces om steeds weer een plek binnen de lokale gemeenschap te veroveren. Van ons gezin was ik altijd de eerste die met iedereen in de nieuwe wijk contact maakte, vertelde mijn moeder ons later vaak. Zij zei: 'Wij wisten niet hoe je het deed, maar op de eerste dag al liep je zomaar bij anderen naar binnen. Je kwam zo vaak met buurtjongens thuis dat ik je een pak slaag moest geven om je die openheid af te leren.'

Ik was altijd nieuwsgierig, zodat ik meestal snel aangepast raakte aan mijn nieuwe omgeving en de bewoners van de nieuwe wijk. Tegelijkertijd had ik ontzettend veel verdriet als wij moesten verhuizen en onze vriendjes en vertrouwde omgeving moesten achterlaten. Ik wist in het begin mijn verdriet te verbergen, want dat hoorde zo. Pas later ontdekte ik dat ik niet de enige was die verdriet had van het afscheid: mijn andere broers en mijn zus hadden dat ook.

De band, die wij met elkaar kregen, deed mij snel mijn verdriet vergeten. Wij leerden elkaar te vertrouwen, wij gingen met oprecht respect en waardering met elkaar om, maar vooral boden wij elkaar een gevoel van saamhorigheid, warmte en veiligheid. Wij hadden afgerekend met de in onze cultuur gebruikelijke hiërarchie in het gezin, met de vader als koning, de oudste zoon als zijn plaatsvervanger en de tweede zoon als derde in de rangorde. Mijn zus Rachida had net zo'n sterke positie als mijn oudste broer Mimoun, en als het nodig was, sloeg ze hem zelfs in elkaar. En niet alleen hij, maar ook ik heb regelmatig kennis mogen maken met haar vuisten. Zij groeide als enig meisje met jongens op en dus deed ze alles wat jongens deden. Spelen met poppen heeft ze nooit gedaan, wel met knikkers. Als mijn andere broers of ik ruzie hadden met andere kinderen, kwam Rachida ons te hulp. Zij sloeg erop los, zodat ook andere jongens in de wijk en op school bang voor haar waren. Ik vond zo'n zus wel stoer.

Hoewel ik in een omgeving opgroeide waar onderwijs niet echt werd gestimuleerd, maar meer als een plicht werd gezien, kon ik erg goed leren. Ik haalde zowel voor Frans als Arabisch uitstekende cijfers. Wij hadden tweetalig onderwijs en in de Franse vakken was ik van de veertig kinderen in de klas altijd de beste. Het is niet zo dat ik een studiebol was of alleen maar achter de boeken zat, maar door mijn interesse voor de vakken kon ik de stof goed onthouden. Het leersysteem was gebaseerd op uit het hoofd leren. Wat je er daarna mee doet, was niet belangrijk. Regelmatig leerden wij dingen uit het hoofd zonder te begrijpen waar het eigenlijk over ging.

Wij werden in de klas ook veel geslagen: te laat komen betekende een pak slaag, een verkeerd antwoord betekende slaag, dromerig uit het raam staren leverde een pak slaag op... Een leraar geschiedenis introduceerde op een dag een eigen strafsysteem. Het ging om netheid. Hij maakte een ronde in de klas en vroeg ons hoeveel stokslagen wij wilden hebben voor de eerstvolgende keer dat wij in ons schrift met inkt zouden knoeien, want wij leerden toen net met inkt schrijven. Sommige kinderen riepen tien, vijftien en er was een jongen die zelfs veertig riep. Toen ik aan de beurt was, riep ik twee. Hij schreef alles op in zijn docentenboek. Kort daarna knoeide de leerling met de inzet van veertig slagen. Nou, die heeft het wel geweten! Het was niet onverstandig van mij om laag in te zetten, want een dag later ging ik zelf in de fout: ik knoeide een druppel zwarte inkt op mijn schrift.

De leraar kon mijn lage inzet niet waarderen. Ik kreeg inderdaad maar twee tikken met de stok, maar hij sloeg mij expres zo hard op mijn ellebogen dat ik 's avonds nog pijn had. Vanwege dit slaan durfde ik soms niet naar school.

Verder hadden wij een leraar rekenen uit Casablanca, een donkere man met een grote snor en kroeshaar, die altijd dronken was. Hij nam zelfs vaak een fles wijn in een papieren zak mee om zich in de pauze terug te trekken om te drinken. Maar hij was oké, want je kon goed met hem lachen. Op een dag kregen wij onze toetsschriften terug en bleef hij een ogenblik naar het schrift staren van de slechtste leerling van de klas, die in de laatste rij bij het raam zat. De docent keek naar het schrift en naar de jongen. De hele klas volgde zijn blikken. De jongen kreeg het erg warm en probeerde de strenge blikken van de meester te ontwijken. Toen de meester zijn naam riep en hem vroeg naar voren te komen, stond de jongen op en sprong het raam uit. Hij klom als een aap over de hoge schoolmuur en verdween voorgoed.

Wat was er nu aan de hand? De jongen had van de nul voor zijn cijfertoets een acht gemaakt en dat resultaat aan zijn ouders laten zien. De aangeschoten meester lachte hartelijk om de reactie van de jongen en de hele klas lachte mee, behalve ik. Ik had met deze jongen te doen. Wat voor toekomst zou de arme cijfervervalser hebben zonder onderwijs?

De moeilijkste periode voor ons was toen mijn vader in 1964 afscheid nam van het leger om zijn geluk als gastarbeider in Europa te gaan zoeken. Het afscheid was erg moeilijk en wij misten onze vader heel erg. Daarnaast hadden wij haast geen geld, en mijn moeder wist niet wanneer mijn vader werk zou vinden en ons geld kon sturen. Hij liet ons achter met nog geen vijftig gulden, en daarmee moest mijn moeder ons ruim een halfjaar in leven houden, zodat wij gedwongen waren om in de *soek* werk te zoeken. Ik was zes jaar en moest geld zien te verdienen voor ons gezin.

Mijn vader had voor zijn vertrek een basisvoorraad eten gekocht bestaande uit olie, koffie, suiker, zout, meel, linzen, kikkererwten en witte bonen. Wij hebben langer dan een halfjaar op deze voorraad moeten teren. Af en toe kocht mijn moeder vis of vlees, en dan was het feest om even geen linzen of bonen te eten. Het was voor ons erg moeilijk om zonder onze vader te moeten leven. Mijn moeder had het erg zwaar met zes kinderen en had haar handen vol aan het dagelijkse huishouden en de zorg voor ons levensonderhoud. Zij bemoeide zich verder niet met wat wij op school en op straat deden, want daar had zij geen tijd en energie voor.

Mijn oma van vaderskant woonde bij ons in huis. Zij was erg streng voor ons, maar kon op z'n tijd ook erg grappig zijn. Haar man was een Don Juan: hij hield erg veel van vrouwen. Hij had haar jaren geleden voor een andere vrouw verlaten. Op een dag leende ze mij een kwart dirham van haar spaargeld om als startkapitaal handel te gaan drijven in de soek. Van dat geld kocht ik twintig plastic verpakkingszakken, die ik vervolgens voor het dubbele bedrag verkocht. En van dat geld kocht ik veertig zakken, die ik weer verkocht, en zo ging het de hele dag door. Aan het einde van de dag had ik vier dirham bij elkaar verdiend.

Op weg naar huis kocht ik voor mijn oma als cadeau een haarborstel en een pakje kauwgum. Nou, dat heb ik geweten: zij schreeuwde mij toe waar ik het lef vandaan haalde om haar zo voor schut te zetten. 'Met welke tanden moet ik die kauwgum kauwen en welk haar moet ik borstelen? Zie je me soms aan voor een ordinaire vrouw van de straat?'

En inderdaad, zij had nog nauwelijks tanden en kiezen in haar mond en haar haar zag eruit als fijn koperdraad. Zij joeg mij weg en smeet mij de kauwgum en de borstel achterna. Mijn moeder probeerde haar te kalmeren door te zeggen dat ik het goed bedoeld had en dat ik nog maar zes jaar was, maar zij was niet zo gemakkelijk tot bedaren te brengen.

Ik ging later regelmatig met mijn oudste broer Mimoun naar de soek om werk te zoeken. Zo deed ik klusjes als bezorgjongen, waarbij ik voor een paar centen boodschappen van rijke mensen naar hun huis bracht. Of ik verkocht plastic zakken om vis in te verpakken. Ik kwam altijd met wat extra boodschappen thuis. Ik was zes jaar en soms werd ik door oudere jongens in elkaar geslagen en van mijn geld beroofd. Dan kon ik niets anders doen dan met lege handen naar huis gaan en durfde thuis niets te vertellen. Die grote jongens kon je maar beter ontlopen. Dat wisten alle kleine bedelaars en hulpjongens zoals ik in de soek, waar het recht van de sterkste gold.

Op een dag vond Mimoun een baantje voor mij als knecht bij een ordinaire eettent, waar ze linzen, bonen, tortilla's en goedkope vis verkochten. Nadat ik een paar kilo aardappels en een kilo vis tot een smerige brij had bewerkt, werd ik door de eigenaar met een grote stok de eettent uit gejaagd. Ik heb de rest van de ochtend tegenover de tiran, die mij had uitgescholden, in de drukke soek op een steen gezeten tot Mimoun mij kwam ophalen. Na bemiddeling door Mimoun kregen wij bij wijze van vergoeding voor mijn inzet een stukje brood met gebakken vis.

Het leven was niet alleen hard, maar ook erg spannend. Ondanks deze materiële armoede en onveiligheid voelden wij ons toch vaak vrij en gelukkig.

Mijn vader kwam via Frankrijk en België uiteindelijk in Nederland terecht, in Utrecht. Daar vond hij een baan bij de FAM-fabriek in Maarssen, waar al veel gastarbeiders uit Marokko en Turkije werkzaam waren. Zij produceerden stofzuigers en wasmachines. Toen mijn vader in de zomer van 1969 liet weten dat hij in Utrecht een huis had gekocht en dat wij naar Nederland konden komen, was de vreugde bij ons thuis erg groot. Mijn vader was de eerste man in de verre omtrek die het aandurfde om zijn gezin mee te nemen naar zijn gastland. De hele buurt was bezig met ons vertrek naar het rijke Europa. Wij werden ineens met respect behandeld in de wijk. Wij die het geluk hadden de armoede te ontvluchten.

Mislukte jeugd

In de winter van 1970 arriveerden wij in Utrecht. Het huis dat mijn vader had gekocht, was erg klein voor een gezin van inmiddels tien personen, maar wij vonden het prima. Wij waren in het rijke Nederland aangekomen en dat was voor ons een geweldige ervaring. Diezelfde week gingen wij naar school, waar ik als elfjarige in de vijfde klas terechtkwam. Daar zat ik ineens in een Nederlandse klas en kreeg les in een taal die ik niet kon verstaan. Nederlandse kinderen hadden niet eerder bruine kinderen gezien. Wij leken in het begin wel een attractie. Overal werden wij met veel enthousiasme en vriendelijkheid ontvangen. Ik vond al die aandacht van die vreemde mensen maar niks. In de eerste maanden werd ik voor het eerst in mijn leven geconfronteerd met racisme. Jan, een klasgenoot, schold mij een keer op het speelplein van de Dr. van Leeuwenschool uit voor vieze Marokkaan. Hoewel ik nog weinig Nederlands kende, begreep ik heel goed wat die jongen tegen mij had geroepen.

Andere kinderen stopten met spelen en keken hoe ik boos naar hem toe liep. Zonder iets te zeggen gaf ik hem een kopstoot. Hij viel achterover en ik liep weg zonder naar hem om te kijken. Toen iedereen om hem heen ging staan, bleef ik alleen achter bij het fietsenrek. Ik was in een wereld opgegroeid waar je voor jezelf moest opkomen. Later bleek dat hij twee voortanden had gebroken.

'Abkader Chrifi!' riep onze meester hard in mijn richting. Hij kwam op mij af, pakte mij hardhandig vast en schudde mij door elkaar, terwijl hij mij aan mijn oor meesleurde naar de klas, waar ik werd gestraft. Ik mocht niet meer vechten. Ik heb daarna echter nooit meer last gehad van scheldpartijen. Andere kinderen vonden wat ik had gedaan erg stoer, want zij mochten die jongen eigenlijk ook niet.

Anneke, de juf van klas vijf, sprak redelijk Frans en zij bracht veel tijd met mij door. Zij leerde mij Nederlandse woorden en zinnen en was erg aardig, behulpzaam en geduldig. Zij kwam ook regelmatig bij mijn ouders thuis en hielp mijn vader met brieven en andere zaken.

Ik had veel vriendjes bij wie ik regelmatig thuis kwam en waar ik altijd vol bewondering en afgunst naar hun rijkdom keek. Zij hadden allemaal een eigen kamer met eigen spullen. Zij hadden werkelijk alles. Ik durfde ze nooit bij mij thuis te vragen, want ik wilde de ellende en de armoede waarin wij leefden niet laten zien. In mijn kamer stonden twee stapelbedden, die wij met ons vieren deelden. Persoonlijke spullen en speelgoed hadden we niet. Daar was ook geen ruimte voor in die kleine kamer, waar je je amper kon bewegen. Ik schaamde mij voor onze armoede, die mij vaak erg verdrietig maakte. Waarom hadden andere kinderen alles en wij niets?

Mijn vader zei altijd dat wij maar blij moesten zijn dat we de kans kregen om in het rijke Nederland te wonen, waar we het veel beter hadden dan de kinderen in Marokko. Alles is betrekkelijk en hij had gelijk. Vroeger vergeleken wij onze situatie met de mensen om ons heen en die waren in dezelfde positie als wij. Maar nu had het geen zin onszelf te vergelijken met de rijke Nederlanders. Daarom was het maar beter onszelf te blijven vergelijken met de achterblijvers. Dan leken wij in ieder geval veel rijker.

Aan het einde van de zesde klas kreeg mijn vader bezoek van het schoolhoofd. Hij legde mijn vader uit dat ik naar een technische school ging om een vak te leren. Mijn vader was erg blij met dit advies. Hij vond dat ik automonteur moest worden, zodat ik een eigen garage kon openen als wij naar Marokko teruggingen. Met een technisch vak konden wij daar veel geld verdienen. Dit advies leidde tot een grote mislukking. In het tweede jaar van de lts bleek dat ik helemaal geen gevoel of belangstelling had voor techniek. Daarnaast ontbrak het mij aan technisch inzicht.

In het derde jaar – ik was inmiddels vijftien – was mijn motivatie om te leren helemaal verdwenen. Ik begon te spijbelen en bracht de tijd door met enkele Marokkaanse, Surinaamse en Molukse vrienden met dezelfde problemen. We gingen vaak naar het nieuwe winkelcentrum Hoog Catharijne, een overdekt winkelcentrum waar je alles kon vinden: winkels, cafés, restaurants, het station en nog veel meer.

Ik ging vaak met mijn vrienden Rachid en Bourass naar de 'W-In', een automatenhal in het centrum. Rachid was een donkere jongen, die ouder leek dan hij in werkelijkheid was. Dat kwam ook deels door zijn goedgevormde postuur. Bourass heette eigenlijk Moustapha. Omdat hij dun, lang en slungelig was met een groot hoofd met kort haar, noemde iedereen hem Bourass, wat 'hij met een groot hoofd' betekent. We spraken rond de tijd dat de scholen begonnen af bij Vroom en Dreesmann in het centrum van de stad. We liepen dan langs de grachten van de stad en gingen daarna naar het treinstation, waar altijd wel iets te beleven viel. Als we geld nodig hadden, liepen wij het warenhuis Vroom en Dreesmann binnen en namen zonder te betalen dure spullen mee, die we dan weer verkochten aan de helers die in de 'W-In' rondhingen. Ik leerde voor de eerste keer in mijn leven hoe ik moest stelen. Mijn eerste nieuwe kleren heb ik zelf gestolen en dat was erg eenvoudig. We gingen altijd met z'n tweeën, en terwijl de één deed alsof hij kledingstukken of andere spullen bekeek, hield de ander uit het zicht onder het artikel een lege tas open. In plaats van het artikel terug te hangen of te leggen lieten wij het heel onopvallend in de tas glijden. Niemand die iets in de gaten had.

Het gebeurde soms dat ik 's middags, als ik naar huis ging, niet wist waar ik het geld voor mijn ouders moest verstoppen. Ik kreeg van mijn ouders vijftig cent zakgeld per week en ik liep soms met meer dan twintig gulden in mijn zak. Ik kocht ook sigaretten. Op een dag betrapte Mimoun mij terwijl ik een pakje sigaretten in mijn kamer aan het verstoppen was. Hij haalde mijn vader erbij, die hem toestemming gaf mij een flinke afstraffing te geven. Hij trok zijn riem, die versierd was met oude Spaanse munten, sloeg mij op mijn achterste, mijn rug, mijn benen, en liet mij huilend achter. Ik kwam de rest van de dag de kamer niet meer uit.

Mijn ouders wisten in het begin niets van mijn spijbelactiviteiten, want ik kwam altijd na schooltijd gewoon met mijn schooltas thuis. Dat veranderde toen op een dag de directeur mijn vader een oproep stuurde over mijn schoolverzuim. De ellende werd toen alleen maar groter. Ik werd van school gestuurd en mijn vader was wekenlang boos op mij. Om hem te ontlopen hing ik zo veel mogelijk op straat rond met vrienden.

In de zomer van dat jaar, 1973, ging ik voor het eerst naar een concert. Het was een optreden in de Jaarbeurs van Marokkaanse artiesten uit

Utrecht. Ik had een geweldige avond: de muziek had iets met mij gedaan. Voor het eerst in mijn leven raakte ik vanbinnen geïnspireerd. Het was een gevoel dat ik niet eerder had meegemaakt en dat ik niet kon definiëren. Het enige wat ik wist was dat ik ook muziek wilde gaan spelen. Sinds die avond trommelde ik dagelijks op Mimouns helm, die ik als percussie-instrument gebruikte.

Via een Marokkaanse fotograaf, die ik tijdens het concert had ontmoet, kwam ik erachter waar die ene artiest woonde. Ik ging hem op een dag opzoeken. Zijn naam was Shoukri en hij woonde met zijn Nederlandse vrouw aan de Nieuwegracht. Ze hadden een prachtige, ruime woonkamer, die heel artistiek was ingericht: weinig meubels en hier en daar stonden muziekinstrumenten opgesteld.

Shoukri liet mij vriendelijk binnen en vroeg wat hij voor me kon doen. Ik was verrast door zijn vriendelijkheid en ik was even te verlegen om iets te zeggen. Ik wist heel goed wat ik wilde, maar ik durfde het hem niet te vragen. Shoukri speelde naast luit, ook percussie, viool en cello. Hij was zeer getalenteerd en kwam uit een muzikale familie uit Fez, waar hij jaren muziek had gestudeerd. Nu werkte hij als productiemedewerker bij Philips en in zijn vrije tijd hield hij zich bezig met zijn passie. Uiteindelijk slaagde ik erin mijn verlegenheid te overwinnen en hem te vragen of hij mij percussieles wilde geven.

Hij vroeg of ik eerder muziek had gemaakt. Ik antwoordde eerlijk en vertelde hem van de helm van mijn broer Mimoun. Hij moest erom lachen en even was ik bang dat hij mij zou wegsturen. Belachelijke jonge man, waar haal je het lef vandaan hem te storen voor niets, dacht ik. Hij lachte, maar was erg vriendelijk. Hij vroeg mij op zondagmiddag om vier uur bij hem te komen voor percussieles. Ook vroeg hij mij twee gulden vijftig mee te nemen voor elke les. Ik was erg blij en had het gevoel geslaagd te zijn voor een toelating voor het conservatorium.

Vanaf dat moment ging er geen dag voorbij zonder getrommel. Na enkele weken kocht ik een tamtam, tot grote ergernis van mijn ouders. Zij moesten niets hebben van dat geroffel.

Shoukri nam mij af en toe mee naar zijn optredens. Er waren zelfs keren dat ik mee mocht spelen tijdens een concert; dat was helemáál spannend. De voorwaarde was wel dat ik een zwarte broek en een wit overhemd aantrok, want dat was de artiestenkleding en ook dat vond ik erg stoer.

Ik droomde van een carrière in de muziek. Waar had je dan nog een school voor nodig? Ik zou voor mijn eigen toekomst zorgen. En dat kon ik best alleen, dacht ik.

In het begin verdiende ik nog niet veel met de optredens. Ik was immers nog in de leer. Later kreeg ik meer geld en begon ik meer uit te geven aan kleding en schoenen. Omdat mijn ouders niet genoeg geld hadden om negen kinderen te onderhouden, kregen wij nooit nieuwe kleren. Mijn vader kocht op rommelmarkten zakken vol met broeken, truien, overhemden en schoenen voor ons. Wij waren niet anders gewend. Maar ik kon ineens mijn eigen nieuwe kleren kopen, in plaats van ze te stelen. Ik kon kiezen. Dat gevoel was wonderlijk en gaf mij de indruk van volwassenheid.

Als ik op het podium in de Nederlandse theaterzalen stond, voelde ik me belangrijk. Voor het eerst werd er voor mij geklapt. Ik genoot van die momenten waarop ik ineens in de belangstelling stond.

Door deze muzikale interesse had ik steeds minder belangstelling voor het leven op straat met andere vrienden en het rondhangen in de 'W-In' en Vroom en Dreesmann. Rachid en Bourass namen het mij kwalijk dat ik weinig aandacht meer voor ze had. Om het goed te maken nam ik ze soms mee naar een optreden in de buurt van Utrecht. Zij kregen gratis toegang en dat maakte alles dan weer goed. Maar toch voelde ik weinig voor het criminele leven dat Rachid en Bourass leidden. Zij zakten steeds verder in de criminaliteit weg en Rachid begon zelfs harddrugs te gebruiken. Ook werden zij regelmatig door de politie opgepakt, maar omdat ze nog minderjarig waren, kwamen ze er altijd goed van af. Bourass en Rachid werden in Utrecht de eerste professionele zakkenrollers en inbrekers van Marokkaanse afkomst. Ze hadden zich tot meesterdieven ontwikkeld en waren erg bekend in Hoog Catharijne. Hun bekendheid beperkte zich niet tot Utrecht; er kwamen zelfs mensen uit Amsterdam en Rotterdam om zaken met hen te doen. Je kon alles bij ze bestellen – nu besteld over een uur afgeleverd. Je kon soms zelfs je voorkeur geven door zelf in de winkel aan te wijzen welke spullen je wilde hebben. Zij maakten ook ter plekke afspraken over de prijs. Er deden zelfs verhalen de ronde dat hun vermogen om te stelen iets te maken had met zwarte magie, want het gebeurde vaak dat Bourass in een redelijk volle winkel met spullen onder zijn arm de zaak uit wandelde zonder dat iemand ook maar iets in de gaten had. Het leek

wel of hij onzichtbaar was. Sommigen schreven dit toe aan zijn uitzon-
derlijke lef en de beheersing van zijn angstgevoelens. Hoe dan ook,
Rachid en Bourass konden stelen als de raven en iedereen in de omgeving wist het. Later, toen zij beiden meerderjarig waren geworden, was
hun strafblad zo spectaculair dat zij zonder pardon het land uit zijn gezet. Achteraf was ik blij dat ik niet in hun criminele activiteiten was
meegesleurd. Ik was er, afgezien van een aantal uitglijders, in geslaagd
op het rechte pad te blijven. Ik miste ze wel heel erg, want Rachid en
Bourass waren de zoveelste vrienden die ik in mijn leven kwijtraakte.

Ook het contact met mijn familie veranderde. Naast Mimoun en
Rachida had ik nog zes broertjes. Aziz was anderhalf jaar ouder dan ik.
Toen Aziz zestien werd en geen brommer kreeg van mijn vader, omdat
daar geen geld voor was, ging hij met een vriend van hem er een in Hilversum stelen. Op de terugweg naar Utrecht namen ze een bocht te
scherp en vlogen eruit. Nadat ze in het ziekenhuis voor hun wonden
waren behandeld, werden ze door de politie gearresteerd.

Na Aziz kwam ik dus, en daarna had je Mounir, die twee jaar jon-
ger was dan ik. Hij had samen met mij op de lts gezeten. Ook met hem
is het niets geworden. Mounir was erg impulsief en vocht vaak op
school. Hij was een vechtersbaas, die voor zichzelf opkwam.

Daarna kwam Rafik, die als eerste van onze familie het mavodiplo-
ma haalde en naar de mts ging om werktuigbouwkunde te studeren.
Toen hij zestien werd en ook geen brommer kreeg, kwam ik in actie en
nam het voor hem op. Uiteindelijk wist ik na twee weken van confrontaties mijn vader ervan te overtuigen dat het verstandiger was Rafik
zijn zin te geven, om te voorkomen dat na mij en Mounir ook hij zijn
school zou opgeven en op straat zou terechtkomen. Rafik kreeg zijn
brommer en was er erg blij mee. Daarna was hij erg gemotiveerd om
zijn school af te maken.

Na Rafik kwam Brahim, die na de lagere school naar het Lager Economisch & Administratief Onderwijs ging. Daarna kwam Ghalid, die
één jaar was toen we in Nederland kwamen wonen. Omdat hij niet kon
leren, kwam hij al na de lagere school op straat terecht. Ghalid ging
zich interesseren voor krachtsport en dansen. Toen *electric boogie* begin
jaren tachtig in Nederland zijn intrede deed, bleek hij daar een groot
talent in.

Tot slot was er nog Nordin, de jongste in het rijtje van negen. Nordin was in Utrecht geboren en leerde de Nederlandse taal al op de kleuterschool.

Ik heb Ahmed nog niet genoemd, die als baby van drie maanden het leven liet. Ahmed was na Brahim in Marokko geboren. Hij was wonderlijk mooi en de hele wijk kwam vaak naar hem kijken. Hij stierf aan de koorts. Later vertelde mijn moeder dat dat het boze oog was. Mijn moeder huilde jaren later nog vaak als ze aan hem dacht. Omdat in die tijd, om onbekende redenen, geen namen van overledenen op graven werden vermeld, zijn wij jaren later op de begraafplaats ook zijn grafje kwijtgeraakt en dat was voor mijn moeder een dubbel verlies.

Mijn ouders hadden veel moeite om onder de arme omstandigheden het gezin Chrifi bij elkaar te houden. Door de armoede dreigden we uit elkaar te vallen in ons nieuwe leven in Nederland. Iedereen ging een beetje zijn eigen gang.

Door mijn ouders en mijn broers werd ik als het zwarte schaap van de familie gezien. Ik had een eigen wil, wilde mij niet onderwerpen aan de wil van de Marokkaanse gemeenschap en was met mijn revolutionaire ideeën en opvattingen te opstandig. Mijn ouders waren de controle over mij volledig kwijt en dat konden zij niet goed accepteren. Daarom probeerden we elkaar zo veel mogelijk te negeren, want dan werd de rust in huize Chrifi bewaard.

NASS EL GHIWANE

Op mijn achttiende wilde ik mij losmaken van mijn ouders en van de sociale controle van de Marokkaanse gemeenschap om mij heen. Ik was te zelfstandig en te onafhankelijk om nog onder de vleugels van mijn ouders te blijven. Ik ging op reis naar de grote steden van Europa, op zoek naar mijn onafhankelijkheid en vrijheid in een grote wereld waar ik geen eigen plek kon vinden. Mijn ouders hadden mijn zoektocht naar het onbekende nooit kunnen begrijpen; zij hadden ook nooit gedacht dat ik zou overleven in die grote wereld, alleen gewapend met een rugzak en een klein beetje geld. Ze hadden verwacht dat ik die harde wereld niet zou aankunnen en dat ik na een paar dagen mijn plannen zou opgeven en naar huis zou terugkomen. Gedreven door een onbekend, maar intens gevoel zwierf ik maanden door de grote steden van Europa. Ik had weinig geld, zodat ik gedwongen was om werk te zoeken om eten te kunnen kopen en een slaapplaats te kunnen betalen.

Zo heb ik in Parijs drie weken de afwas gedaan in een Algerijns restaurant en trok ik veel met Arabieren op in de Arabische wijk. In Carcassonne heb ik een maand druiven geplukt en 's avonds buiten wijn gedronken met Spaanse boeren die in het druivenseizoen door Zuid-Frankrijk trekken om geld te verdienen. Het werk was erg zwaar, maar de omgeving was prachtig en de wijn lekker.

In Madrid heb ik als schoonmaker in een goedkoop hotel gewerkt, totdat er een gouden horloge uit de kamer van een gast werd gestolen. Ik werd ten onrechte van deze diefstal beschuldigd en voordat men de politie erbij had gehaald was ik verdwenen. Ik had weliswaar niets misdaan, maar ik was bang voor de Guardia Civil. Ik wist namelijk hoe de politie in Madrid met Noord-Afrikanen omging, want ik had dat zelf vaak gezien. Buitenlanders hadden daar geen rechten. Als ik was gebleven, hadden zij mij in elkaar geslagen en in een cel gestopt voor iets wat ik niet had gedaan. En dus was vluchten een betere oplossing.

Dat was wel jammer, want het beviel me goed in Madrid. Ik bezocht daar het Pradomuseum, waar ik graag de schilderijen van verschillende Nederlandse kunstenaars, zoals Vincent van Gogh, Jeroen Bosch en Rembrandt, bekeek. Als ik vrij was, hing ik vaak doelloos rond op de Plaza Mayor.

In Venetië verbleef ik op een camping en verkocht ik soms foto's voor een fotograaf aan de toeristen op het San Marcoplein. Ik genoot van die stad met zijn gondels en stille straatjes aan het water. Meestal ging ik naar het San Marcoplein, waar ik graag Florian, het oudste Europese koffiehuis, bezocht.

In Londen ontmoette ik twee jongeren uit Parijs. Wij trokken gezamenlijk door de stad en sliepen in sleep-ins.

In Zagreb, in het toenmalige Joegoslavië, slaagde ik er niet in om werk te vinden. Niet alleen omdat de mensen daar zelf arm waren, maar ook omdat ze niets van Noord-Afrikanen wisten en ook niets van ze wilden hebben: ik werd daar openlijk gediscrimineerd. Ik stond eens een hele middag in een dorp op een bus te wachten, terwijl vier bussen mij passeerden zonder te stoppen. Een oude man op het dorpsplein had dit voorval gevolgd en schoot mij, leunend op zijn stok, op een gegeven moment te hulp door gewoon voor de naderende de bus midden op de weg te gaan staan. Dat hielp, maar de oude man werd nog wel even door de agressieve buschauffeur uitgescholden.

Over het algemeen slaagde ik er goed in om voor mezelf te zorgen zonder de zorg van mijn ouders, en die constatering gaf mij een gevoel van voldoening en bestaansrecht. Ik was de wereld waarin ik was verdwaald, aan het verkennen en ik kwam overal binnen, behalve dan in Zagreb!

Toen ik mij na vijf maanden uiteindelijk weer liet zien, waren mijn ouders erg blij. Hoewel mijn vader dit nooit heeft toegegeven, was hij toch vervuld van trots: zijn zoon had laten zien een man te zijn geworden die in de grote wereld rond had gereisd. Hij liet mij dit nooit merken, maar ik heb hem wel vaak aan zijn vrienden horen vertellen over mijn rondreizen door Europa. Niettemin begonnen wij uit elkaar te groeien. Ik was niet meer het zoontje dat zich gemakkelijk door zijn vaders sturing en visie liet leiden. Ik ontwikkelde andere ideeën, die hij als westers of heidens ging beschouwen. Ook beschouwden mijn ouders mij met mijn opstandige opvattingen als te zelfstandig en dat paste niet in de cultuur van de Marokkaanse gemeenschap. Ik was een individu geworden en kon met mijn westerse ideeën niet meer opgaan in de wil van de gemeenschap waarin absolute overgave een vereiste was. Volledige overgave waaraan? Denkbeelden? Er was voor mij geen weg terug!

Mijn ouders hebben mijn beleving nooit kunnen begrijpen. Vooral mijn moeder heeft altijd geprobeerd mij haar moederlijke liefde te geven. Mijn vader, daarentegen, stond nu eens open en dan weer afwijzend tegenover mijn leefwijze en opvattingen; dat wisselde erg. Wij leefden mentaal en cultureel te ver van elkaar om elkaar te kunnen begrijpen, en misschien ontbrak de wil ook wel. Hij beleefde de wereld met zijn vrienden in de moskee. Zij praatten over het geloof, over vroeger in Marokko en over de jaren zestig in de Nederlandse fabrieken. Alles leek voor hen eenvoudig en simpel. Alleen al de herinnering leek hun voldoening te geven, de nostalgie. De herinnering leidde hen af van de harde werkelijkheid die zij nooit hadden willen accepteren. Zij droomden nog altijd van een rijke terugkeer naar Marokko. Tijdens hun vakanties in de zomer waren ze zelfs druk bezig met grote huizen te bouwen voor hun definitieve terugkeer, een droom die nooit verwezenlijkt zou worden. Misschien wisten zij dat zelf ook wel, maar zij zouden het nooit openlijk toegeven. Zij konden niet kiezen voor het nieuwe leven en hielden vast aan het oude. Eigenlijk was dat het ironische: terwijl zij vasthielden aan de cultuur van de jaren zestig, gingen de culturele, maatschappelijke en economische ontwikkelingen in Marokko gewoon door. Deze eerste generatie gastarbeiders was mentaal tot stilstand gekomen. Het leek een massale keuze van een gemeenschap die beheerst werd door onwetendheid, armoede en angst voor het onbekende.

Ik stond zelf anders in het leven. Hoe anders wist ik niet, maar één ding wist ik zeker: terugkeren naar Marokko was een illusie die ik niet wilde koesteren. Mijn cultuur was niet meer dezelfde als die van mijn ouders en hun voorouders, ik kon niet meer meegaan in de traditionele waarden en normen waarmee mijn ouders waren opgevoed. Langzaam keerde ik de gemeenschap de rug toe en begon ik mijn zoektocht naar een eigen plek in een maatschappij die ik nog onvoldoende kende. Op een keer vroeg mijn vader filosofisch of ik wist waarom wij op de wereld zijn. Hij zag mijn verwarring en daar leek hij van te genieten. Wist ik maar waarom ik op de wereld was. Maar hij wist het wel.

'Natuurlijk weet je het niet,' zei hij uitdagend tegen me. 'We zijn maar om één reden op de wereld en dat is om uit te voeren wat voor ons op ons voorhoofd geschreven staat. Allah heeft beschikt dat mensen hun leven moeten verliezen en waarom? Om ons ervan te overtuigen dat het leven niets waard is. Wij zijn enkel op doorreis en verblijven dus tijdelijk hier op aarde. Niemands leven is iets waard. Het leven is als de wind.' Hij blies zijn adem de lucht in en maakte met zijn uitgestrekte hand een grijpbeweging. 'Begrijp je dat?'

Om een confrontatie uit de weg te gaan knikte ik. Zijn levensbeschouwing kon mij echter niet imponeren – daarvoor was ik te nuchter. Als zijn beschouwing juist was, was ons bestaan al voor onze geboorte zinloos en bepaald door een vooraf gepland scenario.

Ooit vertelde hij mij iets wat ik maar nooit van me had kunnen afzetten, en misschien kwam dat door mijn onevenwichtigheid in het leven. Hij vertelde dat als een man sterft en begraven wordt, hij deze wereld achter zich laat. Zijn familie dankt Allah dat hij zo gelukkig was te kunnen ontsnappen. Maar een man die over straat kruipt zonder vrienden, zonder kleren, zonder een mat om op te liggen, zonder een stuk brood om te eten, dat is een ander verhaal. Zo iemand is levend maar niet echt levend, dood maar niet echt dood. Dat is de vreselijkste straf van Allah aan deze zijde van het hellevuur. Ik heb me altijd met de tweede man geassocieerd, een man die over straat kruipt zonder de zin van het leven.

Voor de Nederlandse maatschappij was ik een vreemde en nu was ik ook voor mijn familie een vreemde geworden, alsof zij mij niet hadden grootgebracht en ik nooit hun liefde, bezorgdheid en bescherming had gevoeld. Het beangstigende was dat ik ook van mezelf vervreemd was, verloren in een samenleving die niet voor mij was bestemd. Ik voelde me aan mijn lot overgelaten en zocht tevergeefs naar een tastbare vorm van leven in een wereld die leek op een doolhof vol dwangmatig opgelegde meningen en intriges. Het leven was voor mij absolute waanzin.

Hoe vaak heb ik mijn vader er niet woedend van beschuldigd dat hij de oorzaak was van mijn hopeloze bestaan in deze grauwe samenleving, die mij niet accepteerde. Mijn uitbarstingen werden vaak door een gevoel van verdriet en verlatenheid veroorzaakt.

Mijn vader was een van de buitenlandse arbeiders die begin jaren zestig in Nederland waren gestrand. Vaders van kinderen en echtgenoten van pasgetrouwde vrouwen uit Marokko werden door een soort geldkoorts naar het Westen gelokt. Daar was een tekort aan mensen die bereid waren smerig, onplezierig en ongeschoold werk te doen, tegen zeer lage lonen. De Nederlandse overheid hoefde niet te investeren in scholing, huisvesting of gezondheidszorg om over deze arbeidskrachten te kunnen beschikken. Dat maakte mijn vader en zijn lotgenoten tot zeer goedkope arbeiders.

Deze vaders in armoede werden geselecteerd op kracht en onwetendheid; als je op school had gezeten, liep je kans niet in aanmerking te komen voor een visum. De maatschappij richtte zich alleen op de economische situatie en de arbeidsmarkt en had vrijwel geen oog voor de problematiek van deze arbeiders, laat staan voor hun kinderen. Een van deze kinderen was ik, het product van een hebzuchtige, kapitalistische maatschappij.

Jarenlang heeft mijn vader in pensions onder heel zware omstandigheden geleefd, een kamer delend met vier andere Marokkanen. Die kamer diende maar één doel: de accu opladen voor de volgende werkdag. Zijn bestaan werd bepaald door zijn werk. Zonder baan zitten betekende voor hem uitwijzing naar het land van herkomst, met alle gevolgen van dien. Uitwijzing was de ergste nachtmerrie van elke gastarbeider. Werken en leven in de rijke Europese landen gaf deze gastarbeiders in het land van de achterblijvers een geweldige status en groot aanzien. Als je in Europa werkte, had je het ver geschopt in het leven. Dan had je veel geld en macht, althans in de ogen van de mensen in het vaderland. De gastarbeiders leefden in een droom, waaruit zij nooit wilden ontwaken. Zij leefden lang in een illusie.

Mijn vader hoopte zijn gezin een beter bestaan te bieden in een land van ongekende welvaart en rijkdom, maar zijn droom was in een hel van werken veranderd. Hij was met handen en voeten vastgeketend aan werken. Zijn sterke lichaam was in vijftien jaar van zware arbeid, van moderne en legitieme slavernij, in een wrak veranderd, in een Nederlandse maatschappij die hem later afdankte en hem tot ongewenst vreemdeling verklaarde.

Diezelfde maatschappij drukte net zo'n stempel op mijn bestaan: ik werd gedwongen om in mijn vaders voetsporen te treden.

Nooit heeft mijn vader willen toegeven dat deze welvaartmachine hem van de beste en vruchtbaarste jaren van zijn leven heeft beroofd. En vervolgens is hij als een wegwerpartikel in de WAO gedeponeerd. Ik zag mijn vader als een versleten lichaam met een vertrapte ziel zonder eigenwaarde, helemaal niets. Hij had immers geen waarde meer voor de op productie en consumptie gerichte westerse maatschappij. Hij werd door zijn zieke lichaam een last. En ik werd door mijn radeloosheid een overlast. Wat had het leven achter de horizon mij tot dan opgeleverd?

Ik speelde in een Marokkaanse band met een repertoire van de Marokkaanse populaire groep Nass El Ghiwane. Wij repeteerden in de Monicakerk op de Herenweg, waar het hoofdkwartier van het Marokkaanse Comité Utrecht was gevestigd onder leiding van de Marokkaan El Figigi. Het comité nam het op voor mensen die onderdrukt werden. Zo organiseerde het naast demonstraties tegen de Palestijnse bezetting door Israël ook hongerstakingen voor Marokkaanse illegalen in Nederland. Wij zorgden met de muziek niet alleen voor een beetje vermaak in die donkere en onzekere tijden, maar zamelden ook dekens, medicijnen en geld in voor de 180 hongerstakers.

Ongeveer in diezelfde periode nam ik definitief het besluit om uit huis te gaan. Dat was tegen de zin van mijn ouders; vooral mijn moeder had veel verdriet door mijn besluit. Voor haar gevoel was haar zorgtaak nog niet af, want die taak was volgens onze culturele gebruiken pas volbracht als de zoon of dochter trouwde en zelf de levensfase van ouderschap binnentrad. Ik voldeed hier niet aan en dat maakte haar verdrietig. Wat zou er van mij worden zonder ouderlijke zorg en veiligheid?

Ik huurde een zolderkamer aan de Amsterdamsestraatweg in Utrecht. De kleine, slecht onderhouden woning was van een Hindoestaanse hospita. Met behulp van mijn vriend Arien, die zelf samen met zijn vriendin een kamer van dezelfde hospita huurde in Kanaleneiland, ben ik aan deze kamer gekomen. Er was veel woningnood in Utrecht en zonder tussenkomst van Arien had ik deze kamer nooit kunnen krijgen. Ondanks het feit dat het huis nauwelijks comfort bood, was ik toch tevreden met mijn eerste eigen kamer. Ik had nu een eigen plek in de wereld, helemaal van mij alleen; ik had mijn vrijheid.

Op de eerste verdieping van het huis woonden twee studenten in twee afzonderlijke kamers, terwijl twee Turkse mannen, Mehmet en Massoud, een wat grotere kamer daartegenover bewoonden. Ook was er op deze verdieping een ruimte die door moest gaan voor een keuken. Hier stond een kleine gammele eethoek met drie stoelen, een koelkast uit de jaren vijftig en naast het aanrecht een vierpitskookstel vol met zo veel etensresten dat je er een avondmaal van kon bereiden. De verf hing los aan de muren en het plafond, het vloerzeil was versleten en zwart van vuil. De Hindoestaanse hospita deed niets aan het onderhoud van het huis. Een klein, smal trapje leidde naar de zolder, waar ik mijn kamer had. Hier stond een zelf in elkaar getimmerde douchecabine. De zolder was mijn terrein.

De zolderkamer was de kleinste kamer in het huis, maar ook de goedkoopste. Twee zijmuren liepen in een driehoek naar een punt in het plafond, waar aan de straatzijde een zolderraam was ingebouwd om een beetje daglicht binnen te laten. In de hoek bij de deur stond een eenpersoonsbed, met daarnaast een klein nachtkastje met een schemerlamp erop, en boven het bed had ik een metalen boekenrek bevestigd, dat plaats bood aan zo'n veertig boeken. Midden in de kamer stond een oude eiken salontafel met twee versleten leren fauteuils.

Aan het voeteneinde van het bed stond een kleine zwart-wittelevisie op een laag kastje met een platenspeler ernaast. Daaronder stonden ongeveer vijftig lp's opgesteld en ruim twintig cassettebandjes. Ik had muziek van Stanley Clarke, Level 42, Michael Jackson, Paul Simon, Nass El Ghiwane, Lemchabeb, Diana Ross, BB King, the Rolling Stones, Jimi Hendrix en nog veel meer. In de hoek van de kamer stonden een Ibanez-basgitaar en een Fender-basversterker, en daarnaast lag een stapel muziekboeken en bladen van mijn muziekschool. Hoog aan de muur hing een oude Spaanse gitaar.

In dit huis bemoeide in het begin iedereen zich alleen met zijn eigen zaken, waardoor er een sfeer van ongedwongenheid en rust heerste. Iedereen gedroeg zich vriendelijk en behulpzaam.

De twee studenten, Pauline en Thomas, brachten veel tijd met elkaar door en waren meestal uit huis. Mehmet verbleef illegaal in Nederland en als hij niet in het Turkse koffiehuis aan het kaarten was, zat hij in zijn kamer naar Turkse muziek te luisteren. Massoud hield daarentegen van een ander soort gezelligheid en kwam regelmatig dronken

thuis, tot grote ergernis van de rustige Mehmet. Hij werkte in ploegen-
dienst in een fabriek. Behalve zo nu en dan wat onderlinge menings-
verschillen, over drank of wanneer Massoud weer eens een oude vrouw
mee naar huis had gebracht, leken deze twee landgenoten goed met elkaar overweg te kunnen.

Massoud nam me op een avond mee naar een Turks café in het
centrum van de stad waar Turkse muziek werd gespeeld en waar een
buikdanseres de mannelijke bezoekers aangenaam bezighield. Die
avond heb ik, door het ontbreken van een percussionist, op de *darboe-
ga* met de Turkse band meegespeeld. Ik had succes die avond en sindsdien vroeg de eigenaar mij regelmatig om met de Turkse groep in de
Turkse disco percussie te spelen. Ik kreeg tien gulden per keer plus
gratis bier en eten.

Als ik tijd in mijn kamer doorbracht, was ik meestal met mijn mu-
ziekstudie aan de muziekschool bezig, waar ik les had in gitaar en basgitaar. Mijn leven draaide om muziek. Sinds mijn kinderjaren droomde ik ervan ooit een professionele muzikant te worden. Ik oefende
uren achtereen op het spelen van diverse toonladders en akkoorden ge-
combineerd met vingeroefeningen om mijn snelheid en ritme te per-
fectioneren. Ik speelde ook in de combo van mijn muziekleraar en
moest hiervoor dagelijks oefenen. Een van mijn favoriete nummers in
deze combo was het lied 'Just the two of us' van Grover Washington jr.

Ik speelde ook regelmatig samen met Arien en zijn vriend Paul. Zij
leerden mij nummers van the Rolling Stones en Jimi Hendrix, en van
mij leerden zij de Arabische en Marokkaanse muziek. Ik liet ze ook
kennismaken met muziek van Nass El Ghiwane, de muziekgroep met
de folklore van *gnaoua*, een muziekstijl die Arabische melodieën met
Afrikaanse ritmestijlen combineert. De instrumenten die Nass El Ghiwane hanteerde, waren simpel en primitief: een banjo, de tamtam,
bendir en *lahgoug*, een basinstrument uit Midden-Afrika en Soedan.

Ik had twee jaren geleden met mijn band Noujoum El Magreb in
het voorprogramma van Nass El Ghiwane opgetreden. Het was een
tournee door Nederland in steden als Amsterdam, Utrecht, Rotterdam
en Den Haag. Het was voor mij een hele ervaring met Nass El Ghiwane
op te trekken. Ik rookte jointjes met Larbi Batma en Abderahman Pa-
co, Omar Sayed en Allal Yaala. Ik leerde hen en hun ideeën redelijk
goed kennen tijdens die vijfdaagse tournee met twee concerten per

dag. Die dagen gaven mij een geweldig gevoel en het idee dat die ontmoeting met Nass el Ghiwane mijn leven radicaal zou veranderen. Ik
had mensen van wereldniveau ontmoet, vier mannen die een boodschap hadden voor de wereld: een boodschap over vrijheid en politieke
en economische rechtvaardigheid in een land dat verscheurd was door
macht, corruptie en onderdrukking. Het was voor mij een grote ontdekking, die de leegte in mijn leven vulde.

De status van Nass El Ghiwane was te vergelijken met Bob Dylan of
Jimi Hendrix in de jaren zestig. De doorbraak kwam in het begin van
de jaren zeventig en ze werden snel zo populair dat ze in Marokko, Al-
gerije en Tunesië uitsluitend in voetbalstadions konden optreden.

Nass El Ghiwane was de eerste muziekgroep na de dood van Huci-
ne Slaoui die het in Marokko aandurfde om protestliederen te zingen. In
deze liederen vertolkten zij de gevoelens van het volk, gevoelens die
men zelf niet kon uiten. Hun massale populariteit behoedde hen voor
vervolging, wat anders gebruikelijk was voor critici van het regime.
Nass El Ghiwane ontketende begin jaren zeventig een ware revolutie in
de Noord-Afrikaanse muziek. Ze traden meerdere malen op in een uitverkocht l'Olympia in Parijs, stonden in Carnegie Hall in New York en
in Budokan in Tokio. Bob Marley was een van de vele artiesten die de
groep als een van zijn favorieten noemde.

Ik luisterde niet alleen veel naar hun opzwepende muziek, die me
in trance bracht, maar ik luisterde ook naar hun teksten, die mijn eigen emoties en mijn schreeuw om rechtvaardigheid, gelijkheid en vrijheid leken te verwoorden.

In het najaar van 1980 kwam Nass El Ghiwane opnieuw naar Nederland en de groep deed ook Utrecht aan. Die avond nam ik Arien en
Paul mee naar het uitverkochte concert in het Muziekcentrum Vredenburg. De zaal was volgepakt met duizenden mensen van verschillende
nationaliteiten en er werd veel hasj gerookt. Hoewel Arien en Paul niet
gewend waren aan het roken van hasj, deden zij, onder invloed van de
opzwepende muziek, die avond behoorlijk mee. In die grote zaal stonden vier mannen op het podium met eenvoudige en primitieve muziekinstrumenten en de zaal stond op zijn kop.

In de pauze nam ik Arien en Paul mee naar de artiesteningang in
een poging om Nass El Ghiwane weer te ontmoeten. Ik wist niet zeker
of zij zich mij nog zouden herinneren. Ik slaagde erin tot de ingang

van de kleedkamers door te dringen. Maar de beveiliging was heel streng en ik mocht niet naar binnen. Op dat moment liep een van de bandleden, Larbi Batma, langs en ik riep hard zijn naam. Hij draaide zich om, zag mij staan en kwam terug. Hij zei in het Frans tegen de mannen van de beveiliging dat het oké was en gaf mij een hand. Hij herinnerde zich mij nog. Batma was een geweldige persoonlijkheid. Hij speelde niet alleen uitstekend percussie, hij had bovendien een prachtige lage basstem en was de tekstschrijver van de groep. Ik stelde hem voor aan Arien en Paul, maar wij mochten niet de kleedkamers in. Ik praatte even met hem en ik haalde een stuk hasj gewikkeld in aluminiumfolie uit mijn broekzak en gaf het hem. Hij bedankte mij, klopte mij op de schouders bij wijze van afscheid en vertrok in de richting van het toneel voor het tweede gedeelte van het concert.

Naast mijn interesse voor muziek was het bereiken van een hoog niveau in de Nederlandse taal een belangrijk doel in mijn leven. Om mijn communicatieve vaardigheden op een hoger peil te brengen volgde ik een cursus Nederlandse grammatica bij de Volksuniversiteit in Utrecht. Ik raakte gemotiveerd door literatuur die ik zo graag wilde lezen en bestuderen, maar die ik vanwege het hoge taalniveau niet kon lezen. Ik kwam op een gegeven moment tot de ontdekking dat ik zowel mijn moedertaal, het Arabisch, als het Nederlands onvoldoende beheerste. Ik voelde mij ook in mijn denkvermogen in deze twee talen beperkt. Ik moest wel een keuze maken, want mijn achterstand in beide talen tegelijk inhalen was onmogelijk.

Ik nam een besluit mij voor de volle honderd procent te verdiepen in de Nederlandse taal. Dat is de taal waarin ik dacht en waarin ik mijn emoties in denken vertaalde. Deze keuze was noodzakelijk. Immers, ik was al sinds mijn aankomst in Nederland niet één keer in Marokko geweest. Ik had de band met mijn land van herkomst definitief verbroken. Waarom zou ik mij nog in de Arabische taal en culturele achtergrond verdiepen?

Wilde ik mijn pad kunnen vinden binnen de structuur van de Nederlandse maatschappij, dan was het uitstekend leren beheersen van de Nederlandse taal een vereiste. Zo was ik in staat om mijn intellectueel niveau te verhogen op cultureel, politiek, maatschappelijk en psychologisch terrein. En deze algemene ontwikkeling, die ik niet via het reguliere onderwijs had kunnen volgen, was voor mij net zo belangrijk als eten en drinken, net zo noodzakelijk als de lucht die ik ademde. Mijn honger naar kennis was onbeschrijfelijk groot. Ik had een enorme afkeer van het klimaat van onwetendheid, passiviteit en desinteresse binnen de Marokkaanse gemeenschap. Zo wilde ik bijvoorbeeld de vraag beantwoorden die mijn vader mij een keer stelde over waarom wij op aarde waren. Zou ik in mijn zoektocht naar kennis en wijsheid over het oorspronkelijke plan van het bestaan misschien tot een andere conclusie komen dan mijn vader? Ben ik in staat om met een andere waarheid te leven dan die van mijn ouders? Zou die kennis mij niet in nog meer verwarring brengen en mij apathisch maken? Dat waren allemaal vragen die ik niet kon beantwoorden! Ik was in de overtuiging dat, wilde ik iets begrijpen van de maatschappij die mij had opgeslokt en op het punt stond mij weer als een ongewenst element uit te kotsen, ik haar lichaam, haar hart en haar ziel moest leren kennen. Zonder het verleden te kennen was het zinloos het heden te proberen te begrijpen. Het verleden is immers het fundament van het heden, en het heden behoort tot het verleden van de toekomst.

Ik wilde studeren en dat kwam voort uit het authentieke, innerlijke verlangen en de behoefte om te willen begrijpen. Na dit begrijpen volgt een proces van verwerping of acceptatie; bij mij was het meestal een lang proces van verwarring.

In het begin waren er veel boeken waarin ik geïnteresseerd was. Door het moeilijke taalgebruik waren veel boeken nauwelijks toegankelijk voor me, maar door mijn studie Nederlands ging het gauw beter. Ook had ik zelf een simpele oplossing bedacht om mijn woordenschat te vergroten en op een hoger niveau te brengen. Ik schreef de moeilijke woorden die ik in de boeken tegenkwam op en zocht in een woordenboek op wat ze betekenden. Ik speelde met deze woorden en maakte er hele zinnen van, die ik op een lijst met een punaise aan de wand hing. Een nieuw ontdekt woord, was voor mij niets anders dan een woord bestaande uit verschillende leestekens zonder betekenis of inhoud. Tussen het woord en inhoud lag een grens, die door middel van het weten werd doorbroken, zodat het geschreven woord een voorstelling van zich liet maken en in mijn verbeelding tot leven kwam. Dit systeem werkte perfect, en zo werd de kloof tussen mijn kennis van de Nederlandse taal en de toegankelijkheid van de boeken steeds kleiner.

Ik kon heel goed boeken lezen van Milan Kundera, het werk van Martin Luther King, boeken van Kosinski en Nederlandse schrijvers als Simon Carmiggelt en Marten Toonder. Ik bestudeerde ook boeken over de geschiedenis en het werk van de grote kunstenaars van vorige eeuwen, zoals Leonardo da Vinci, Vincent van Gogh, Rembrandt en Picasso.

Ik las niet alleen westerse en Oost-Europese literatuur, maar ook dag- en weekbladen.

Mijn grootste passie was de wereld van het stripboek. Philip, een Fransman die ik had ontmoet in een café, logeerde in het huis van een kennis van hem die voor twee maanden naar het buitenland was. Hij moest daar die periode oppassen. En die man had thuis een enorme bibliotheek van stripboeken.

Toen ik op een dag bij Philip op bezoek ging, stond ik versteld bij het zien van de enorme hoeveelheid stripboeken die deze man had verzameld. Het waren er zeker meer dan duizend. Ik sloot een deal met Philip. Ik gaf hem af en toe wat hasj en dan mocht ik stripboeken lenen. Ik nam elke week vijftig strips mee naar huis. Die las ik meestal in één adem uit, vooral in de nachtelijke uren als ik niet kon slapen. Deze stripboeken leerden mij erg veel over bepaalde culturele achtergronden van het Westen. Mijn favoriete striphelden waren Asterix en Obelix, Lucky Luke en Guust Flater.

Lucky Luke, die sneller kon schieten dan zijn schaduw, vertelt de geschiedenis van het wilde westen. Thema's als de goudkoorts, de aanleg van de spoorwegen en de verdrijving van de indianen worden op satirische wijze beschreven. Deze satirische stijl gold zeker ook voor Asterix en Obelix, die Julius Caesar en zijn Romeinse leger een doorn in het oog waren. En de mythe van de druïde die de toverdrank maakte die de Galliërs een onoverwinnelijke kracht gaf maakte indruk op mij, net als de goden die geëerd werden voor bescherming, liefde en kracht.

Guust Flater leerde mij niets over de culturele geschiedenis van het Westen – die strip was een geval apart: ondanks dat al zijn uitvindingen mislukken, zijn zijn goedheid, doorzettingsvermogen en geduld, tot grote ergernis van zijn baas, onbeschrijfelijk. Met zijn kat en zijn vogel maakt hij het leven van zijn baas zuur, die altijd een contractopdracht op het laatste moment misloopt.

Poortwachters
van de arbeidsmarkt

Met werk zoeken kwam ik niet verder dan productie- of magazijn-werk. Met mijn afgebroken technische opleiding hoefde ik op vacatures op het terrein van administratie, commercie en dienstverlening niet te solliciteren. Ik werd altijd afgewezen. Aan mijn afkomst of intelligentie lag het niet, liet men mij vaak weten.

Mijn eerste baantje kreeg ik op mijn zeventiende via het uitzendbureau bij een koplampenfabriek in Montfoort. Het enige wat ze me te bieden hadden, was ongeschoold werk en ik accepteerde de baan. Ik nam elke morgen de bus van zes uur naar Gouda en in Montfoort moest ik dan nog een halfuur naar de fabriek lopen. In de winterdagen was dit een kwelling voor mij. Na het werk reden alle arbeiders met elkaar in de auto naar huis, en ik was de enige zonder relaties en zonder een warme plek in de auto's die mij hard voorbijreden. Nooit had er iemand medelijden met mij en stopte om mij te vragen mee te rijden.

Om zeven uur 's morgens moest ik mijn werkkaart afstempelen in het daarvoor bestemde apparaat bij de ingang van de fabriek. Als ik één minuut te laat was, werd ik daar door mijn chef op aangesproken. Voor de fabrieksbaas was ik niet meer dan een productiefactor. Samen met Abdel, een jongen die ik uit Utrecht kende, werd ik ingezet in de chromerij, waar koplampen na het polijsten van een chroomlaag werden voorzien. Het werk op zich was niet zwaar, maar de ruimte was smerig. Erger nog was de lucht, die vol was van chemische stoffen en die enorm stonk.

Nog in mijn proeftijd werd ik op een ochtend door mijn chef mee-genomen naar een kelder onder het fabrieksgebouw. We daalden samen in een slecht verlichte ruimte af en het duurde lang voordat mijn ogen aan de duisternis waren gewend. De kelder stond vol met allerlei rotzooi, dozen vol rommel, blikken oude verf, olieblikken en versleten machineonderdelen. Alles lag onder een dikke laag stof. Ik zag zelfs een paar ratten wegvluchten. 'Wat loopt daar?' vroeg ik aan de chef, terwijl ik een stap achteruit deed. 'Ooh, dat zijn maar muizen. Ben je soms bang voor muizen?' vroeg hij zonder te stoppen. Dat waren geen muizen, dacht ik; zeker muizen zo groot als konijnen. Maar ik zei verder niets.

Mijn chef had me naar deze kelder gebracht om die op te ruimen. Ik stond sprakeloos naar de troep om me heen te kijken. Ik probeerde hem duidelijk te maken dat ik niet in mijn eentje die enorme kelder kon schoon krijgen. Bovendien was er nauwelijks frisse lucht: als ik een halve dag in die kelder doorbracht, zou ik stikken. Hij haalde zijn schouders op en terwijl hij aanstalten maakte om de benauwde ruimte te verlaten, zei hij: 'Toch moet dit werk ook gedaan worden, vriend. Ik kan nu niemand vrijmaken om je te helpen, maar vanmiddag zal ik kijken wat ik kan doen!'

Ik kon niet begrijpen waarom ik de uitverkorene was. Er liepen meer dan honderd mensen in de fabriek en ik leek de enige die dit klusje kon klaren. Eigenlijk wist ik het wel, maar ik probeerde die gedachte van me af te zetten. Ik was echter niet van plan om tot de middag alleen in die ondergrondse hallen met ratten zo groot als konijnen door te brengen.

'Kan Abdel mij niet komen helpen?' vroeg ik, want ik kon het prima met Abdel vinden. En samen konden wij in elke situatie plezier beleven. 'Abdel is ziek,' antwoordde hij, terwijl hij hoestend de trap op liep om snel de smerige kelder te verlaten. Ik volgde hem op zijn hielen. 'Ik kan het niet,' zei ik. 'Niemand kan het hier ook maar een uur volhouden, dus waarom ik dan wel.' Ik begon op mijn beurt een beetje overdreven te hoesten in de hoop zijn medeleven te krijgen. Hij keek mij aan, niet met medelijden, maar eerder denigrerend, en hoestte, terwijl hij een zakdoek voor zijn mond en neus hield om de stank en de stof uit zijn longen te houden.

'Jij hebt niets te weigeren!' zei hij zonder aarzelen. 'Jij wordt betaald om te werken, dus je hebt uit te voeren wat je opgedragen wordt en daarmee uit!' Ik maakte hem nogmaals duidelijk dat ik niet van plan was om die kelder in te gaan. Hij nam me nonchalant op en zei zonder mij verder nog aan te kijken: 'Dan donder je maar op en hoef je ook niet meer terug te komen.'

Ik voelde een geweldige woede opkomen, maar kon die niet echt uiten. Ik trok mijn smerige overall uit, wierp die voor zijn voeten en ging weg. De man leek zich niets van mijn vertrek aan te trekken.

Een week later meldde ik me opnieuw bij het uitzendbureau. Men had al over mijn werkbereidwilligheid geklaagd. Het had weinig zin mij te verdedigen, want hun mening stond toch al vast. Het uitzendbureau trok partij voor de betalende werkgever en niet voor mij.

Via verschillende korte baantjes kwam ik bij een boekbinderij terecht. De werkomstandigheden waren hier ook niet optimaal, maar in ieder geval veel beter dan in de chromerij. Ik deed licht werk. Het bestond voornamelijk uit het controleren van boeken op mankementen en beschadigingen, voordat ze voor transport werden ingepakt. Het werk was door de eentonigheid algauw saai, maar ik vond het toch prettig om met nieuwe boeken te werken. Ik ging van de geur van nieuwe boeken en de verse inkt houden. Veel van deze boeken, vooral romans, las ik in de lunchpauze. Ook tijdens het werk nam ik regelmatig boeken door, maar mijn baas maakte daar snel een eind aan. Zijn kantoor bevond zich recht tegenover de werkbank van de inpakkers, waar ik werkte. Zodra hij in de gaten had dat iemand iets anders deed dan werken, tikte hij met zijn enorme gouden ring hardhandig op de glazen wand. Het was een klein driftig kereltje met schichtige ogen die niets ontgingen. Zelfs in zijn achterhoofd leek hij verborgen ogen te hebben. Iedereen in de fabriek was bang voor deze buldog en dat wist hij. Ik had er alles voor over om deze baan niet te verliezen. Ik was zelfs bereid elke dag overuren te maken en in opdracht van de baas regelmatig de hele fabriek schoon te vegen. Wat konden ze nog meer van mij verwachten!

Het vernederendst vond ik dat, als ik op vrijdagmiddag al vegend door de fabriekspaden liep, de andere werknemers mij met leedvermaak aanstaarden. Ze genoten ervan mij met de grote bezem te zien vegen, terwijl zij hun shagjes stonden te roken. Ik heb altijd een vermoeden gehad waarom zij waren vrijgesteld voor de veegactiviteit en ik heb dan ook nooit goed met die collega's kunnen opschieten. Ze waren niet onaardig, maar hun dagelijkse discussies gingen nergens anders over dan voetbal, vrouwen, klagen over het weer en alles wat anders was dan zijzelf. Nooit ging er een dag voorbij zonder dat ik werd geconfronteerd met hun ongenoegen en geklaag over buitenlanders.

Het bespotten van buitenlanders was voor hen de normaalste zaak van de wereld, maar voor mij was het afschuwelijk en vernederend. Het was meer dan ik, een jongen van negentien, aankon. Maar ja, hoe ik me ook ergerde, ik wist me er geen raad mee. Ik zweeg en reageerde liever niet op hun uitlatingen.

Productiewerk was voor mij geestdodend. Ik ben altijd bang geweest dat ik besmet werd met het virus van troosteloosheid van de fabriekscultuur en daar voor altijd in een apathische toestand van zou raken. De gemiddelde leeftijd van de arbeiders in de fabriek was veertig. Zo wilde ik niet worden, ik was pas negentien.

In de middagpauze verzamelden de arbeiders zich in de fabriekskantine om te eten en een spelletje kaart te spelen. Ik gebruikte het halfuurtje om buiten in de frisse lucht door te brengen. Het ging mij niet zozeer om de frisse lucht, maar buiten was ik vrij. Ik rookte onder het lopen een jointje en genoot intens van het moment, dat van niemand anders was dan mij. Op straat voelde ik mij vrij. Als ik wat tijd overhad, ging ik in een hoek achter een stapel dozen een boek zitten lezen. Het genot van hasj en het lezen van een boek vulde, in een moment van rust, mijn ziel met een onbeschrijfelijke warmte.

Met mijn werk in de boekbinderij ging het steeds minder goed. Elke dag was hetzelfde als de vorige en de volgende. Elke handeling verrichtte ik honderdduizendmaal opnieuw. Ik voelde me als een eenzame reiziger in de woestijn. Op een dag schreef ik, in een poging de eentonigheid te doorbreken, in een boek de volgende tekst: Denk aan de arbeider als je dit boek leest! Ik wist eigenlijk niet wat ik hiermee wilde bereiken. Misschien was het onbewust een schreeuw om hulp. Ik had misschien net zo goed kunnen schrijven: Help mij, bevrijd mij. Ik zit gevangen in een web van arbeid!

Soms kon ik het nauwelijks opbrengen om naar de fabriek te gaan. Niet eens zozeer vanwege het saaie werk, of vanwege die schreeuwlelijk van een baas met zijn ogen in zijn rug, maar vanwege de bezem. De bezem, die ik aan het einde van de dag met mij meedroeg als een kruis op mijn schouders op weg naar mijn kruisiging. De bezem, die mij achtervolgde in mijn dromen. Ik droomde vaak dat ik in mijn slaap werd overvallen door een leger bezems. Ik werd dan door bezems omsingeld, zodat ik nergens heen kon vluchten. Achter dat leger van op hol geslagen veegstokken doken ineens en uit het niets de blikken van mijn collega's op. Tientallen ogen in een zwarte leegte waren op mij gericht. Als in een koor schreeuwden ze tegen mij. Het enige wat ik ervan kon verstaan was: 'Vegen! Vegen! Vegen!' Het lawaai en geschreeuw was van een enorme volksmenigte. Tegen de tijd dat het gebrul zijn climax bereikte, vloeiden beeld en geluid in elkaar over en zakte alles langzaam weg in een zwart gat; en dan werd ik met een schok wakker.

Ik had een grenzeloze behoefte om mij te bevrijden van de bezem, die mij zelfs in mijn slaap terroriseerde. Op een gewone middag nam ik eindelijk een moedig besluit. Toen mijn chef mij zoals gewoonlijk non-verbaal het teken gaf om de fabriek schoon te vegen, liep ik getrouw naar de schoonmaakkast. Ik pakte alle bezems die ik in de kast kon vinden. Ik liep langs mijn collega's, die op het signaal stonden te wachten om naar huis te gaan, en gooide alle bezems voor hun voeten neer. Alleen de grootste bezem hield ik vast en daarmee liep ik naar mijn chef, die bezig was zijn handen te wassen. Toen ik naast hem stond, tikte ik hem op zijn schouder, stopte hem de bezem in de hand en zei: 'Weet u wat! Waarom gaat u zelf niet de fabriek schoonvegen?' Ik voelde geen angst; gek genoeg voelde ik helemaal niets. Ik wist dat dit de enige manier was om mij van de nachtmerries te bevrijden, die mij elke nacht kwelden.

Mijn chef keek mij niet-begrijpend aan, maar voordat hij een woord kon uitbrengen, was ik al het waslokaal uit gelopen. Ik liet hem in verwarring achter en liep met opgeheven hoofd naar mijn werktafel, waar ik mijn spullen pakte. Ik trok mijn jas aan. Onderweg naar de uitgang passeerde ik de grote baas zelf, die in zijn koninklijke kooi stond te kijken naar wat er aan de hand was in zijn fabriek. Toen ik hem passeerde, salueerde ik triomfantelijk en vertrok richting de uitgang. Ik voelde me geweldig. Het was alsof de hele wereld even voor me had geknield. En zo rekende ik voorgoed af met mijn nachtmerrie van de bezems.

Een week later ontving ik van het uitzendbureau de mededeling dat zij geen gebruik meer wensten te maken van mijn diensten. Ik verscheurde de brief en smeet hem in de prullenmand. Met die laatste daad kwam ik in de bijstand terecht.

Van de sociale bijstand kon ik nauwelijks rondkomen en ik wilde iets serieus in mijn leven doen. Daarom nam ik een paar weken later het besluit om mijn positie op de arbeidsmarkt te verbeteren. Ik stapte op een dag naar het arbeidsbureau, waar ik al een tijdje als werkloze stond geregistreerd, en vroeg een gesprek aan met een scholingsadviseur. Er werd een afspraak gemaakt voor een week later. Op het afgesproken tijdstip meldde ik mij weer.

'Wat kan ik voor u doen?' vroeg de scholingsconsulent niet onvriendelijk. Ik vertelde de man dat ik problemen had met het vinden van geschikt werk en dat ik op zoek was naar mogelijkheden voor het volgen van een beroepsopleiding. Hij vroeg of ik een specifieke opleiding voor ogen had. 'Nou, ik weet het nog niet precies, maar mijn interesse gaat uit naar een opleiding voor reproductietekenaar of iets in het sociaal-cultureel werk.'

De consulent luisterde, terwijl hij mijn registratiekaart aandachtig doornam, en leek op een gegeven moment tot een conclusie te komen.

'Naar deze opleidingen waar uw voorkeur naar uitgaat, is helaas nauwelijks vraag op de arbeidsmarkt. Ook uw vooropleiding en werkervaring zijn niet voldoende om deze, veelal langdurige en zware studies, te kunnen volgen. Wellicht zou het daarom verstandig zijn om uw technische opleiding voort te zetten,' vertelde de consulent op een toon die deed vermoeden dat hij het best wist wat goed voor mij was. Ik informeerde naar de alternatieven die hij voor me had. Hij greep naar een brochure op een rekje naast zijn bureau en terwijl hij dit boekje met honderd en één beroepen doorbladerde, vond hij uiteindelijk de opleiding die het meest geschikt was voor mij. 'Centrum Vakopleiding voor Technische beroepen biedt allerlei mogelijkheden. Te denken valt aan een opleiding voor timmerman, metselaar, loodgieter of in de elektrotechniek,' informeerde hij mij enthousiast. 'Dat zijn opleidingen waarmee je snel weer werk kunt vinden.' Hij leek blij mij deze opleidingen aan te kunnen bieden.

'Ja, maar ik wil geen technische opleiding volgen,' sputterde ik tegen. 'Bovendien, hoe kunt u nu in zo'n kort gesprek bepalen dat ik affiniteit heb met technische beroepen?' vroeg ik aan die paternalistische ambtenaar. Nu wilde hij het gesprek snel beëindigen.

'Dit zijn de mogelijkheden die we voor u hebben. Iets anders is, gezien uw achtergrond, helaas niet mogelijk. Kijk, we scholen werklozen alleen voor functies waar werk in te krijgen is, want dan pas is scholing rendabel. En opleiden zonder arbeidsmarktrelevantie betekent per definitie scholen voor werkloosheid. Wij zijn er juist voor om werklozen uit de bijstand te helpen!' legde hij op deskundige wijze uit.

Deze opvatting leek mij niet meer dan logisch en dus aannemelijk. Wat mij wel verbaasde was de tweeslachtigheid in zijn visie en handelen. Enerzijds wilde hij mij niet in een richting laten opleiden waarin geen werk was en anderzijds had hij getracht mij in een richting te sturen waar ik beslist geen aanleg voor had. In mijn ogen zou dat ook tot niets anders leiden dan werkloosheid. Ik besloot me er niet bij neer te leggen.

'In een folder bij de informatiebalie heb ik iets gelezen over mogelijkheden voor beroepskeuzeadvisering voor mensen die nog niet precies weten welke beroepen ze zouden willen uitoefenen. Kunt u mij hier meer over vertellen?' vroeg ik.

Hij vertelde mij dat deze beroepskeuzetest inderdaad bestaat en dat het doel is vast te stellen wat iemands capaciteit, intelligentie en interesse is. De test was echter door de moeilijkheidsgraad niet geschikt voor mensen met een andere dan de Nederlandse culturele en opleidingsachtergrond. Dat is zuiver discriminatie, dacht ik. Ik zei echter niets, want ik voelde me afhankelijk van deze man. Hij kon mijn toekomst maken of breken.

In een poging mij tevreden te stellen zei hij: 'Een andere mogelijkheid die ik voor u heb, is het oriëntatieprogramma via het Centrum voor Beroepsoriëntatie en Beroepsbeoefening.'

Nu kon ik me niet langer beheersen. Ik riep zelfverzekerd: 'Ik heb geen aanleg voor techniek. Ik heb de helft van mijn vooropleiding in Nederland gevolgd. U weet niets over mijn culturele achtergrond, mijn capaciteiten of mijn ontwikkelingsniveau. Hoe kunt u dan over mijn leven beschikken?'

De consulent-van-de-bureaucratie was niet op deze aanval voorbereid, en werd erdoor verrast en uit zijn evenwicht gebracht: het gesprek verliep niet volgens zijn scenario. Ik was voor hem niets anders dan een product of een doelgroep. Hij zag me blijkbaar niet als een individu met een eigen ziel en eigen persoonlijke verlangens. Hij voerde dit soort gesprekken met lotgenoten waarschijnlijk aan de lopende band.

Volgens mij had deze ambtenaar tot taak werklozen te helpen en hen te ondersteunen actief deel te nemen op de arbeidsmarkt; hen te

ondersteunen bij een arbeidsproces waarin zij zichzelf kunnen her-
kennen en waarin zij passen, waar zelfontplooiing het sleutelwoord is.
Het enige wat deze functionaris van de overheid vanuit zijn machtspo-
sitie voor mij kon betekenen, was de vernietiging van mijn innerlijke
inspiratie en mijn hoop op een beter bestaan.

Met 'Het spijt me, er wachten nog meer klanten op me' maakte hij
een eind aan het gesprek en hij gaf mij een stevige hand om zijn machtige positie nog eens goed te verduidelijken.

Ik gaf hem een hand en zei: 'U hoeft zich niet te verontschuldigen.
Het spijt mij dat ik beslag heb gelegd op uw tijd. Ik heb mijn tijd ook
verspild, want ik dacht dat ik met een deskundige te maken had, maar
dat viel nogal tegen.' Ik verliet de kamer van de man, aan wie ik een
enorme hekel had gekregen. Deze man had eenvoudig binnen een
halfuur over mijn toekomst beslist en ik kon daar niets tegen doen. Ik
was hoopvol naar deze arbeidsinstantie gekomen en werd er vervolgens met lege handen en vol frustraties weggestuurd.

Was het vreemd dat met mij ook andere Marokkaanse jongeren de motivatie en kracht niet konden behouden om in de Nederlandse maatschappij te investeren? Wij konden niets! Wij mochten niets! Wij werden overal geweerd! Ook wij hadden er behoefte aan jong en onbe-
zorgd te zijn en te genieten van muziek in discotheken. Wij werden
openlijk gediscrimineerd en niemand deed iets om ons te helpen. Vaak
lokten groepen Nederlandse jongeren ruzie uit en kregen wij daar uiteindelijk de schuld van. Dat was erg gemakkelijk en zo kregen wij
overal een slechte naam. Elke aanslag op onze integriteit en ons zelfrespect moesten we maar aanvaarden. We mochten zelf niets anders
doen dan passief toekijken hoe het leven aan ons voorbijtrok.

Dat Nederlandse ouders en Noord-Afrikaanse ouders geen gemengde relaties van hun kinderen duldden, dat wist iedereen. En dit
gold eigenlijk voor bijna alle Europese landen: men wilde het eigen
ras beschermen en gemengd bloed werd als een vloek beschouwd. Je
moest bij je eigen soort blijven. Als het jezelf overkomt, zie je pas de
zinloosheid van deze opvatting. Mensen die zich tot elkaar aangetrokken voelen, mogen niet met elkaar omgaan, puur omdat ze op een andere plek op aarde zijn geboren. Men heeft het ook vaak over cultuur-
verschillen, maar wat een onzin: verliefdheid kent geen culturen,

geen verschillen en ook geen grenzen.

Op een avond ontmoette ik op de Neude het Nederlandse meisje Michelle in een café waar zij vaak met haar vriendin Joyce kwam. Wij raakten in gesprek en het klikte meteen tussen ons. Later gingen we samen wandelen in de bossen van Lage Vuursche, niet ver van Hilversum, waar zij vandaan kwam. Michelle had een appartementje in het centrum van Hilversum. Wij werden verliefd op elkaar en gingen steeds vaker samen uit.

Zij werkte op de administratie van een grote pensioenverzekeraar en had daar een redelijke positie.

Na verloop van tijd werd Michelle door haar ouders voor een keuze gesteld: of stoppen met de relatie met de Marokkaan en kiezen voor haar ouders, of kiezen voor de Marokkaan en zich niet meer bij hen laten zien. Dit was voor haar een erg moeilijke keuze, temeer omdat zij door mijn ouders wel werd geaccepteerd. Zij kwam vaak bij mijn ouders thuis en kon erg goed met hen overweg. Mijn ouders maakten geen onderscheid. De rest van de Marokkaanse gemeenschap om ons heen deed dat wel en mijn vader werd er in de moskee door zijn vrienden vaak op aangesproken.

Michelle bleef met mij omgaan en zag haar ouders niet meer. Haar vader was erg racistisch en wilde niets met Marokkanen te maken hebben. Zij schaamden zich voor wat de mensen in hun straat van middenklassers zouden zeggen.

Zwarte leegte

Als ik niets te doen had, en dat was meestal het geval, bracht ik mijn tijd vaak door in een Marokkaans jongerencafé. Hier voelde ik mij thuis. Ik kocht er een stukje hasj voor vijf gulden en rookte wat, soms alleen en soms met vrienden. De eigenaar van het café verkocht stuff in allerlei soorten en kwaliteiten: zero-zero, libanon, kasjmir of Jamaicaanse marihuana. Ik kon in dit café uren van genot en ontspanning doorbrengen, terwijl het dagelijkse leven buiten in sneltreinvaart aan mij voorbijging. Buiten vierden Nederlanders in besloten kring Kerstmis en binnen in het café rookte de Marokkaanse jeugd de zero-zero en kasjmir. Verdoven van de geest was een bewuste keuze.

Als je me naar het waarom vroeg, zou ik antwoorden: 'Wat moet je anders doen? Er is niets. Dus maar voor jezelf kiezen en je tijd relaxed en stoned doorbrengen. Dan maak je je nergens druk om. Waarom wachten op je kansen? Welke kansen?' De Nederlandse maatschappij had mij en de hele Marokkaanse jeugd niets te bieden en wij hadden de Nederlandse samenleving niets te bieden.

Onze ouders hadden de strijd tegen de jeugd opgegeven. De meeste jongens die ik kende, kwamen maar zelden thuis. Meestal brachten zij de nachten door in Hoog Catharijne.

Wie geluk had, werd door de politie met rust gelaten en kon, onder het plafond van een winkelstad, rustig op de dageraad wachten. De ongelukkigen werden uit het 'winkelhart van Nederland' weggejaagd om zwervend in de buitenlucht de nacht door te brengen. Ik had geluk. Mijn nachten bracht ik niet in de kou door, maar op een kamertje aan de Amsterdamsestraatweg. Ik had die kamer gehuurd sinds de laatste ruzie met mijn ouders zo hoog was opgelopen; het was toen het beste voor iedereen dat ik vertrok. De confrontaties met mijn ouders werden meestal veroorzaakt door de gemeenschap. Als mijn vader de kritische blikken van zijn vrienden in de moskee op zich gericht zag en de verhalen over mij en andere randgroepjongens hoorde, kwam hij meestal na het avondgebed geïrriteerd thuis. Dan vertelde hij wat anderen hem over mijn gedrag hadden toevertrouwd en dat Allah mijn vader als verzorger medeverantwoordelijk zou stellen voor mijn heidense gedrag. Het roddelcircuit vernietigde veel relaties binnen de Marokkaanse gemeenschap en niemand kon daar iets tegen doen. Ik wilde mij losmaken van de sociale controle van de gemeenschap. Eigenlijk wilde ik helemaal niets meer te maken hebben met mijn schijnheilige landgenoten die mij negeerden of mij ontkenden in mijn bestaan. De mannen meden mij alsof ik de pest had.

De dagen sloften langzaam aan mij voorbij zonder dat ik in staat was er een zinvolle invulling aan te geven. Niet dat ik dat niet wilde, integendeel zelfs; het probleem was dat ik geen greep op mijn leven kon krijgen. Waarom lukte het mij niet mijn idealen te verwezenlijken? Waarom had ik nooit succes in de dingen die ik ondernam? Waarom leek alles wat ik ondernam gedoemd te mislukken en werd ik nooit wijzer van ongelukkige ervaringen? Had ik niet genoeg gezocht naar de sleutel tot de antwoorden op deze simpele vragen? En met welk resultaat? Er kwamen alleen meer vragen en geen antwoorden.

Hoe vaak had ik niet de moed opgebracht om iets van mijn leven te maken? Heel vaak, dat was juist mijn tragedie. Ik voelde een geweldige intellectuele kracht in mij, maar de buitenwereld zag alleen maar een Marokkaanse randgroepjongere, een karikatuur. Ik bleef nog wel stilletjes hopen, maar ik twijfelde of het ooit nog beter zou worden.

Ik probeerde me vaak los te maken van alle negativiteit in mijn denken en de negatieve ervaringen uit mijn verleden. Hoe vaak in mijn leven was ik niet enthousiast en enorm gemotiveerd met allerlei grootse plannen begonnen? En net zo vaak had ik bij de eerste geringste tegenslag die op mijn weg kwam, opgegeven. Ik was nooit in staat om de vele tegenslagen in mijn leven goed te verwerken. Mijn gedrag werd door mijn emotie bepaald en dat maakte mijn handelen onvoorspelbaar en impulsief, ook voor mezelf.

Door bewust over mezelf en het nut van mijn bestaan na te denken raakte ik echter steeds verder de weg kwijt. In plaats van antwoorden te vinden ontstond er alleen maar meer verwarring. Ik wist uit boeken dat zelfkennis onmisbaar was om problemen in het leven op te lossen en jezelf te bevrijden van depressies, verwarring en apathie. Ik zelf was tot alles bereid. Ik wilde mezelf leren kennen en begrijpen. Mijn grootste angst was dat ik niets zou zien en terugvinden, als ik in mijn binnenste keek. Binnen in mij vond ik alleen een zwart leeg gat. Deze ontdekking van dat niets was griezelig en daardoor was ik meestal gedeprimeerd.

Een van de plekken waar ik regelmatig kwam, was het muziekcafé Eigenwijs aan het begin van de Oudegracht. Het café had een enorme aantrekkingskracht op aankomende Utrechtse muziektalenten en werd druk bezocht door zowel jongeren als ouderen. Op vrijdagavond waren er beneden in de kelder muzieksessies voor een toegangsprijs van een gulden. Hier kon elke amateurmuzikant iets van zijn talent laten horen. Uit deze muzikale bijeenkomsten kwamen vaak nieuwe bandjes voort. Op zaterdag speelden er bekende Nederlandse popgroepen. Ik speelde er regelmatig samen met Arien en andere muzikanten. Alles wat we deden was meestal geïmproviseerd, maar het zat redelijk goed in elkaar. Arien speelde gitaar, ik basgitaar en op de drums speelde Ronald, een jongen uit Suriname. Onze favoriete muziek was funk, maar we speelden ook blues en rock. We speelden ook vaak met andere muzikanten samen; daar waren deze jamsessies voor bedoeld.

In dat café ontmoette ik op een avond een Marokkaanse jongen, Karim. Ik zat met Arien en Philip een biertje te drinken. Die avond was John, een Engelsman, weer eens stomdronken. Als hij nuchter was, was John buitengewoon aardig en rustig, maar als hij te veel had gedronken, veranderde hij in een beest. En hij had die avond behoorlijk te veel gedronken: hij was vijandig en agressief en kende niemand meer. John greep iedereen die maar in zijn buurt kwam vast en sloeg er zonder enige aanleiding op los. Arien, Philip en ik waren naar de uitgang gelopen.

Philip kende John goed, want hij had vaak bij hem gelogeerd. Hij liep terug om te proberen de doorgeslagen Engelsman tot bedaren te brengen, maar toen hij John op een halve meter was genaderd, haalde John uit en gaf hij Philip een enorme stomp in zijn gezicht. Philip zag de klap niet aankomen en viel achterover. Net op dat moment kwam Karim uit de richting van de toiletten aangelopen en zag hij dat er een vechtpartij aan de gang was. Hij kende Philip goed. Karim zag dat John hem aanviel, greep een barkruk en sloeg hiermee John op zijn hoofd. Philip maakte van de gelegenheid gebruik om weg te komen en rende naar de uitgang, waar wij stonden toe te kijken. Karim gooide de barkruk op John, die op de grond was blijven liggen, en liep op zijn gemak verder.

De eigenaar van het café liep naar de dronken Engelsman toe, die nauwelijks op zijn benen kon staan, greep hem bij zijn kraag en sleepte hem naar buiten. Samen met Arien en Philip, die uit zijn neus bloedde, gingen we naar binnen, zochten we een tafeltje dat nog overeind stond en bestelden we bier. Karim kwam bij ons zitten en gaf Philip een papieren zakdoekje.

Karim was niet groot gebouwd, maar eerder lang een mager. Hij had een Chinees uiterlijk en had ogen die zich bewogen als die van een kat. Hij had lang, zwart, stijl haar, dat zijn rechteroog voor een deel bedekte, maar waarvan hij geen last leek te hebben. Terwijl wij daar aan tafel zaten, sprak hij weinig. Philip veegde zijn bebloede gezicht af en Arien vroeg waarom hij zo stom was geweest om de held uit te hangen. 'Ik dacht dat hij naar me zou luisteren, want ik ken hem goed,' zei Philip. 'De klootzak heeft mijn neus gebroken.' Karim onderzocht even zijn neus en zei in gebroken Nederlands: 'Ach, is niets, je neus niet gebroken. Engelsman, nooit vertrouwen, en zeker niet wanneer dronken.' We dronken bier en rookten een paar jointjes, en de dronken Engelsman hebben we die avond niet meer teruggezien. Pas tegen de ochtend vertrokken we stoned en dronken naar huis. Wij namen afscheid van elkaar en ieder ging zijn eigen weg.

De volgende dag kwamen in de middag Philip en Karim bij mij op bezoek. Ik was net wakker en probeerde een ontbijt in elkaar te flansen, wat moeizaam ging. Ik had een flinke kater van al het bier en de hasj van de vorige nacht. Karim ging in de oude, versleten fauteuil zitten en Philip nam plaats op de rieten stoel in de hoek van de kamer, terwijl ik op het bed ging zitten. Ik schonk ze een kop sterke koffie in en keek naar Philips neus, die inmiddels de kleur en de vorm van een aubergine had aangenomen. Philip was klein van bouw en had blond, stijl haar tot op zijn schouders. De neus lag nu als een meloen op zijn gezicht. Ik probeerde er verder geen aandacht aan te schenken.

'Hoe gaat het?' vroeg Karim in het Arabisch, terwijl hij een klein papiertje uit zijn zak haalde en op tafel legde. 'Slecht; ik heb een verschrikkelijke kater,' antwoordde ik, naar het bruine poeder in het papiertje starend.

'Dan heb ik het beste medicijn voor je dat je maar kunt krijgen,' zei Karim, terwijl hij de inhoud van het papiertje met een klein mesje fijnsneed. 'Dit, mijn vriend, is een tovermiddel. Het lost al je problemen op en het geeft je een hemels gevoel.'

Hij gooide een mespuntje op een stukje zilverpapier vol zwarte aangebrande plekken. Met een aansteker verhitte hij de onderkant van de folie en het poeder begon langzaam in rook op te lossen. Vervolgens zoog hij het met een dun pijpje zijn longen in. Het was heroïne. Ik had dit rookproces, dat chinezen wordt genoemd, vaker gezien; verschillende mensen die ik goed kende, gebruikten dit middel.

Karim herhaalde deze handeling een keer of vijf en keek mij en Philip met een voldaan en tevreden gezicht aan. Toen overhandigde hij me de folie met een klein hoopje lichtbruin poeder erop. 'Probeer maar,' zei hij aanmoedigend.

Ik twijfelde een ogenblik of ik het spul wilde proberen. 'Toe maar, pak aan. Als je het maar niet vaak gebruikt, raak je niet verslaafd.' zei Karim, me nogmaals aanmoedigend, terwijl hij voldaan achterover ging zitten.

Philip keek stil toe. Karim en ik communiceerden in het Arabisch en Philip, die vaak in Marokko was geweest, verstond wel een paar woorden. Ik gaf het spul terug en zei: 'Liever niet, Karim, dit is gevaarlijk spul.' Karim schudde het hoofd. 'Nee!' riep hij. 'Je hoeft nergens bang voor te zijn. Je hebt last van een kater en als je dit spul rookt, is die kater binnen enkele seconden verdwenen, geloof me. Het is niet gevaarlijk.' En hij gaf mij opnieuw de zilverfolie met de heroïne aan.

Ik dacht snel na. Zal ik het doen of niet. Eén keer zou toch geen kwaad kunnen. 'Ach, wat heb ik te verliezen? Het enige wat ik kwijt kan raken, is de enorme kater in mijn hoofd,' zei ik dapper en ik nam mijn eerste chineesje.

Karim gaf me een sigaret en zei: 'Na elke rookbeurt een paar flinke trekken nemen en diep inhaleren. Dat zorgt ervoor dat de heroïne niet uit je longen kan ontsnappen en dat verhoogt het effect.'

Het had inderdaad de smaak van medicijnen en de stof werkte direct door in mijn lichaam en geest. Na de derde keer voelde ik meteen de druk in mijn lichaam langzaam wegvloeien. Mijn hoofd voelde niet meer zwaar, maar raakte langzaam leeg. Het gevoel was prettig en de spanning die al jaren in mijn lichaam en ziel huisde, vloeide langzaam weg. De energie keerde terug. Een gevoel dat ik heel lang niet meer had gekend. Ik voelde mij prettig en volledig ontspannen. Nog nooit in mijn leven had ik me zo goed gevoeld en de wereld zag er ineens een stuk aangenamer uit.

'Dit spul is geweldig, waarom ontdek ik het nu pas? Hoe lang gebruik je dit al?,' vroeg ik. 'Sinds mijn aankomst in Nederland,' antwoordde hij terwijl hij me opnieuw een chineesje gaf. 'Ongeveer twee jaar geleden. Ik kwam toen uit Ketama, een streek waar het berglandschap is bedekt met de hennepplant. Alle hasj die jullie hier hebben, komt bij ons vandaan!' Hij wachtte even om een slok koffie te nemen en vervolgde zijn verhaal.

'Kijk, deze plant is al eeuwen de bron van inkomsten voor de vele arme boeren die in die bergstreek bewonen. De baby's ademen vanaf hun geboorte de lucht in van de kif, die de plantages verspreiden. In rijke landen wordt de lucht vervuild door uitlaatgassen en schoorstenen van fabrieken, in Ketama is de lucht gemengd met de stof van de kifplant. Alleen al door in een dorp op straat te lopen word je stoned. Je ziet er ook een hoop Europeanen en Amerikanen, die maanden in die streken doorbrengen. Om daar te kunnen leven, verkopen deze hippies vaak hun bezittingen aan de arme bevolking. De enigen die rijk worden van de slavenarbeid op de kifplantages, zijn de handelaren en smokkelaars. Als je ze vertelt dat een gram van de hasj die zij verbouwen en bewerken, in Nederland tien gulden kost, kijken ze je vol verbazing en ongeloof aan. Als de hippies door hun geld heen zijn, gaan ze arm maar voldaan naar huis terug.'

Karim ging achterover zitten. Ik kende deze verhalen wel van westerlingen op zoek naar nieuwe avonturen in voor hen vreemde culturen. Velen van hen hadden geprobeerd hasj naar Europa te smokkelen, maar de meesten eindigden in de gevangenis in Marokko, Spanje of Frankrijk, landen waar de smokkel van deze drugs zwaar wordt gestraft.

'Toch is hasj veiliger dan het gebruik van heroïne,' zei ik. Karim lachte. 'Beste Abkader, niets in dit leven is veilig, behalve de dood. De dood is definitief en eeuwig,' antwoordde hij. 'Gaan we filosofisch doen?' vroeg ik lachend.

Philip had ondertussen een jointje marihuana gedraaid en stak de lange sigaret aan. De hele conversatie vond plaats in het Arabisch en daardoor kon hij die moeilijk volgen. Philip keek mij vragend aan. Karim merkte dat op en vroeg mij het verhaal te vertalen. Ik deed dat in drie korte zinnen, want ik had geen zin om het gedetailleerd te herhalen. Hij gaf mij het jointje door, ik nam een paar stevige trekken en gaf de joint aan Karim. De rook en de geur van de marihuana vulden al snel het kleine kamertje, zodat het er bijna mistig werd, terwijl de middag nog maar net was begonnen.

Ik schakelde over op Nederlands met als gevolg dat nu Karim het gesprek onvoldoende kon volgen. Nu moest ik de discussie dus voor hem vertalen. Ik heb me vaak afgevraagd hoe Philip en Karim elkaar verbaal wisten bezig te houden. Karim sprak weinig Nederlands en verder alleen Arabisch en Berbers, terwijl Philip meer Frans en Duits sprak dan Nederlands. Philip had hts-werktuigbouwkunde gedaan, en Karim had nooit een klaslokaal van binnen gezien. Hij liep altijd weg van de Koranschool. Philip en Karim waren twee totaal verschillende mensen, en toch werden zij op de een of andere manier naar elkaar toe getrokken.

Philip was in opdracht van een organisatie in Lelystad naar Nederland gekomen om een nieuw soort propeller voor zweefvliegtuigen te ontwikkelen. Hij mislukte in dat project en werd prompt op straat gezet. Sindsdien bleef hij in Utrecht hangen, zonder vaste woonplaats. Hij verbleef vaak bij mensen die hij in kroegen leerde kennen. Ik kende Philip sinds een jaar en had hem leren kennen als een aartsleugenaar. Wat Philip deed, was verhalen die hij van anderen had gehoord, doorvertellen, maar dan wel met zichzelf als hoofdpersoon.

Hij vertelde mij een keer dat hij door veel te zwemmen zijn armspieren goed had ontwikkeld en dat hij een goede zwemmer was. Toen wij op een zomerdag naar de Maarsseveense Plassen waren gegaan om van het warme weer te genieten en verkoeling te zoeken in het water, bleef hij staan met het water tot zijn middel. Ik riep hem toe naar het diepe te zwemmen, maar hij antwoordde dat het water te koud was. Even later verraste ik hem met een aanval en trok ik hem een paar meter mee naar het diepere water. Hij begon te spartelen en te hoesten en verdronk bijna.

'Maar je bent toch een goede zwemmer, Philip,' riep ik. 'Waarom zwem je niet en waarom verzoop je bijna?' Hij begon bij te komen van de schrik en hoestte het water uit dat hij naar binnen had gekregen. Daarna vertelde hij mij dat hij vroeger een keer in het water was gevallen en bewusteloos was geraakt. Hij was zo geschrokken dat hij sindsdien bang was voor diep water. Ik kon zien dat hij mij leugens vertelde en weer bezig was zich eruit te redden. Maar ik deed verder niet moeilijk. Alleen heb ik nooit kunnen begrijpen waarom hij al die leugens vertelde. Of eigenlijk wist ik het wel: Philip was een grote mislukking. Hij wilde een beeld van zich zelf maken als een soort wereldmens, die overal was geweest en alles al had meegemaakt. Hij wilde dat mensen vol bewondering naar hem opkeken, dat mensen hem waardeerden. Maar dat gebeurde nooit.

Karim was in het kader van gezinshereniging in Utrecht beland. Omdat hij meerderjarig was, werd hem een verblijfsvergunning tot permanente vestiging in Nederland geweigerd. Met behulp van een advocaat had hij tegen zijn uitzetting beroep aangetekend en zolang de zaak bij de vreemdelingendienst in behandeling was, verbleef hij legaal in Nederland. Hij had weinig hoop en het interesseerde hem eigenlijk ook niet wat het definitieve besluit zou worden. Als het aan hem lag, was hij al lang naar Barcelona vertrokken, waar hij vrienden had wonen. Het waren zijn ouders die de hele juridische procedure in gang hadden gezet.

Pas rond middernacht vertrokken Karim en Philip, mij in een roes van intens genot achterlatend. Het was lang geleden dat ik me zo goed gevoeld had. Het genot dat de heroïne mij gaf, was onbeschrijfelijk, en in mijn fantasie kon ik de hele wereld aan. Alleen wist ik toen niet of het inderdaad fantasie was of werkelijkheid. Het roken van heroïne had een ander effect op mijn geest en lichaam dan hasj en ik wilde graag geloven dat die situatie de werkelijkheid was; een werkelijkheid waarin mijn geest voor een moment vrij was. Ik voelde me in extase.

Ik kreeg later jeuk in mijn armen en benen. Op een gegeven moment had ik overal jeuk; mijn hele lichaam jeukte. Dat gaf mij een fijn gevoel. Ik had geen slaap en ik had ook geen last van de vermoeidheid of moedeloosheid die mij regelmatig kwelde. Hoewel het vrij laat was, kreeg ik veel inspiratie om muziek te maken. Ik haalde de Spaanse gitaar van de muur en begon zacht en liefdevol aan de snaren te tokkelen, alsof ik één was met het instrument. Pas tegen de ochtend ging ik, nog altijd niet moe, naar bed.

Het intense genot duurde helaas maar kort. De volgende morgen bevond ik mij weer in de oude, gebruikelijke depressie. Een passieve leegte vulde mijn geest. Ik bleef lang in bed liggen nadenken over het effect en de invloed die de heroïne op mijn innerlijke toestand had gehad. Ook vroeg ik mij af of het verstandig was geweest de heroïne te proberen; als het eenmaal bezit had genomen van je geest, kon je niet meer terug naar je oude leven. Ik probeerde die gedachte uit mijn hoofd te zetten.

Wij zaten op een dag met een groep in café Eigenwijs. Philip en Karim waren er zoals gebruikelijk ook. Verder was Hans er met zijn vriendin Deborah. Hans was een zeer ervaren en beruchte spuiter. Hij was lang en mager met pukkels in zijn gezicht. Hij had lichtblond haar, dat er altijd onverzorgd uitzag. Hoewel het leven door zijn heftige drugsgebruik al deels uit zijn lichaam was weggetrokken, was hij zo giftig als een slang. Hans gebruikte alles: hasj, heroïne, cocaïne, speed en alcohol. Als hij veel had gebruikt, raakte hij vaak speedy en dan lokte hij vechtpartijen uit met bargasten. Hij vocht graag: een vechtpartij gaf hem een kick die net zo geweldig was als een spuit heroïne.

Er zaten nog twee jongens met ons aan onze tafel te blowen die ik niet goed kende: Martin en Gijs, twee jongens die er netjes uitzagen. Niemand zou vermoeden dat deze nette jongens drugs gebruikten. Philip was druk in gesprek met Martin en Karim. Ik hoorde hem uitleggen hoe een zweefvliegtuig wordt gemaakt en hoe het in de lucht blijft zweven. Ik zag op de barklok dat het tien uur was. Karim had een joint-je gedraaid en dat liet hij rondgaan volgens de regel die iedereen kent: als je een jointje in gezelschap van anderen draait, rook je dat niet alleen op, maar geef je het door aan diegene die naast je zit. Hiermee wordt een soort sfeer van broederschap en saamhorigheid gecreëerd. Het maakt niet uit waar je bent, in Nederland, Frankrijk of Marokko. Het maakt ook niet uit of je de mensen kent. Hasj brengt nu eenmaal altijd verbroedering en kameraadschap tussen mensen. Als alle mensen zouden blowen zou er minder haat zijn en zouden er misschien zelfs minder oorlogen zijn. Er zou in ieder geval meer verdraagzaamheid zijn in de wereld, zoals in de jaren zestig in de flowerpowertijd.

Ik nam een paar trekjes van de joint die Karim me had gegeven en inhaleerde de rook diep mijn longen in, voordat ik hem doorgaf aan Hans' vriendin Deborah. Deborah was een rustig meisje van een jaar of negentien. Zij had lichtblond haar, dat over haar schouders krulde en dat zij met een gele haarband om haar hoofd bijeen hield. Zij kleedde zich geheel in de stijl van strakke blauwe jeans en dat stond haar erg goed. Ook zij was verslaafd aan drugs, al kon je dat nog niet zien aan haar verzorgde uiterlijk. Zij rookte de heroïne in plaats van hem te spuiten. Niemand begreep hoe Hans aan zulke mooie vriendinnen kwam. Hij was niet knap en zeker niet sensitief. Hij was grof, onbeschoft, egoïstisch en verslaafd aan alles waar een mens maar verslaafd aan kan zijn. Toch liep hij meestal met de mooiste vrouwen te pronken en dan riep hij vaak: 'Wat vinden jullie van deze?' Hij genoot van de bewondering door anderen. Aan de andere kant waren deze relaties altijd van zeer korte duur. Niemand kon verklaren wat zijn aantrekkingskracht op deze vrouwen was. Was het soms magie? Hij wist het zelf niet en eigenlijk kon het niemand iets schelen. Deborah gaf Hans de joint door en zag dat ik haar gadesloeg. Ze zei niets. Hans liep met het jointje naar de bar en bestelde voor iedereen bier.

'Abkader!' riep hij toen hij terugkwam en het bier op een dienblad op tafel zette. 'Wat is er?' vroeg ik. Hij ging weer op zijn kruk zitten en zei: 'Ik heb vanavond zin om een Turk in elkaar te slaan,' en hij balde zijn vingers tot een stevige vuist.

'Ga vooral je gang,' antwoordde ik onverschillig. Hij keek de tafel rond en zijn blik viel op Karim. 'Wil jij niet een partijtje vechten?' vroeg hij aan Karim. Iedereen aan tafel wist dat het hem menens was. Vechten met een vriend was voor hem even normaal als vechten met een vreemde. 'Jij gek Hans, waarom jij gaat niet in de gracht springen om af te koelen? Ik niet vecht zomaar met iedereen om niets!' riep Karim in gebroken Nederlands. Iedereen begon te lachen. Hans keek onverstoord en tikte met zijn vingers op de tafel. Hij verveelde zich en zocht naar iemand om mee te spelen.

'Kijk om je heen, Hans, het stikt hier van de mensen. Waarom neem je niet een Hollander?' vroeg ik. Hij wuifde het idee weg en ik vervolgde: 'Jullie richten je frustraties altijd op buitenlanders, dat vind ik zwak. Wat hebben zij je gedaan? Alles wat mis is met jullie Nederlanders is de schuld van de buitenlanders. Dat vind ik nu erg kortzichtig.' Hans keek op naar Deborah, die zat te lachen.

'Wat valt er te lachen?' schreeuwde hij in haar richting. Zij was niet onder de indruk. 'Nou, Abkader heeft gelijk. Jij begint zonder reden over het in elkaar slaan van Turken. Buitenlanders krijgen in de maatschappij altijd de schuld van alles en jij versterkt dat beeld. Dat slaat nergens op,' sprak ze dapper. Deborah nam het voor ons op en dat vond Hans niet prettig.

'Hans heeft gelijk,' riep Gijs, die voor Hans opkwam. 'Sinds al die duizenden buitenlanders in Nederland zijn komen wonen, is Nederland niet meer hetzelfde als vroeger. Velen van hen werken niet. De moslims bouwen steeds meer moskeeën, lopen in jurken rond en de meesten spreken onze taal niet, terwijl anderen crimineel zijn. Als ik naar een vreemd land zou gaan, zou ik mij ook moeten aanpassen, maar dat doen vreemdelingen in Nederland niet. Ik heb verder niets tegen ze hoor!' besloot hij zijn lezing over buitenlanders. Deborah keek hem gepikeerd aan.

Ik begon een enorme hekel aan deze jongen te krijgen. 'Praat alsjeblieft niet over criminaliteit, jij bent zelf de grootste crimineel. Wat voor bijdrage lever jij nu zelf aan de maatschappij?' riep Deborah hem uitdagend toe. Hij probeerde iets te antwoorden, maar zij liet hem niet uitpraten.

'Kijk hoe je erbij loopt. Alsof je zo van kantoor komt. Maar je bent niets anders dan een junk, die uitgekotst is door de maatschappij, en wat doe je met je frustratie? Buitenlanders de schuld van je verbittering geven.' Gijs werd onzeker door de pittigheid in Deborah's stem.

Ik wilde dit alles niet over mijn kant laten gaan. Zij hadden het over buitenlanders en ik was in hun ogen zo'n buitenlander. 'Ik begrijp jullie Nederlanders niet,' mengde ik mij in de strijd. Ik richtte mij tot Gijs: 'Ik heb door Europa gereisd en heb heel wat volkeren leren kennen. Nederlanders zijn verschrikkelijke klagers. Zij klagen over alles. Jullie hadden de buitenlanders nodig omdat jullie niet in staat waren om de productie te halen die de maatschappij nodig had voor de consumptie, en de rotzooi op te ruimen die jullie zelf gemaakt hadden. En nu het deze zogenaamde vreemdelingen wel is gelukt om met hun harde werk Nederland te helpen opbouwen en schoon te maken en nu de markt verzadigd is, deugen ze ineens niet meer. Zo praat je toch ook niet over de Amerikanen en de Engelsen die jullie in de Tweede Wereldoorlog van de nazi's hebben bevrijd?' Ik zag dat mijn uitleg de aandacht van Hans trok. Hij keek niet meer onverschillig. Ook Gijs ontging Hans' belangstelling niet en hij probeerde indruk op hem te maken: 'Ja maar de Amerikanen zijn na het klaren van de klus wel weer vertrokken naar hun eigen land, en de Turken, Marokkanen en Span-

jaarden zijn hier blijven kleven.' Hij keek in de richting van Hans om
te zien wat de uitwerking was van zijn woorden.

'Weet je Gijs,' vervolgde ik zonder de reactie van Hans af te wachten, die overigens wel lang duurde. 'Weet je, ik vind de meeste Nederlanders zielig, gefrustreerd en verbitterd. Die frustratie zal zeker een
oorzaak hebben, maar die moet je zeker niet bij ons buitenlanders zoeken, want wij hebben niets met jullie frustratie te maken. Het zit volgens mij heel diep in de samenleving, het zal zeker iets te maken hebben met de individualisering in jullie maatschappij. Mensen zijn bang
en angstig en lijken geen spirituele houvast meer in het leven te hebben. Dat is jullie frustratie en wij, de buitenlanders, krijgen de schuld.
Dat vind ik nu niet alleen zielig maar ook hypocriet, kortzichtig en
dom.' Zo, dacht ik, ik heb deze jonge racist de waarheid verteld. Ik had
verwacht dat Hans zich aangesproken zou voelen en mij zou aanvallen, dus ik was op mijn hoede.

Deborah wilde reageren, maar Hans hield haar tegen. 'Weet je Gijs,
Abkader heeft volkomen gelijk. Je bent niets anders dan een zielige, gefrustreerde racist.' Gijs begon zich ongemakkelijk te voelen. Hij had
verwacht indruk op Hans te maken. Maar Hans keek dwars door zijn
huichelarij heen. Hans vervolgde: 'Eigenlijk heb ik zin om met jou een
partijtje te vechten. Kom met me naar buiten, Gijs, of wil je het liever tegen Karim of Abkader opnemen?' vroeg hij Gijs uitdagend.

'Ja!' riep Karim, 'kom vecht met mij buiten. Waarom jij haat buitenlanders?'

Deborah was blij met de reactie van Hans, om wie het allemaal begonnen was. 'Ik wil niet vechten,' zei Gijs bang en hij wist zich geen
houding te geven. Zijn gezicht was rood geworden van angst; hij was
erg bang voor Hans.

'Kom, sodemieter op jij!' riep Hans tegen Gijs en wees in de richting van de uitgang. 'Ik heb een hekel aan racisten en nazi's. Maak dat
je wegkomt!' De vreemdelingenhater stond op en verliet met een rood
aangelopen gezicht het café. Martin, die zich volledig buiten de discussie had gehouden, volgde hem. Ik was blij dat deze twee ongewenste
gasten onze tafel hadden verlaten.

Tegen ons riep Deborah: 'Waar hebben jullie die gasten vandaan?'
Ondertussen was Hans wat bedaard. Ik zei: 'Heb je nu je zin, Hans? Jij
wilde met een Turk vechten en daardoor ontstond die racistische dis-

cussie over buitenlanders met die gasten, die wij nauwelijks kennen.'
Deborah knikte en zei: 'Als je de volgende keer weer een vechtaanval
krijgt, pak dan gewoon een Hollander en dan ga je het maar buiten
met elkaar uitvechten. Houd de buitenlanders erbuiten, want die hebben hier niets mee te maken.' Ik stond op en bestelde weer bier voor
ons allemaal.

'Maak een vredesjoint, Karim!' riep Hans, terwijl hij Deborah omhelsde alsof hij het op die manier met haar probeerde goed te maken.
Ik was blij dat de discussie niet uit de hand was gelopen. Ik was ook
blij dat het met Hans niet tot een uitbarsting was gekomen. Hans was
gevaarlijk. Ik had liever geen ruzie met hem, maar ik had ook geen zin
om mij als een lam naar de slachtbank te laten voeren. Ondanks de
angst die ik voelde, wilde ik voor mijn principes uitkomen. Ik was het
met veel buitenlanders niet eens over de manier waarop zij leefden,
maar ons de schuld geven van alles wat er maar mis is in de Nederlandse maatschappij was meer dan ik kon accepteren.

Op dat moment draaide de café-eigenaar de plaat 'Machine Gun'
van Jimi Hendrix, een lied over de Vietnamoorlog. Ik was stoned en
luisterde naar de gitaarkoning:

> *Evil man make me kill ya.*
> *Evil man make you kill me.*
> *Evil man make me kill you.*
> *Even though we're only families apart.*
>
> *The same way you shoot me down, baby.*
> *You'll be going just the same.*
> *Three times the pain,*
> *And your own self to blame. Hey, machine gun.*
>
> *I aint afraid of your mess no more, babe.*
> *I aint afraid no more.*
> *After a while, your, your cheap talk don't even cause me pain.*
> *So let your bullets fly like rain.*

In het café mocht niet gedeald worden. Softdrugs mochten vrij in het
café gebruikt worden, maar het gebruik van harddrugs was verboden,

hoewel wij ze met medeweten van de bareigenaar in de toiletten gebruikten en hij dat gedoogde zolang de andere gasten er maar geen last
van hadden. Hans had cocaïne bij zich. Ik vroeg hem mij wat voor tien
gulden te verkopen en hij gaf mij een papiertje met cocaïne, die ik in
het toilet ging snuiven. Het witte poeder gaf mij nieuwe kracht en
energie. Hans had genoeg cocaïne bij zich en gaf Karim, Philip en Deborah ook een paar snuifjes.

Toen ik wegging, gaf ik Hans een stevige hand en knipoogde ik
naar Deborah, die naar mij glimlachte. 'Het was tof wat je vanavond
hebt gedaan met Gijs,' zei ik op een vriendelijke toon.

'Ach, het was niets. Ik had hem liever in elkaar geslagen,' zei Hans,
terwijl hij mij op de schouders klopte. 'Ik mag jou wel, Abkader!' riep
hij mij nog na voordat ik het café verliet.

Een paar weken na het eerste bezoek van Philip en Karim besloot ik
Karim te gaan zoeken. Ik begon mijn zoektocht bij café Eigenwijs,
waar ik Philip vond. Ik dronk koffie met hem en vroeg hem of hij wist
waar Karim woonde. Philip gaf mij het adres en bood aan om mee te
gaan, maar ik wilde liever alleen gaan. Nadat wij samen een jointje
hadden gerookt, wilde ik het café verlaten. Op dat moment hoorde ik
de stem van Hans 'Abkader! Abkader!' roepen. Hij was net van de toiletten naar de bar komen aanlopen. Ik liep naar hem terug en hij stak
zijn hand uit om mij te groeten, zoals wij dat gewend waren te doen. Ik
hield mijn hand achter mijn rug en vroeg half voor de grap en half menens: 'Heb je wel je handen gewassen.' Hans begon te lachen en kon
de grap wel waarderen.

'Kom, drink wat met mij!' nodigde hij mij uit. Hij zag er aangeschoten en stoned uit. Ik wilde eigenlijk niet, want ik wilde naar Karim
toe.

'Goed, betaal jij?' riep ik lachend. Hij knikte. 'Doe dan maar een
whisky met ijs. Daar heb ik wel zin in.' Hans vond zo'n duur drankje
helemaal geen probleem, want hij had geld genoeg. Hij vroeg wanneer
ik weer in de kelder basgitaar kwam spelen.

'Ik hoop vrijdag, als het een beetje meezit. Heb je toevallig cocaïne
bij je?' vroeg ik Hans. Hij knikte. 'Kun je mij een snuifje geven?' Hans
was echt in een goede bui en hij vroeg mij met hem naar het toilet mee
te gaan. Daar sneed hij een beetje van het witte poeder op een klein

spiegeltje en hij gaf mij vervolgens twee dunne strepen, die ik met een dun pijpje in mijn neusgaten opsnoof. Het witte poeder voelde fris en helder en gaf mij een geweldige kick in mijn hoofd. Toen wij naar de bar terugkeerden, dronk ik mijn glas whisky leeg en ik bedankte hem voor zijn gulheid. Nu gaf ik hem wel een hand en ik verliet het café. Zo kon ik de avond doorkomen.

De wereld van Hoog Catharijne

Karim woonde niet ver bij mij vandaan, in de Schutstraat, een zijstraat van de Amsterdamsestraatweg, vlak bij het spoor en niet ver van het centrum. Toen ik aanbelde, werd ik vriendelijk door zijn moeder binnengelaten. 'Karim staat op het punt te vertrekken, maar kom binnen, mijn zoon,' zei ze gemoedelijk.

'Salam, Abkader! Kom naar boven,' riep Karim vanuit zijn kamer. Ik liep naar boven, gaf hem een hand en nam plaats op de enige stoel die er stond. Karim ging op zijn bed zitten. De kamer was ongezellig: leeg en felverlicht. Even later bracht zijn moeder een pot muntthee. Ik bedankte haar voor haar gastvrijheid en wendde mij tot Karim: 'Je hebt een aardige moeder. Ze liet mij vriendelijk binnen terwijl ze mij niet eens kent!'

'Och, weet je Abkader, ze is het niet gewend dat ik bezoek krijg. Ik denk dat ze je oké vindt!' antwoordde hij.

Tijdens de thee vertelde ik Karim met de directheid van een westerling waarom ik op bezoek was gekomen: ik had dope nodig.

'Ik heb zelf nog heel weinig spul, en geld om wat te kopen, heb ik ook niet,' zei Karim op verontschuldigende toon.

'Dat geeft niet, ik heb wel geld bij me,' antwoordde ik en haalde vijftig gulden uit mijn broekzak.

Karim keek blij en verheugd bij het zien van al dat geld. Hij zei: 'Zo te zien heb je er wel goed zin in, maar waarom doe je dat?'

'Zo maar, het gaf de vorige keer een goed gevoel. Dit spul werkt anders dan hasj. Daarom heb ik zin het weer te roken,' antwoordde ik. Karim lachte, haalde zijn laatste restje heroïne en deelde dat met mij. Ik genoot bij het proeven van het bruine poeder, dat me van mijn innerlijke lasten moest bevrijden en dat mij voor een moment verdoofde en in een gevoel van extase bracht.

Toen de heroïne op was, stond Karim op, pakte zijn jas, die aan een spijker aan de muur hing, en zei dat we maar eens richting Hoog

Catharijne moesten stappen om wat aankopen te doen. Terwijl ik hem volgde, voelde ik me op een aparte manier blij. Blij met het spul en blij met Karim, die de weg kende in de drugswereld die ik alleen maar als buitenstaander kende; Karim was een insider.

Het winkelcentrum was langzaam aan het leeglopen. Het was al zeven uur en er liepen hier en daar nog wat late reizigers, die zich richting huis haastten om van hun avondrust te genieten. Er liepen verschillende drugsdealers rond en Karim ging meteen op zoek naar een betrouwbare. Hij vroeg of ik bij McDonald's op hem wilde wachten, terwijl hij naar een groepje jongens en meisjes liep dat voor een trap naast een betaalautomaat bij de parkeergarages stond.

Onder het wachten bestelde ik een hamburger en een milkshake, die ik voor de ingang nuttigde, van waaruit ik gemakkelijk de groep verslaafden kon gadeslaan. Karim stond lang met een jongen met een Arabisch uiterlijk te praten. Ook de andere junks leken Karim goed te kennen. Sommigen gaven hem een hand, anderen klopten hem op zijn schouders of trokken hem aan zijn mouwen. Terwijl ik naar de voorbijgangers stond te kijken, keerde Karim terug, vergezeld van de man met wie hij had staan praten.

Karim stelde me voor aan deze man, die drugsdealer bleek te zijn. 'Dit is Mahmoud,' zei hij. 'Als je ooit spul wilt kopen, vraag dan naar hem, want hij is te vertrouwen.' De man lachte breed onder zijn snor en een stel rotte tanden werd zichtbaar. Ik gaf hem een hand en bedankte hem.

De man bleek van Egyptische afkomst te zijn en was rond de veertig jaar. 'Als je me zoekt, dan vraag je gewoon naar de Egyptenaar. Iedereen kent mij. Als wij Arabieren elkaar niet kunnen vertrouwen, wie zou je anders moeten vertrouwen?' riep hij op een slijmtoon.

'Je hebt gelijk, ik zou niet weten wie ik dan zou moeten vertrouwen,' antwoordde ik, terwijl ik in werkelijkheid niemand vertrouwde. Ik gaf hem vijftig gulden en hij gaf mij onopvallend een klein pakje, dat ik meteen in mijn broekzak liet glijden. We namen afscheid van de Egyptenaar en vertrokken naar mijn kamer.

Het was in mijn kamer 's avonds gezellig met de schemerlamp aan. Ik had nu mijn eigen materiaal aangeschaft. Een klein zakmesje om de heroïne mee te snijden, een stuk aluminiumfolie waarin de heroïne werd gesmolten en een pijpje om de heroïne mee te inhaleren. Deze

drie instrumenten zouden voor mij in mijn nieuwe bestaan onafschei-
delijk worden.

Zonder ons te haasten rookten wij de van de Egyptenaar gekochte
heroïne. Er was genoeg voor ons allebei. Ik had een goedkope fles
wijn, die ik aan het einde van de avond opende en wij genoten intens.
Karim was mijn bevrijder – hij wist waar je het hemelse middel kon kopen – en ik voor die avond de zijne.

Omdat ik ook de volgende dag in een roes wilde zijn, bewaarde ik
een beetje van het bruine poeder. De volgende dag na het ontbijt haalde ik het zilverpapier dat ik had aangeschaft en begon te roken. Zelfs
's middags had ik nog een beetje. Die hele dag voelde ik mij prettig.

Karim introduceerde mij in de exclusieve clubs van de drugsverslaafden. De eerste club was het Surinaamse jongerencentrum Bradi Strati
aan de Breedstraat, en de tweede was in Hoog Catharijne. Bradi Strati,
voorheen het gebouw van het arbeidsbureau, was een verzamelpunt
van jongeren van diverse nationaliteiten. De voorkant van het gebouw
was omgeven door een enorme verwaarloosde tuin. Binnen werden diverse faciliteiten voor jongeren georganiseerd, zoals een zaal voor con-
ditietraining, een oefenruimte voor muziek en een bar zonder alcoho-
lische dranken. Ook waren er softdrugs te koop. Het gebruik van harddrugs was formeel verboden. Blijkbaar had men weinig besef van de
regels, want niemand hield zich eraan. De doelgroep van het centrum
was geen gemakkelijk publiek. Misschien was dat de reden waarom
het gebruik van cocaïne en heroïne zelfs door de politie gedoogd werd.
Zolang er geen buurtoverlast was, werd men met rust gelaten.

De meeste dealers in het centrum waren onbetrouwbaar, had Karim mij verteld. Ik had zelf gauw door dat ik zonder Karims introductie
dat gebouw nooit zou hebben betreden. Doordat ik er in het begin bijna altijd samen met Karim kwam, werd er nauwelijks aandacht aan mij
besteed. Zolang ik met Karim was, werd ik met rust gelaten. Dat nam
niet weg dat men me vaak wat probeerde aan te smeren. Ondanks Karims taalbeheersing liet ik het onderhandelen meestal aan hem over.
Ik beschouwde mezelf als nieuweling in een keiharde wereld, die ik
bovendien niet kende. Volgens Karim was ik een te gemakkelijke prooi
voor de drugsdealers.

De andere club, in het 'winkelhart van Nederland', was niet anders.

Daar bevonden zich dezelfde drugsverslaafden. Zij hingen daar soms zomaar wat rond of probeerden geld bij elkaar te stelen voor de financiering van hun verslaving. Er waren drie soorten verslaafden: de spuiters, de chinezers en de beginnelingen, zoals ik. De oudere spuiters waren er het ergst aan toe en hielden zich, als het even kon, afzijdig van de rest. Zij werden om de een of andere reden door de anderen gerespecteerd; zij zaten immers veel langer in het vak. Zij dealden niet; zij hosselden, bedelden en gebruikten alleen. Zelfs stelen deden de meesten van hen niet meer.

Onder de verslaafden bevonden zich ook jongens en meisjes van soms niet ouder dan vijftien jaar. Velen van hen waren door dealers aangetrokken om hun heroïne in Hoog Catharijne te verkopen. De jongens werden ergens in een wijk met hoge concentraties buitenlanders geronseld om als drugskoerier veel geld te gaan verdienen. Zij konden zich gemakkelijk door Hoog Catharijne bewegen, en de kans om opgepakt te worden was erg klein. En zelfs als zij werden opgepakt, konden ze niet vervolgd worden. Bijna al deze jongens raakten na verloop van tijd zelf verslaafd aan het product waarmee zij in aanraking waren gekomen om snel en gemakkelijk veel geld te verdienen. Door zelf van drugs te snoepen werden zij voor hun baas onbetrouwbaar, en daarom werden zij dan door de dealers aan de kant gezet. Hun plaats werd dan ingenomen door andere naïevelingen met dezelfde ambities en hebzucht om snel geld te verdienen.

De meeste jongens kwamen nog maar zelden thuis. Zij zwierven dag en nacht door de binnenstad van Utrecht, zonder een dak boven hun hoofd. Of het nu koud of warm was, het leek nauwelijks verschil voor hen te maken. Overdag was het verzamelpunt het pleintje bij de bioscoop Hoog Catharijne en soms de smalle paadjes bij het muziekcentrum Vredenburg, waar geen winkelend publiek kwam. Dit was de onveiligste plek van het winkelcentrum. De politie veegde deze verzamelplaatsen regelmatig schoon. Iedereen die daar rondhing, werd dan weggejaagd of meegenomen naar het bureau. Ook ik werd wel eens meegenomen. Omdat ze niets bij mij vonden, werd ik dan kort daarna weer vrijgelaten. De groep verplaatste zich echter gewoon naar een andere plaats, waar de handel en rookactiviteiten onverminderd voortgingen. Dit schouwspel herhaalde zich dagelijks meerdere malen. Het had iets komisch, maar was tegelijk ook tragisch.

De stroom toeristen, die dagelijks Hoog Catharijne uit het hele land bestormde, bood de groep verslaafden een belangrijke bron van inkomsten. Het was niet moeilijk om aan geld te komen: de meeste jongens konden stelen als de raven. De best bewaakte tas was voor hun vlugge vingers nog niet veilig. Ook de winkels konden in het dagelijks onderhoud van de verslaving voorzien.

De wereld van de harddrugs was hard en meedogenloos. Als je geld had, kon je geluk kopen en telde je mee, en zonder geld werd je aan je lot en ongeluk overgelaten. Tegelijkertijd was er toch ook een sfeer van onderlinge saamhorigheid. Opvallend was de integratie tussen de diverse bevolkingsgroepen: ondanks de onderlinge hardheid accepteerden de verslaafden elkaar volledig en onvoorwaardelijk. Je positie werd bepaald door het geld en de heroïne die je wel of niet had. Had je beide in ruime mate, dan stond je hoog in de rangorde; had je geen van beide, dan was je een loser en werd je zo veel mogelijk door anderen gemeden.

Na een aantal weken was ik volledig in de verslaafdengemeenschap opgenomen. Het vermogen om me snel en gemakkelijk aan te passen werkte hier in mijn voordeel. Ik maakte snel vrienden. Meestal kocht ik mijn drugs bij Mahmoud. Verder leerde ik Ramzi en Ricki kennen. Ramzi was misschien net zo oud als ik, twintig. Hij was geboren uit een gemengd huwelijk, van een Marokkaanse vader en een Nederlandse moeder. Hij beheerste het Arabisch perfect. Hij had donker haar en blauwe ogen. Ricki was van Antilliaanse afkomst. Vanwege zijn rastahaar werd hij ook de rastaman genoemd. Ramzi en Ricki trokken meestal met elkaar op. Ik had op de Bradi Strati (Surinaams voor de Breedstraat) wel eens wat heroïne van Ricki gekocht waarmee iets aan de hand was. Karim had mij wel eens verteld dat ik hem niet moest vertrouwen. Hij mengde zijn heroïne met Stophoest, dat moeilijk te onderscheiden was van echte heroïne.

Ramzi was eerlijk maar zuinig. Zijn pakjes bevatten altijd maar een heel kleine hoeveelheid. Hij dealde om zijn eigen verslaving te bekostigen. Stelen deed hij ook, net als Ricki.

Ik kon goed met Ramzi opschieten. Hij kwam regelmatig met Karim bij mij op mijn kamer, waar wij gezellig samen rookten en naar muziek luisterden. Ricki wilde ook wel eens mee, maar ik vertrouwde hem niet en hield hem liever op een afstand.

Het leven op de Bradi Strati was erg hard. Naast de junks hingen er ook veel prostituees rond, die daar klanten wilden oppikken. Veel verslaafde jonge meiden probeerden door middel van prostitutie hun verslaving te financieren. De meesten waren Nederlands, maar er liepen ook Surinaamse meisjes rond en sinds kort zelfs twee Marokkaanse. De prostituees, die bekend stonden als de meisjes van de Bradi Strati, hadden vaak ruzie met elkaar over wie waar mocht staan en over het inpikken van elkaars klanten.

Verder was er Kasem, een van de beruchtste Marokkaanse criminelen van Hoog Catharijne. Kasem was groot van bouw en door zijn uiterlijk was hij dominant aanwezig. Zijn huid was donkerbruin, bijna zwart, zodat hij meer op een Antilliaan leek. Hij sprak ook redelijk Papiaments. Iedereen kende hem en het liefst bleef iedereen bij hem uit de buurt. Kasem was drugsverslaafd, gokverslaafd, inbreker, zakkenroller en een vechtersbaas. Hij had altijd erg veel geld bij zich. Hij gokte vaak met andere Marokkanen en een groep Surinamers. Ze speelden het kaartspel dat 'roepen' werd genoemd. Het spel gaat tussen twee spelers, waarbij de een deelt en de ander een kaart mag roepen. Vervolgens worden de kaarten een voor een gedeeld, en degene die als eerste de geroepen kaart krijgt, wint al het geld. De inzet kon wel oplopen tot vijfhonderd gulden per spel, dat gemiddeld tien seconden duurde. Ik heb in het begin wel eens meegespeeld bij lage inzet, maar ik kwam er snel achter dat ik geen partij was voor de ervaren gokkers van Hoog Catharijne en hield mij verder maar op een afstand van deze groep. Ook waren er regelmatig vechtpartijen, vaak tussen Marokkaanse en Surinaamse jongens. Kasem speelde vals, en dat wist iedereen, maar niemand kon hem er ooit op betrappen. Hij was voor de andere gokkers ongrijpbaar in zijn spel.

Ik raakte wel eens met Kasem in gesprek, op momenten dat hij alleen was. Hij was niet onaardig tegen mij. Hij matste mij soms: als ik geen geld had, kreeg ik van hem wat te roken. Maar liever meed ik het contact met hem. Hij was een wandelende tijdbom en kon op elk moment ontploffen. Altijd had hij wel met iemand een geschil, en ook werd hij vaak door de politie opgepakt. Met hem rondhangen was vragen om problemen. Dat wist iedereen.

Soms, als ik zonder geld zat en op geen enkele manier aan geld kon komen, ging ik met schaamte naar Michelle en vroeg haar mij te helpen. Als ik dan weer drugs had gebruikt, gingen we samen naar de bioscoop of we gingen uit eten.

Sinds zij wist dat ik verslaafd was aan de harddrugs, was onze relatie een beetje bekoeld. Haar ouders hadden haar afgewezen omdat ze met een Marokkaan omging, en als zij nog eens te weten zouden komen dat ik ook verslaafd was! Zij hielp mij vaak met geld en ook met eten. Ook probeerde ze op mij in te praten om met die rotzooi te stoppen, want daar kwam alleen maar ellende van.

Op een dag kwam ze mij op mijn kamer opzoeken. Ik was niet thuis en zij werd opgevangen door Massoud, die aardig aangeschoten was. Hij viel haar lastig en probeerde haar naar zijn kamer te lokken, maar zij ging er snel vandoor en durfde daarna niet meer bij mij op bezoek te komen. Toen ik die middag thuiskwam, kwam het bijna tot een vechtpartij met Massoud; ik wilde hem met een fles de kop inslaan, terwijl hij dreigde mij met een mes neer te steken.

Toen hij de volgende dag ontnuchterd was, kwam hij beschaamd naar mijn kamer om zijn excuses aan te bieden. 'Sorry Abe! Sorry Abe!' bleef hij maar herhalen, terwijl hij mij niet in de ogen durfde te kijken, iets wat ook in de Turkse cultuur onaanvaardbaar is.

Amerikaanse vliegbasis

Naarmate ik steeds meer drugs begon te gebruiken, raakte ik steeds meer vrienden en familie definitief kwijt. Eenmaal in deze verslavingstoestand verzeild ging ik alleen nog met verslaafden om.

Zo had ik ook mijn relatie met Michelle volledig verwaarloosd. Ik nam nauwelijks contact meer met haar op. Op een dag maakte ze het uit en zei ze dat ze mij niet meer wilde zien. Ze had mij al zo veel kansen gegeven om te stoppen met drugs, maar toen zij zag dat het zinloos was, koos zij uiteindelijk voor haar familie. Wij gingen uit elkaar, zij werd herenigd met haar ouders, en ik gaf mij volledig over aan mijn nieuwe leven.

Ik liet mij ook niet meer op de muziekschool zien. Mijn muziekleraar Johan Klein kwam mij zelfs een keer thuis opzoeken om te kijken wat er aan de hand was. Ik liet hem binnen en bood hem koffie aan. 'Nee, dank je,' antwoordde hij, terwijl hij de kamer rondkeek. Toen vervolgde hij: 'Je bent al een halfjaar niet meer op de lessen geweest en je hebt ook niets van je laten horen. Ik heb je afwezigheid nog niet gemeld, want anders was je automatisch van de cursistenlijst verwijderd. Daarom kom ik je nu persoonlijk opzoeken om te vragen wat er aan de hand is en waarom je niet meer komt.'

Ik durfde hem niet over mijn drugsgebruik te vertellen, maar hij zag dat het niet goed met mij ging. Ik was erg afgevallen en mijn huid was nu meer bleek dan bruin. Ik probeerde een leugen te verzinnen en hij geloofde mij. 'Ik heb geen geld meer om de lessen te betalen. Ik werk niet meer, weet u!'

'Kun je niet van je ouders geld lenen om verder te gaan? Je hebt een geweldige toekomst in de muziek en de combo is nog maar het begin. Later kun je ook nog in mijn bigband terechtkomen.' Hij probeerde mij over te halen om mijn lessen weer op te pakken, omdat hij in mij geloofde. Dat was ik niet gewend, maar ik wist dat het geen zin meer had: ik was veranderd en dat kon ik hem niet vertellen.

'Het gaat niet. Mijn ouders hebben ook geen geld. Ik wil er echt mee stoppen,' antwoordde ik in de hoop dat hij mij verder met rust zou laten.

Uiteindelijk gaf hij zijn pogingen op en legde hij mij uit dat hij aan de administratie van de muziekschool zou doorgeven dat ik uitgeschreven kon worden. Ik liep met hem naar buiten en voordat hij afscheid nam, gaf hij mij een briefje met de naam 'Mike' en een telefoonnummer erop. 'Dit is een Amerikaanse countryrockband op de Amerikaanse vliegbasis van Soesterberg. Zij zoeken een bassist. Ik dacht dat je misschien interesse zou hebben.'

Ik pakte het briefje en beloofde te bellen.

Twee weken na het bezoek van mijn muziekleraar belde ik de Amerikaan Mike, van de vliegbasis Soesterberg, en ik werd bij hem thuis uitgenodigd om kennis te maken met de bandleden. Mike woonde in een wijk met allemaal Amerikaanse militaire piloten, vlak bij de vliegbasis. Hij stelde mij voor aan Sammy, een zwarte Amerikaan en drummer van de band, en aan sologitarist Stuart. Mike zelf was leadzanger en gitarist. Ik sprak met hen in mijn beste Engels.

Mike woonde geweldig. Hij had veel geluidsapparatuur, waardoor ze vaak gewoon thuis konden repeteren. Zij hadden alles al klaargezet voor een repetitie en vroegen mij mee te spelen. Ik kreeg een blad met de muzieknoten en akkoorden en hoewel ik die nummers niet kende, speelde ik moeiteloos hun countryrockrepertoire mee; de basmelodie van countryrock is eenvoudig. Ik combineerde de basmelodie af en toe met jazz of blues, en dat vonden ze geweldig. Vooral Sammy raakte onder de indruk van de latinfunkinvloeden in mijn spel. Later ging er om onze samenkomst te vieren en op ons succes te drinken een fles Johnnie Walker open. Zij wilden graag dat ik bleef. Ik stemde toe, omdat ik nieuwsgierig was naar het leven van deze Amerikaanse militairen, al vond ik de muziek vreselijk eentonig. Ik was onder de indruk van hun leefwijze, dat wel.

Een week later repeteerden wij op de streng bewaakte militaire basis zelf. Zij hadden allemaal een pasje, dat zij bij de toegangspoort lieten zien. Ik werd als gast geïntroduceerd en kon zonder pas de militaire basis in. Ik werd de eerste keer wel gefouilleerd op wapens. De band had een eigen leslokaal met apparatuur, waar zij vrij konden repeteren. Al snel kwamen steeds meer militairen het lokaal binnen, aangetrokken door de muziek, zodat de ruimte gauw vol raakte met mannen en een paar vrouwen, die in hun handen klapten en met de muziek meebewogen. Mike zong met plezier en genoot nadrukkelijk van de aandacht van zijn collega's. Na afloop werden wij getrakteerd op bier. Militairen kwamen mij de hand schudden en complimenteerden mij met mijn inbreng. Telkens als ik mij lichamelijk minder goed begon te voelen, glipte ik naar het toilet om heroïne te roken, zonder dat iemand het in de gaten had. Het voelde vreemd om in een omgeving vol met militairen drugs bij me te hebben en te gebruiken. Ik vroeg mij af wat ze met mij zouden doen als ik werd gesnapt, alhoewel ook veel Amerikaanse militairen bekend stonden om hun drugsgebruik in Europa.

Al snel werden wij gevraagd om op te treden tijdens een feest op de basis. Het feest was op een zaterdagavond. De militairen hadden voor die gelegenheid vrijetijdskleding aan en de meesten waren vergezeld van hun vrouw. Er werd gedronken en er werden lekkere hapjes opgediend. Alles was gratis. Wij waren het hoofdprogramma van het feest en terwijl wij het geoefende repertoire speelden, dansten de feestgangers en maakten ze plezier. De sfeer was op zijn Amerikaans gezellig en ik had het naar mijn zin. In de pauze sleepte Mike mij met zich mee om mij kennis te laten maken met zijn vrienden en kennissen. Hij vertelde vol trots dat ik uit Marokko kwam en dat ik zijn vriend was. Deze mensen leken nooit eerder in contact te zijn geweest met Marokkanen. Iedereen deed zijn best om aardig te zijn. 'Ah, you are from Marocco, Casablanca!' riepen ze dan.

De band had die avond enorm veel succes. De jongens werden door de feestmenigte op handen gedragen. Ik hield mij aan het einde van de avond liever op afstand.

Een paar maanden later begonnen Mike, Sammy en Stuart serieuze plannen te maken om intensiever te gaan repeteren en meer te gaan optreden, en mijn enthousiasme en motivatie begonnen weg te zakken. Zij zagen die verandering in mij ook. Op een dag vroeg Mike, die in de gaten had dat ik was veranderd, of er iets aan de hand was. Ik gaf voor het eerst toe dat ik geen liefhebber was van countryrock en dat ik alleen wilde helpen totdat zij een andere bassist hadden gevonden. Nu zij hechtere plannen voor de toekomst hadden, moest ik ze wel eerlijk vertellen dat dit niet mijn muziek was. Die mededeling kwam hard aan, juist vanwege het succes dat zij hadden op de militaire basis en zij wilden dolgraag verder. Zij probeerden mij nog over te halen om te blijven. Ik zou een eigen pas krijgen voor de basis; ik zou, net als zij, korting krijgen op veel producten, zoals apparatuur, drank en alles wat ik wenste. Ik kon echter niet blijven. Hoe kon ik ze vertellen dat ik mij niet thuis voelde in hun cultuur. Ik vond het voor even gezellig, maar ik kon het niet opbrengen om het grootste deel van mijn tijd bij hen door te brengen. Bovendien liep ik met mijn drugsverslaving altijd een risico. Ik paste gewoon niet in hun wereld en zij niet in de mijne. Zij accepteerden mijn besluit en ik vertrok net zo snel als ik gekomen was.

In maart 1982 slaagden Arien en ik erin kaarten te krijgen voor het concert van Stanley Clarke in het Utrechtse Muziekcentrum Vredenburg, ook al waren de kaarten binnen een week uitverkocht.

Stanley Clarke was mijn favoriete bassist en ik had bijna al zijn platen. Op de dag van het optreden liepen wij de hele dag in Hoog Catharijne. Wij hadden genoeg voorraad heroïne en hasj bij ons om de hele nacht door te komen. Rond acht uur 's avonds begaven wij ons naar het Muziekcentrum, waar de drukte zo vroeg al enorm was. Wij kwamen daar ook Ramzi en Ricki tegen, die op zoek waren naar kaartjes. Ik vroeg ze even te wachten; ik kende namelijk een van de schoonmakers van het Muziekcentrum en die had ik net zien lopen. Ik ging achter hem aan en vroeg hem of hij twee toegangskaarten voor mij kon regelen. Hij haalde een kaart uit zijn jaszak en zei dat ik die voor vijftig gulden mocht hebben. De normale prijs was vijfentwintig gulden, maar ja... wat wil je: bij schaarste gaan de prijzen omhoog.

Ik liep met deze man in de richting van Ramzi en riep hem bij ons. 'Kijk Ramzi, mijn vriend hier heeft nog één kaartje over. Je mag dat van hem overnemen als je hem vijftig gulden betaalt,' zei ik in een poging te bemiddelen tussen die twee. Ricki kwam er ook bij staan. 'Maar de kaarten kosten maar vijfentwintig gulden,' riep hij. De man stak de kaart weer in zijn jaszak en wilde weggaan. 'Nee, wacht!' riep Ramzi. 'Ik wil die kaart wel hebben', en hij gaf de schoonmaker het geld.

'Zo, dat is geregeld,' zei ik en ik nam afscheid van de man. Ramzi liep opgetogen met Arien en mij naar de ingang. Ricki vertrok teleurgesteld in de richting van het station.

Toen de zaal volgepropt was met toeschouwers, kwam de grote

meester het podium op, vergezeld van toetsenist George Duck en een drummer die ik niet kende. Stanley Clarke was een van de grootste bassisten ter wereld. Hij speelde die avond zijn favoriete nummers, die ik bijna allemaal kende. Zijn repertoire van die avond bestond voornamelijk uit jazzrock.

Wij stonden vooraan opzij van het podium. Onder invloed van heroïne, hasj en bier lieten wij ons meeslepen met de bassolo's van de meester. Overal liepen mensen stoned of dronken te swingen. De sfeer was heel gemoedelijk en gezellig en iedereen had plezier. Een jointje kon je gewoon in de zaal of in de gangen roken, maar voor de heroïne moesten wij ons terugtrekken in een stil hoekje waar niemand ons kon zien. Anders zouden wij er zeker uit gegooid worden en dat wilden we niet.

Door de heroïne, de hasj en het bier hadden de bassolo's van deze artiest een geweldige sfeer in de zaal gecreëerd. Niemand bleef stil in zijn stoel zitten. Al die paar duizend mensen kwamen in beweging op het ritme van de bas. Ik had de avond van mijn leven.

Pas rond middennacht was het concert afgelopen en nam Stanley Clarke met een grote buiging afscheid van de zaal, die een denderend applaus met handen en voeten liet horen. De zaal begon leeg te lopen en ik kwam mijn vriend de schoonmaker weer tegen, die met een ploeg aan de slag wilde gaan om de enorme puinhoop op te ruimen die de concertgangers hadden achtgelaten. Ik gaf hem opnieuw een hand en vroeg of wij in de buurt van de kleedkamer van Stanley Clarke mochten komen. Hij keek om zich heen en gebaarde ons hem te volgen. Net op dat moment kwam Stanley Clarke met zijn gevolg de gang op, richting de achteruitgang. Wij bleven even stilstaan en keken van heel dichtbij naar de grote meester in eigen persoon. Toen ging ik zonder na te denken op hem af en ik gaf hem een hand. Een van de bewakers wilde mij wegduwen, maar Stanley Clarke gebaarde hem mij te laten gaan. Hij drukte mij de hand, knikte vriendelijk en vertrok. De schoonmaker bekwam nog maar net van de schrik, omdat hij ons had doorgelaten in een ruimte die verboden was voor publiek, en Ramzi en Arien klopten mij op de schouders omdat ik gedaan had wat iedereen graag had willen doen. Mijn avond was compleet.

Voordat wij naar huis gingen, liepen wij eerst langs café Eigenwijs om even bij te komen. Al gauw vertelden Ramzi en Arien aan iedereen dat wij Stanley Clarke persoonlijk hadden ontmoet en dat ik hem een hand had gegeven. De invloed van de drugs en de alcohol begon goed in mijn hoofd door te werken. Arien en Ramzi gingen naar Hoog Catharijne. Moe maar voldaan wist ik met veel moeite mezelf midden in de nacht naar huis te slepen. Eenmaal op mijn kamer aangekomen viel ik met kleren en al op het bed neer. Daarna voelde ik niets meer.

De volgende dag kwam Karim langs en vroeg me mee te gaan naar Amsterdam. Dat deden we wel vaker. In Amsterdam was de heroïne goedkoper. De meeste drugshandelaren van Utrecht deden hun inkopen in Amsterdam. Hoewel ik mij erg moe voelde, wist hij mij op te knappen met een paar chineesjes en daarna namen we de trein naar Amsterdam.

Rond drie uur 's middags hingen we in de Warmoesstraat en de rosse buurt rond op zoek naar een handelaar. Je hoefde hier eigenlijk niet eens te zoeken, want zij kwamen vanzelf naar je toe. Alleen was het altijd erg moeilijk om iemand te vinden die je kon vertrouwen. De meeste junks waren oplichters, die hun drugs mengden met troep die je maar beter niet kon gebruiken. Het gebeurde vaker dat verslaafden troep kochten in Amsterdam en daardoor later met een vergiftiging in het ziekhuis belandden.

Algauw vonden we een dealer, een Surinamer die we konden vertrouwen. We liepen met hem mee naar een verlaten steeg en hij liet ons de smack zien. Omdat we voor meer dan honderd gulden wilden kopen, mochten we zelfs een chineesje nemen om ons ervan te overtuigen dat het spul echt en goed was. Wij gaven de man het geld en hij verdween. Nadat we een paar chineesjes hadden genomen, gingen ook wij ervandoor. Toen we in de Warmoesstraat langs een toeristenwinkeltje liepen, zag ik door het raam dat de kassa op de toonbank openstond en dat de eigenaar bezig was zijn artikelen in de winkel te schikken. Ik riep Karim, die al vooruit was gelopen, terug en wees hem de open kassa.

'Kom!' zei hij. 'Deze kans moeten we niet laten liggen. We lopen naar binnen, jij houdt de verkoper bezig achter in de winkel en dan doe ik de rest, oké?' Ik knikte dat ik het snapte. Wij liepen de winkel binnen en ik liep direct naar achteren, waar de eigenaar druk bezig was zijn schappen te vullen. Ik pakte een klein schilderijtje met een Hollands landschap en begon een gesprek met de winkelier. Ik vertelde dat ik een origineel cadeau zocht voor mijn moeder, die in Tunesië woonde, en dat ik niet wist of ze een schilderij mooi vond of iets met Delfts blauw, waar Nederland om bekend stond. Ik zag Karim bij de toonbank staan kijken naar souvenirs op een plank. De man glimlachte en liet mij allerlei producten zien, terwijl hij een voor een de prijs noemde.

Ondertussen had Karim met een snelle beweging de kassa leeggehaald. Hij liep langs mij heen en gaf mij een knipoog, een teken dat de klus geklaard was.

Zonder argwaan te wekken verontschuldigde ik mij bij de verkoper en zei ik dat ik er nog even over moest nadenken. Ik zou later terugkomen. De man had niets in de gaten, knikte vriendelijk en wij verlieten de winkel. Bij de eerste de beste straat gingen we naar rechts en zetten we het op een lopen. Wij liepen voorbij hotel Krasnapolsky en gingen de Dam op, waar wij ons gemakkelijk mengden in de toeristenmassa. Het was erg druk op de Dam, dus hier vielen we niet op. 'En?' vroeg ik aan Karim, die knikte. Hij haalde het geld uit zijn jas zak en begon te tellen. '230 gulden,' zei hij en hij gaf mij de helft van de buit. Ik pakte het geld aan, dat heerlijk voelde, en stopte het in mijn achterzak. Ik wist dat we hiermee voorlopig verder konden.

Het was al acht uur. In plaats van naar Utrecht terug te reizen hingen we een paar uur rond op de Dam en langs het water bij het Victoria Hotel, waar veel toeristen waren. Soms kon je hier ook een gemakkelijke prooi vinden, maar die avond niet.

Later, rond twaalf uur, gingen we vlak bij de rosse buurt een broodje shoarma eten.

Karim en ik gingen naar een bluescafé, waarvan ik wist dat er livemuziek werd gespeeld en waar de hasjlucht je al van verre tegemoetkwam. Hasj was toegestaan, harddrugs waren verboden – dat stond met grote letters op een bord achter de bar. Op dat tijdstip was Amsterdam erg gezellig en druk. Het café was bijna helemaal vol en op het kleine podium zaten drie zwarte bluesmuzikanten hun instrumenten te bespelen: een drummer, een bassist en een gitarist/zanger. Aan hun stijl te horen waren het echte Amerikanen. Wij bestelden bier en gingen aan een klein tafeltje zitten dat nog vrij was. Ik vond even later een Marokkaanse jongen die hasj verkocht aan buitenlandse toeristen.

'Wat heb je?' vroeg ik hem. 'Zero-zero en Jamaicaanse marihuana,' antwoordde hij. 'Verkoop mij niet de rotzooi die je aan de toeristen verkoopt,' waarschuwde ik hem. Hij knikte en zei: 'Ik kan toch geen landgenoten bedonderen.' Veel dealers verkochten nep-hasj aan de toeristen, die vaak alles lekker vonden in Amsterdam. 'Goed, doe dan een zakje marihuana voor tien gulden.' Hij gaf mij de stuff onopvallend, ik gaf hem het geld onopvallend, en liep terug naar Karim, die van de muziek zat te genieten. We hadden alle reden om van het leven te genieten: we hadden genoeg geld, genoeg smack, genoeg hasj en er was bier en bluesmuziek. Wat kon een mens zich nog meer wensen.

Pas tegen de ochtend liepen we stoned en aangeschoten naar het Centraal Station om de eerste trein naar Utrecht te nemen.

Poortwachters van de hemel

Ik liep op een vrijdagavond in de richting van de Bemuurde Weerd om Karim te zoeken. Ik kwam net van het café aan de Oudegracht. Ik had marihuana gerookt, ik had cocaïne gesnoven en ik was aangeschoten van de whisky. In de tegenovergestelde richting zag ik drie mannen aan komen lopen in moslimkleding. Twee van hen hadden een lange baard en de derde had een snor en een kleine tulband op zijn hoofd. De uitstraling van deze mannen paste helemaal niet bij de Utrechtse grachten; die paste meer in een woestijnlandschap met een moskeeminaret op de achtergrond.

Toen ik deze mannen tot op enkele meters afstand was genaderd, zag ik dat zij aanstalten maakten om mij aan te spreken. Ik dacht dat ze naar de weg wilden vragen. Eén van de mannen gaf mij een hand, wenste mij in het Arabisch Allahs vrede en vroeg of ik tijd voor hem had. Deze heren waren niet de weg kwijt, dacht ik. Ik gaf hun vriendelijk een hand en de man die de leiding had begon mij te vertellen over het Woord van Allah en Zijn boodschapper de profeet Mohammed (*rassoul Allah*). Zo te zien aan hun reactie op mij hadden ze de alcohol in mijn adem geroken. Zonder te spreken gaven zij mij met hun houding het gevoel dat ik niets waard was.

'Vanavond hebben wij in de moskee open huis voor de moslimgelovigen en wij nodigen al onze moslimbroeders uit om met ons te bidden. De moslims over de hele wereld vormen vanwege hun geloof een eenheid.' De man pauzeerde even om adem te halen en ik probeerde van die gelegenheid gebruik te maken om mij met een smoes dat ik geen tijd had, te verontschuldigen en de benen te nemen. Ik was te stoned van de marihuana en de coke en te aangeschoten van de whisky om naar zijn preek te luisteren.

Maar de man onderbrak mij resoluut. 'Jullie jongelui hebben van het leven van de heidenen geproefd en dit leven bevalt jullie zeker beter dan het leven volgens de wetten van de Koran. Maar het is allemaal schijn: wat jullie volgen, is enkel een illusie. Alleen de Koran bevat de waarheid.'

De twee andere mannen knikten bevestigend bij deze woorden en leken mij van boven tot onder op te nemen. Zij zagen in mijn krullend haar, strakke spijkerbroek en een wit hippieoverhemd met een zwart colbertjasje eroverheen en korte puntlaarzen zeker iemand die nodig bekeerd moest worden. Zij zagen voor zichzelf die avond een grote taak weggelegd. 'Luister,' vervolgde de man. 'Jullie leven is alsof je op een ladder klimt. Als je helemaal boven bent aangekomen, ontdek je dat daar niets is, en dan daal je weer af naar beneden naar waar je eerst stond. Dan blijkt alles voor niets te zijn geweest. Daarom vragen wij je nu met ons mee te gaan naar de moskee om kennis te maken met de Koran en de Hadith van de imam.'

Ik wilde een eind maken aan deze eenzijdige conversatie, maar ik kreeg weinig kans. Ik zei: 'Ik ben ook moslim, een moslim met problemen. Dat is het lot, maar veroordeel mij daarom alstublieft niet. Het spijt me, ik heb nu geen tijd, maar ik zal vanavond naar de moskee komen.'

De man had mij echter door en gaf zich niet zomaar gewonnen. 'Ik weet dat je geen tijd hebt; toen ik jong was had ik ook altijd haast. Ik heb ontdekt dat dat gehaast nergens toe leidt en daarom kun je in de moskee rust vinden om je te bezinnen. Kom jongen, hoor niet bij hen die de verliezers zijn.'

Ik begon mij steeds meer aan deze mannen te ergeren. Zij keken neer op mij. Voor hen was ik een ziek element in de gemeenschap, en zo'n element moest je herstellen of elimineren. Ze maakten mij bang en de angst werd versterkt door de marihuana die ik had gerookt. De cocaïne gaf mij een beetje moed om de druk die deze heren op mij legden, te weerstaan. Ik raakte wel in verwarring. Het liefst was ik hard schreeuwend weggerend.

De ene man met de baard, die de leiding had, begon zich aan mijn weigering om mee te gaan naar de moskee te ergeren. Hij verhief zijn stem, toen hij vervolgde: 'Jullie jeugd leeft alleen onder invloed van drugs en alcohol. Dat zijn satansmiddelen, die de werkelijkheid voor jullie verdraaien. Dat maakt jullie blind en doof en jullie hart wordt gesloten voor de liefde en de vrede van Allah. Volg niet de heidense Europeanen. Volg hen niet in hun goddeloosheid, want dan hoor je tot de huichelaars.' Hij begon ongeduldig te worden.

Wat wist deze man van mij? Helemaal niets, maar hij veroordeelde mij. Ik droeg de gemeenschap altijd een warm hart toe, maar dit was anders. Ik ergerde mij aan de machtige invloed van de grote leugens, die voornamelijk door het mannelijke deel van de gemeenschap werden verspreid en in stand gehouden, zoals deze mannen, die mij van heidendom beschuldigden. De eerste generatie Marokkaanse gastarbeiders leefde in de overtuiging dat het het lot is van de Marokkaanse moslims in Europa om te leven in een wereld van onderdrukking en onrechtvaardigheid. Zij wilden ons leren dat het het lot van elke moslim is om deze mentale onderdrukking, openlijke afwijzing en mentale vernedering te ondergaan. Na ons sterven zouden wij in de hemel de macht en het eeuwige leven krijgen. De heidense Europeanen zouden de verliezers zijn en branden in de hel.

Maar roepen de christenen en de joden eigenlijk niet hetzelfde? Eigenen zij zich ook niet de exclusieve rechten van de hemel toe als eindbestemming van het tijdelijke aardse leven? Ik ontdekte op mijn eigen manier dat deze mannen van de moskee zichzelf vleugellam hadden gemaakt door deze opvatting, die ze als argument gebruikten om niet mee te doen met de ontwikkelingen in de Europese maatschappij. Het gevolg was dat de gemeenschap in armoede, onwetendheid, apathie en passiviteit terechtkwam. Ik kon en wilde mij daar niet mee associëren.

Ik vreesde dat deze houding van de Marokkaanse gemeenschap in Nederland onze verdere ontwikkeling tot stilstaan had gebracht op sociaal, economisch, cultureel en psychologisch terrein. Hoe uitzichtloos mijn persoonlijke situatie ook was, ik weigerde daaraan mee te doen.

Hoe kon ik deze poortwachters van de hemel over mijn mening vertellen. Dat kon ik niet. Zij stonden niet open voor andere ideeën en beschouwden mijn opvattingen als te westers en wezen ze dus per definitie af. Als ik iets wilde vertellen, lieten zij mij niet eens praten; hoe kon er dan open communicatie ontstaan? Ik wilde ze zeggen dat ze wat mij betreft beter hun weg konden voortzetten, maar dat deed ik niet. Deze grofheid zou ik nooit kunnen uiten tegenover mannen van de moskee, die veel macht hebben. Ik wilde van deze mannen verlost worden. Ik wilde mijn eigen leven leiden, zoals ik dat wilde, en daar hadden zij niets mee te maken. Ik zei: 'Kijk, ik ben nu op weg naar een belangrijke afspraak. Ik heb u niets gedaan en u staat mij hier van satanische en heidense activiteiten te beschuldigen. Ik ben net zo moslim als u, ik geloof in God als mijn schepper en in mijn hart ben ik zuiver. Waarom laat u mij niet met rust en gaat u mensen zoeken die u wel begrijpen?'

Ik zag de man rood worden van boosheid. De andere twee keken mij vernietigend aan. Ik dacht dat, als zij een wapen hadden, zij mij allang hadden neergeschoten. Deze mannen hadden maar één doel in hun leven en dat is, dat de hele wereld is als zijzelf. Voor anders zijn en anders denken hadden zij geen ruimte.

'Wie is je vader?' riep de andere man, die nu voor het eerst sprak. 'Vertel ons wiens zoon je bent,' sprak hij opnieuw.

Ik was niet van plan te vertellen wie mijn vader was, want dan zou mijn vader geen leven meer hebben in de moskee. 'Wie mijn vader is, gaat u niet aan. Vervolg alstublieft uw weg en laat mij met rust. Ik leef zoals Allah wil dat ik leef, dat is toch *el maktoeb*, mijn lot. Ik val u niet lastig met mijn manier van leven en met het lot dat ik met mij meedraag.'

De mannen keken mij vol afschuw aan. Zij wilden hun strijd met mij echter nog niet opgeven, maar ik had daar helemaal geen zin in. De leider riep nu met verheffing van stem: 'Waarom keren jullie je tegen Allah? Jullie zullen behalve Hem geen beschermer vinden. Jullie willen leven als Europeanen. Zij zullen jullie in het hiernamaals geen bescherming bieden tegen de wraak van Allah. Verman je dus en ga nu mee naar de moskee, waar je kunt luisteren naar de Hadith, Koranlezingen, en waar je tot Allah kunt bidden en om vergeving kunt vragen voor je zonden en je daden.' De man wachtte om te kijken wat voor effect zijn laatste woorden op mij hadden.

Ik gaf hem die kans niet en besloot een einde te maken aan deze conversatie over mijn leven midden op straat. Ik zei vriendelijk: 'Salaam Alaikoum', en liep met zulke stevige passen door dat zij mij niet konden tegenhouden. Ik voelde hoe zij met hun ogen vuur spuwden in mijn rug en hoorde achter mij toewensingen voor in de hel. Ik was voor hen een *kafir*, een heiden. Ik draaide me niet om, maar liep door.

Dit was nu mijn gemeenschap, en daar was geen plaats voor mij. Ik was andersdenkend, ik was vrij en revolutionair. Ik weigerde mij neer te leggen bij de wil van de gemeenschap. Ik wilde voor mezelf opkomen, voor de idealen waarin ik geloofde en die waren vrijheid, rechtvaardigheid en gelijkheid voor alle mensen. Mijn landgenoten zagen dit als te westers: verpest door westerse ideeën en opvattingen. Ik was al een tijd geleden verbannen en uitgestoten. Dat had mijn vader mij eerder verteld. Andere Marokkanen sprake schande over mijn westerse leefwijze. Maar het kon mij eerlijk gezegd niets schelen.

Ondertussen was ik het adres van Karim bijna genaderd. De stem van de man met de baard klonk nog door in mijn oren, en bij de gedachte aan zijn woorden over de hel en vernietiging voelde ik een koude rilling langs mijn rug glijden. Was er nog een ergere hel dan waarin ik was terechtgekomen?

Ik wilde het gevoel en de innerlijke rust van die avond opnieuw ervaren en alleen Karim had daar de sleutel voor. Ik had er behoefte aan om even weer van mijn depressies verlost te zijn en in ieder geval verdoofd te worden, zeker na die ontmoeting met de moslimmannen, die bij mij een naar gevoel had achtergelaten, een gevoel van angst, verlatenheid en verwarring. Nu ik dat spul had geproefd en mij bewust was van de innerlijke bevrijding die het tot gevolg had, raakte ik een beetje over mijn angst voor harddrugs heen.

Als ik bij mijn ouders op bezoek ging, deed ik vriendelijk en dan liet mijn vader mij meestal met rust. Het viel mijn broers wel op dat ik, sinds ik op kamers was gaan wonen, vrolijker en opgewekter was geworden. Zij konden niet vermoeden dat die nieuwe energie mij werd gegeven door de drugs. Ik vertelde hun ook niets over mijn drugsgebruik.

In de dagen en weken die volgden, nam mijn gebruik hevig toe. Na vier weken ontdekte ik voor het eerst dat ik niet meer zonder dat spul kon leven. Het was rampzalig om bij het opstaan te ontdekken dat ik geen behoefte had aan een ontbijt met koffie, maar aan iets wat veel sterker was, sterker nog dan ikzelf.

Hoewel ik in het begin niet zo veel drugs nodig had om me lekker te voelen, ontdekte ik algauw dat mijn uitkering van vijfhonderd gulden per maand niet meer genoeg was om mezelf in leven te houden. Ik had steeds meer geld nodig om heroïne te kopen. Als het geld van de bijstand binnen was, was het ook binnen een paar dagen weer uitgegeven. En als ik geld voor eten nodig had, ging ik soms naar Arien, Massoud of mijn ouders. Mijn moeder gaf mij vaak eten mee. Mehmet wilde mij nooit geld lenen. 'Ik stuur alles naar mijn vrouw en kinderen in

Turkije,' legde hij mij altijd uit als ik hem om geld vroeg.

Mijn drugsgebruik nam elke dag toe. Ik had na drie maanden minstens vijftig gulden per dag nodig om de ergste ziekte in mijn lichaam en in mijn geest te genezen. De heroïne was geen genotsmiddel meer, maar een medicijn dat ik dagelijks nodig had om mijn lichaam te genezen. Als ik geen geld had, werd mijn leven een nachtmerrie. De pijn, angst, eenzaamheid en zware depressies waren ondraaglijk.

Om toch aan heroïne te komen besloot ik op een dag een aantal van mijn lp's te verkopen. Arien bracht mij op dat idee en hij wist wel een platenzaak waar ik er een redelijke prijs voor kon krijgen. Hij had daar zelf al eerder zijn platen verkocht. Ik maakte samen met Arien een selectie: veertig platen die onbeschadigd waren en gemakkelijk te verkopen. Er waren platen bij van Stanley Clarke, Herbie Hancock, Diana Ross, Bob Marley, Level 42, Doe Maar en Santana. Allemaal platen waar ik moeilijk afstand van kon doen, maar de pijn in mijn lichaam was te hevig, te ondraaglijk.

De eigenaar van de platenzaak was keihard in het onderhandelen. Nadat hij de platen één voor één had bekeken, bood hij mij vijf gulden per plaat en geen cent meer. Hoe ik ook probeerde hem ervan te overtuigen dat de platen zo goed als nieuw waren en mij minstens twintig gulden per stuk hadden gekost, het lukte niet. Uiteindelijk werd het een kwestie van verkopen of ze maar weer mee naar huis nemen. Ik koos voor de eerste optie. De platen hadden mij in totaal tweehonderd gulden opgebracht. Net genoeg om misschien met veel moeite en zuinig beleid vier dagen zonder pijn en angst door te komen.

Vier dagen later ging ik weer met Arien op weg, nu met mijn Spaanse gitaar naar een tweedehandsinstrumentenzaak om hem te verkopen. De gitaar had mij zeshonderd gulden gekost, maar van de handelaar kreeg ik er niet meer dan honderd gulden voor. Ik vond dit verlies niet erg, als ik maar aan mijn drugs kon komen. De rest was voor mij niet meer belangrijk.

Het gebeurde in het begin vaak dat ik mijn heroïne deelde met andere mensen, die niets hadden. Algauw kwam er een einde aan deze vrijgevigheid, toen bleek dat als ík zonder geld zat, niemand mij wilde helpen; behalve Karim, als hij geld had. Noodgedwongen begon ik net als de rest van de verslaafden eerst aan mezelf te denken en daarna pas aan anderen. Als de pijn aan je lichaam begint te knagen en je geen

geld hebt om die pijn en kwelling te verzachten, leer je snel aan je eigen belang te denken en wordt de rest om je heen het minst belangrijk
van allemaal. Ik werd al snel net zo egoïstisch als de rest.

Hoewel bijna alle junks Karim kenden, had hij nauwelijks goede
vrienden. De reden was dat, als hij zonder geld zat, hij anderen vaak
oplichtte met nepheroïne. Hij verkocht ze fijngesneden Stophoest, dat
op heroïne leek. Hij wist altijd wie hij kon bedonderen en wie niet. Bovendien was hij voor weinig mensen bang. Als het moest kon hij iedereen wel oplichten.

Als ik krap zat, kon ik altijd bij hem terecht. Onze vriendschap
groeide en we konden elkaar vertrouwen en dat was een zeldzaamheid
in Hoog Catharijne. Hij liep in tegenstelling tot anderen nooit over
zichzelf op te scheppen over de manier waarop hij vaak aan veel geld
kwam. Hij deed dingen die nodig waren en dat was voor hem een van-
zelfsprekendheid. Niemand wist wat hij uitspookte om aan geld te komen. Door zijn geslotenheid werd hij door anderen niet begrepen en
meestal gewantrouwd en met rust gelaten.

Junks lopen vaak verhalen rond te vertellen over hoe zij een ge-
slaagde inbraak hebben opgezet of over hoe zij na een wilde achtervolging net aan de politie wisten te ontsnappen. Meestal waren deze sterke verhalen bedoeld om aanzien af te dwingen in de groep.

Mijn leven leek een beetje kleur te krijgen. Op de Bradi Strati speelde ik muziek met anderen en door de muziek werd ik ook op de Bradi
Strati snel door de groep opgenomen. Het gebeurde vaak dat ik maar
net in het centrum was of ik werd al naar de muziekruimte meege-
sleept omdat ze naar een bassist zochten. We gaven gratis optredens,
die mij in ieder geval gratis drinken opleverden, en als ik een beetje geluk had, kon ik gratis meeroken of cocaïne snuiven met enthousiaste
toeschouwers.

Het was een periode van dagelijks stoned zijn, muziek maken en
op een ongedwongen ontspannen manier door het leven gaan. Ik piekerde niet langer over mijn toekomst en de maatschappelijke ellende,
die ik had meegemaakt. Ik was vrij om te denken dat ik vrij was.

Soms als ik 's morgens ontwaakte en ik voldoende heroïne had om
de dag zonder pijn te beginnen, voelde ik mij gelukkig. Ik had niets in
mijn leven bereikt, maar ik kon van dat weinige wat ik nog had, nu wel
genieten. Ik had niemand nodig en ik voelde ook niet meer de behoef-

te en de drang om mij te willen bewijzen in de maatschappij, die mij had uitgekotst.

Als ik gerookt had, liep ik bijna zingend van vreugde en geluk in de richting van de Bradi Strati of Hoog Catharijne, waar ik andere lotgenoten kon ontmoeten, mensen die mij stilzwijgend hadden geaccepteerd en bij wie ik mij thuis kon voelen. Mensen die niet moeilijk deden over wie je was, wat je was of waar je vandaan kwam. Hier ging het eenvoudig om wat je had. Had je geld of drugs, dan was het oké!

Het was zelfs prettig om heen en weer te worden geslingerd tussen mijn kamer, de Bradi Strati en Hoog Catharijne. Zij vormden het drieluik van mijn leven. Ik was ook tot de ontdekking gekomen dat ik eigenlijk niets meer nodig had. Ik was tevreden met mijn drieluik, waarin ik me vrij kon bewegen. Om eten gaf ik niet meer zo erg, en om kleding evenmin. Het ging er alleen maar om dat ik mij innerlijk en lichamelijk goed voelde; dat was belangrijk geworden in mijn leven en niets anders.

In de groep waarin ik was terechtgekomen, was niet alleen maar sprake van stoned zijn en maling hebben aan de rest – het was ook een vorm van onuitgesproken protest, je niet meer willen neerleggen bij de normen die door anderen waren gecreëerd. Het was geen ideologie of filosofie, eerder een ad-hocreactie op de macht die anderen zich toe-eigenden om andermans leven te willen bepalen. De dagen, weken en maanden gingen voorbij, terwijl ik mij helemaal stortte op het drugsleven. Er was geen weg terug meer. Ik had een pact gesloten met de duivel; mijn ziel in ruil voor innerlijke rust.

Sinterklaas bestaat niet

Op een ochtend werd ik bij het eerste daglicht wakker van de pijn in mijn trillende lichaam. Ik was ziek. Het enige waar ik aandacht voor had, was 'het middel'. Waar kon ik op dit vroege uur wat te roken versieren? Alles leek hopeloos. Geld om heroïne te kopen had ik niet en ik had ook niets te eten, maar dat laatste vond ik minder belangrijk.

Ik bleef tot tien uur in mijn bed liggen, en toen kleedde ik mij aan en ging ik naar Massoud om hem om geld te vragen.

Sinds ik aan de drugs was en regelmatig thuis bezoek kreeg van verslaafden, was de relatie met Massoud niet zo goed meer. Hij was niet meer vriendelijk en als hij mij groette, was dat nu een beetje gedwongen. Ik had het vermoeden dat hij die drugsverslaafden liever niet in huis wilde. Ook Thomas was argwanend. Pauline was vertrokken.

Ik klopte op de deur en Massoud deed open in zijn ondergoed. 'Wat wil je?' snauwde hij mij toe. Ik had hem wakker gemaakt en dat stelde hij niet op prijs.

'Kun je mij wat geld lenen tot volgende week?' vroeg ik hem met trillende stem. Ik zag aan zijn gezicht dat hij mijn verzoek erg vervelend vond.

'Ik heb geen geld. Ga weg!' antwoordde hij kort en hij wilde de deur dichtgooien. 'Wacht!' riep ik. 'Kunnen we niet vanavond naar het Turkse cabaret gaan? Daar kan ik zeker wat geld verdienen met muziek en dan betaal ik je meteen terug.'

Massoud schudde zijn hoofd. 'Massoud, ik heb ook veel voor je gedaan. Leen mij alsjeblieft maar tien gulden. Je krijgt het echt terug,' smeekte ik.

Hij liep de kamer in en kwam terug met tien gulden. 'Abkader! Dit is de laatste keer dat ik je geld leen. En als ik het volgende week niet terugkrijg, hebt jij een groot probleem. Dan kun jij beter hier weggaan.' Hij was heel ernstig.

Het was niet veel maar ik kon heel even vooruit. Ik vertrok richting

Hoog Catharijne in de hoop iemand te vinden die mij voor tien gulden heroïne wilde verkopen om mij tijdelijk uit mijn hel te verlossen. Er liepen al enkele verslaafden rond, die meestal de nacht in het winkelcentrum doorbrachten. De eerste stroom winkelende mensen begon net op gang te komen.

Ik liep naar de donkere gangen en paden rond Muziekcentrum Vredenburg, waar de meeste drugsverslaafden en dealers rondhingen. Het was een soort hol zonder doorloop en die plek was door de drugsgebruikers veroverd. Hier kwamen de winkelende menigte en de dagtoeristen niet.

De Utrechtse politie had hier goed toezicht op wat er gebeurde en daarom werd het gebruik van drugs op deze verlaten plek gedoogd, net als op de Bradi Strati, voor zolang dat duurde. Als de volgende schoonmaak plaatsvond, zouden al deze verslaafden deze voor hen vertrouwde omgeving als ratten verlaten en hun toevlucht elders zoeken. Zo ging het altijd.

Soms kwamen politieagenten onverwachts in groepen en sloten alle vluchtpaden af, zodat ontsnappen niet mogelijk was. Iedereen werd dan gefouilleerd op drugs, wapens of gestolen spullen. Wij werden dan allemaal meegenomen naar het politiebureau. Ze namen alles in beslag en iedereen die betrapt was op drugs of gestolen spullen, bleef achter, terwijl de rest naar huis mocht. Meestal werden ze diezelfde dag nog vrijgelaten. Ik werd ook vaak aangehouden in zo'n razzia, in bezit van een kleine hoeveelheid drugs. Zodra ik het rumoer om mij heen zag, stopte ik meestal onopvallend het papiertje met de drugs in mijn mond en onder mijn tong. Dat had ik van Karim geleerd. Ik liet mij daarna volledig door de drugsbrigade fouilleren. Zij vonden niets en ik mocht weg. Later haalde ik het papiertje uit mijn mond en bleek dat het poeder nat was geworden van het speeksel en niet meer direct te gebruiken was. Maar het belangrijkste was dat ik niet voor verhoor naar het politiebureau werd meegenomen en dat ik mijn bruine goud niet kwijt was.

Die dag was er gelukkig nergens politie te bekennen. In de bekende hoekjes stonden hier en daar verslaafden te roken. In een hoek lag een jongeman te slapen. De meeste verslaafden zagen er erg vies en onverzorgd uit. Hun uiterlijk kon ze niets schelen, alleen de innerlijke bevrediging van de verslaving telde, meer niet.

Er werd druk gepraat en soms hard geschreeuwd. Er lag veel viezigheid op de betonnen vloer. Verderop had iemand op de trap gekotst, zodat het behoorlijk begon te stinken, maar niemand leek zich daaraan te storen. Ik zag een van de Marokkaanse prostituees, Selima, staan roken samen met twee Hollandse meiden, ook hoeren. Zij was bevriend met Kasem. Zij was zijn vriendin en zij werkte voor hem. Dat wist iedereen. De meesten lieten haar daarom met rust. Ik wilde haar om hulp vragen, maar zag daarvan af. Het was hier ieder voor zichzelf. Er liepen meer armoedzaaiers zoals ik rond. Zij liepen te bietsen en te slijmen, maar zij kregen van niemand iets te roken. Ik vroeg een paar mensen mij voor tien gulden iets te verkopen, maar niemand wilde zijn heroïne afstaan.

Ik zag Hans zitten, alleen in een hoek, afgezonderd van anderen. Hij leunde slap tegen een muur. Ik ging naar hem toe en vroeg: 'Alles goed, Hans? Wat is er aan de hand met je?' Hij keek op. 'O, ben jij het, Abkader. Het gaat klote. Ik heb al dagen niet gespoten. Ik ga dood en ik heb geen geld. Laat alsjeblieft iemand mij helpen.'

Hans zag er erg slecht uit. Ik had hem nog nooit eerder zo gezien. Af en toe schreeuwde hij zonder aanleiding als een dronkenman en probeerde hij op zijn benen te staan, maar daarna viel hij meteen weer terug op de grond. Niemand kwam bij hem in de buurt en niemand wilde hem helpen, zoals ze waarschijnlijk vaak niet gedaan hebben. Eigenlijk mocht niemand hem. Nu liet iedereen hem in de steek om hem langzaam dood te laten gaan. Hier heerste de wet van de jungle. Als je verzwakt bent en je niet meer in staat bent om voor jezelf te zorgen, dan moet je doodgaan. Daar maakt niemand zich druk over. Men is gewend dat er af en toe iemand doodgaat. Dat hoort er nu eenmaal bij. Iedereen had het geaccepteerd.

'Waar is Deborah?' vroeg ik om hem bezig te houden. 'Weet ik veel! Die trut heeft mij in de steek gelaten. Iedereen heeft mij in de steek gelaten!' riep hij nijdig. 'Naar de hel met iedereen,' schreeuwde hij en hij maaide zo met zijn armen in de lucht dat hij mij bijna in mijn gezicht raakte. Ik kon zijn dunne maar stevige arm nog net ontwijken. Zijn aderen zaten allemaal vol littekens van de naalden. De andere junks keken onverstoorbaar op. Zonder drank en drugs kon Hans niet leven. Ik stond op en beloofde hem te helpen als ik iets zou vinden.

'Laat ze allemaal opdonderen!' hoorde ik hem roepen.

Even later kwam Kasem aanlopen. Hij groette mij op afstand en liep door naar Selima. Hij nam haar apart en sprak lang met haar. Even later verdween ze. Waarschijnlijk had hij haar instructies voor een opdracht gegeven.

Kasem haalde ook zijn heroïnegereedschappen tevoorschijn en begon te roken. Af en toe werd hij gestoord door een van zijn klanten. Hij nam dan het geld in ontvangst, gaf hun het poeder in kleine bolletjes en ging onverstoorbaar verder met roken. Op een gegeven moment liep ik naar hem toe en ik vroeg hem mij voor tien gulden te verkopen. Voor even leek hij mij te negeren. Kasem was zo slecht nog niet. Ik wist dat hij mij op de een of andere manier mocht. Ik wist niet precies waarom. Hij heeft dit ook nooit uitgesproken, maar hij behandelde mij anders dan anderen. Hij gaf mij voor tien gulden een paar mespuntjes heroïne, die ik meteen oprookte. Het hielp mij maar nauwelijks om de pijn uit mijn lichaam te verdrijven. En er was niet genoeg om met Hans te delen.

Ik ging verder zoeken naar hulp. Ik kreeg op een gegeven moment Ricki, de rastaman, in de gaten. Ik liep naar hem toe en vroeg hem mij te helpen.

'Ik heb geen gratis chineesjes. Als je wilt kopen, heb ik wat voor je en anders niet,' zei hij genadeloos.

'Ik heb geen geld, Ricki. Help mij, geef me wat te roken en ik betaal je later. Ik zweer het!' smeekte ik. Maar hij weigerde resoluut mij te helpen. Hij zag in de verte een paar klanten en liep snel naar hen toe, voordat een concurrent hen in de gaten kreeg. Even later kwam hij weer terug. Ik waagde nog een poging en dit keer had ik succes. Ricki gaf me met moeite uiteindelijk toch twee kleine chineesjes te roken. Ook dit kleine beetje was nauwelijks genoeg om de pijn uit mijn lichaam te verdrijven, maar toch. Alleen de smaak van de heroïne in mijn mond maakte al dat ik me een beetje beter voelde. Ik vroeg hem opnieuw, maar daar wilde hij niets van weten. 'Nee, beste vriend, als je wilt roken, dan kom je maar met poen. Ik ben Sinterklaas niet,' zei hij, terwijl hij in de richting van het station liep.

Ik liep urenlang door de stad in de hoop Karim tegen te komen. Hij zou mij zeker helpen, maar Karim was nergens te bekennen. Een klein ogenblikje overwoog ik om bij mijn moeder langs te gaan om geld te lenen, maar algauw zag ik van dat idee af. Ik wilde niet dat mijn ouders van mijn ellende wisten. Ik zocht naar Mahmoud, want misschien kon hij mij helpen, maar ook hem kon ik nergens vinden: de enige mensen die mij konden helpen waren onvindbaar.

Pas tegen drie uur in de middag zag ik Karim bij het Radboudkwartier met Ramzi staan praten. Met de snelheid van een afgeschoten pijl ging ik op hem af. Toen hij me zag, groette hij en Ramzi vertrok naar de menigte verslaafden iets verderop.

'God zij dank kom ik je tegen. Heb je misschien wat te roken voor me?' vroeg ik hoopvol. Karim schudde het hoofd en sloeg daarmee al mijn hoop aan diggelen. Hij was zelf bezig iets te regelen met Ramzi, maar die had ook geen heroïne bij zich.

'Ik kom net uit mijn bed en heb zelf nog niets gerookt. Hoeveel geld heb je?' vroeg hij.

Ik haalde al het kleingeld dat ik bezat en liet het hem zien. 'Twee gulden vijfendertig. Wat ben je van plan?' vroeg ik.

Hij haalde zelf een paar gulden uit zijn zak en vroeg mij hem te volgen. Bij een groentezaak kocht hij goedkoop fruit. Toen ik hem opnieuw vroeg wat dat te betekenen had, zei hij: 'Dit hier, mijn vriend, moet je beschouwen als een investering.' En met een grote plastic tas, voor een deel gevuld met fruit, stapten wij Vroom & Dreesmann binnen. Wij gingen stelen!

Karim liep voorop en ik volgde hem op een kleine afstand naar de herenkledingafdeling, waar het behoorlijk druk was. Er bekroop mij een gevoel alsof iedereen in de gaten had wat wij van plan waren. Elke voorbijganger leek mij met een blik te bekijken van 'ik zie heus wel wat je van plan bent, ik heb je wel door!'

'Kom, we kunnen beter weggaan, want het is hier veel te druk,' zei ik in een poging Karim van het plan af te brengen.

'Die drukte komt juist goed van pas. De meeste verkopers hebben het veel te druk met klanten om zich met ons te bemoeien,' antwoordde de meesterdief. We stonden voor een rek vol driedelige kostuums en Karim leek ze grondig te bekijken. Hij nam er een met een prijskaartje van 450 gulden in zijn hand en daarna nog een, dat hij heel tactisch achter de eerste verstopte, waardoor het leek alsof hij maar één pak in zijn handen had. Terwijl hij onopvallend om zich heen keek, vroeg hij me de zak fruit uit de tas te halen en die open te houden.

Op het moment dat ik bevestigde dat niemand in onze richting keek, liet hij het pak van de hanger in de tas glijden, terwijl hij het met een snelle en soepele beweging zo klein vouwde dat het er gemakkelijk in paste. Karim hing het eerste pak netjes terug, alsof het niet beviel, en bekeek de andere pakken aandachtig, terwijl ik het pak bedekte met de zak fruit. Er liep een verkoper op ons af. Hij vroeg ons vriendelijk of hij ons ergens mee van dienst kon zijn. Om geen argwaan te wekken vertelde ik dat we deze pakken prachtig vonden, maar dat ze voor ons budget net te duur waren. Ik vroeg of hij geen goedkopere had.

'Nee,' zei de man vriendelijk, 'pakken van deze kwaliteit zul je nergens goedkoper vinden.' Ik wilde zo snel mogelijk het warenhuis verlaten, voordat de man de tas in de gaten kreeg. Ik bedankte hem voor zijn hulp, greep de tas en liep naar de roltrap, gevolgd door Karim. Ik zakte bijna door mijn knieën van angst en voelde me alsof de verkoper me elk moment bij mijn kraag zou vatten om te kijken wat ik in die tas had, maar er gebeurde gelukkig niets. Bij de uitgang stond een veiligheidsbeambte met de mooie dames van de afdeling parfumerie te flirten, zodat wij onopgemerkt veilig met de buit konden wegkomen.

'Nou, wat had ik je gezegd, was dat een investering waard of niet?' vroeg Karim vrolijk, terwijl wij snel in de richting van het station verdwenen. Ik was op van de zenuwen en te ziek om helder na te kunnen denken. Ik gaf hem de tas met het pak en het fruit en nam een sigaret om de spanning uit mijn lichaam te verdrijven.

Karim gaf geen teken van spanning. Hij was koel en beheerst, en dat was hij altijd al geweest. Ik was zijn leerling, die stage liep om praktijkervaring op te doen. Hij had me zelfs vaak thuis theoretisch onderricht: hoe je je slag slaat zonder op te vallen, hoe je je zenuwen in bedwang houdt, en meer van die dievenkennis.

We gingen naar de stationrestauratie, waar Karim een heler kende. Terwijl ik in een rustig hoekje van de stationsrestauratie een kop koffie ging drinken, ging Karim de heler zoeken om het pak te verkopen. Ongeveer een uur later keerde hij terug met de zak met fruit en tweehonderd gulden. Hij nam naast mij plaats, drukte mij honderd gulden in de hand en dronk de rest van mijn kop koffie in één slok leeg.

'Zo vriend! Laten wij nu maar eens op stap gaan.'

Ik stopte het geld in mijn broekzak. Een gevoel van blijheid en opluchting nam deel van me. Dit geld maakte me rijk en gaf me weer kracht. We gingen op zoek naar een goeie dealer; van Ricki wilde Karim niets kopen. Ramzi was er ook nog, maar Karim stelde voor Mahmoud te gaan zoeken. Uiteindelijk vonden wij hem in de shoarmazaak aan het Vredenburg, tegenover het Muziekcentrum, waar hij regelmatig zat. Hij gaf ons goed spul en wij liepen naar de parkeergarage onder het 'winkelhart van Nederland', waar het meestal rustig was. Ik haalde met trillende vingers mijn rookgerei tevoorschijn. Bij mijn eerste chineesje trilde ik nog over mijn hele lichaam, dat stijf stond van de spanning, en na tien minuten roken waren zowel de pijn als de spanning geheel uit mijn lichaam verdwenen. De energie en kracht vloeiden weer door mijn aderen en mijn hoofd voelde licht en helder. Mijn lichaam ontspande zich volledig. Ik leefde weer en Karim ook.

'Kijk, dit voelt toch wel beter?' vroeg hij, terwijl hij heel lang zijn adem inhield om de heroïne in zijn longen vast te houden.

'Natuurlijk voelt dit beter,' antwoordde ik, terwijl ik een sigaret rookte.

'Wees er zuinig mee,' vervolgde Karim. 'Het zal niet gemakkelijk zijn om vandaag aan nog meer geld te komen. Gebruik daarom alleen wat je echt nodig hebt, want hoe meer je gaat gebruiken hoe meer je lichaam zich op deze hoeveelheid gaat instellen en dan zal het met minder geen genoegen meer nemen.'

'Ik ben geen junk. Ik gebruik omdat ik het prettig vind en ik kan stoppen wanneer ik wil,' zei ik op een verdedigende toon.

'Ja, dat zeggen ze allemaal. Stel die vraag aan elke junk hier in Hoog Catharijne en hij zal je het zelfde antwoord geven,' zei Karim, terwijl hij opstond. 'Kom, laten we ervandoor gaan voordat de smerissen hier langskomen.' We verlieten de kelders van het winkelcentrum en eenmaal buiten aangekomen namen we afscheid van elkaar. Karim nam een appel uit de zak met fruit en gaf mij de rest, en vertrok weer in de richting van het station. Ik voelde me goed en wilde zo lang mogelijk van dat moment genieten; bovendien had ik nog genoeg drugs om de dag door te komen.

Voordat ik wegging, liep ik terug naar het hol achter het Muziekcentrum, waar ik Hans op dezelfde plek terugvond. Het was niet meer zo druk. De meeste junks liepen in de richting van het station, waar het rond die tijd erg druk was en het gemakkelijk was om zakken en tassen te rollen.

'Hans!' riep ik. 'Kom op, sta op. Ik heb wat voor je.' Hans keek ver-heugd op en probeerde op te staan, maar het lukte hem niet. 'Je bent ziek, Hans. Je hebt echt hulp nodig. Blijf alsjeblieft niet hier hangen. Ga naar een dokter of ga naar het methadonteam. Zij kunnen je vast helpen.' Ik pakte een klein bolletje met vijfentwintig gulden heroïne en gaf het hem. Hij was blij. 'Bedankt, Abkader, je bent een goeie vent. Dit zal ik nooit vergeten,' riep hij dankbaar.

'Jij hebt mij ook vaak geholpen, Hans. Dit ben ik je verplicht,' ant-woordde ik.

Hans had geen spuit bij zich en hij moest de heroïne roken. Ik deed het poeder voor hem op de zilverfolie, omdat hij zelf niet in staat was om zich te helpen, en liet hem langzaam de vrijkomende rook zijn longen in zuigen. Na een keer of vijf begon hij weer greep op zijn li-chaam te krijgen. Ik stak een sigaret op, die ik hem gaf. Hij rookte als-of zijn leven ervan afhing.

'Bedankt, Abkader, het gaat wel weer,' zei hij, terwijl hij probeerde op zijn benen te staan. Ditmaal lukte het hem om te staan en zelfs wat te lopen. Ik gaf hem tien gulden en het fruit, dat ik in de zak had, klop-te hem op zijn schouders en vroeg hem naar café Eigenwijs te gaan om daar een biertje te drinken. Hans begon onmiddellijk van het fruit te eten en ik nam afscheid van hem.

Ik besloot zelf om een biertje te gaan drinken in de Engelse pub King Arthur, waar het in de middaguren nog rustig was. Ik dronk twee biertjes, rookte een paar sigaretten en las de Volkskrant. Daarna reken-de ik af en liep ik naar huis. Onderweg stapte ik een supermarkt bin-nen en kocht met het geld dat ik nog had, een pak sinaasappelsap, een bruin brood, kaas, koffie, melk en een pakje sigaretten.

Zakkenrollen bij Rembrandt

Ondanks de koele relatie met mijn vader ging ik minstens één keer per maand naar huis. Ik wilde wel vaker gaan, maar ik probeerde mijn vader zo veel mogelijk te ontwijken, uit een gevoel van schuld, respect en schaamte.

'Abkader!' riep mijn vader, toen ik op een dag op bezoek kwam. 'Waarom ben je drugs gaan gebruiken? En zeg niet dat het niet waar is! Iedereen weet het.'

Ik antwoordde niet. Ik wist dat binnen de Marokkaanse gemeenschap weinig geheim kon blijven. De nieuwtjes verspreidden zich als een lopend vuurtje.

'Je hebt alles opgegeven om muziek te gaan studeren en wat heb je daarmee bereikt?' vervolgde hij op een niet onvriendelijke toon. 'Wat bezielt je, mijn zoon? Muziek is immers het vak van de *shigaat*, vrouwenvermaak, en hebben we je daarvoor opgevoed en grootgebracht? Bovendien, wat zullen de mensen niet zeggen; ze kijken niet naar jou, maar ze wijzen naar mij, je vader.'

Ik zat op de bank tegenover hem een sigaret te roken, terwijl ik om zijn blik te ontwijken naar de televisie staarde.

'Iedereen heeft een zwart schaap in de familie en in dit gezin ben jij dat zwarte schaap. Je wilt altijd anders zijn dan al je broers. Je bent er altijd opuit geweest iets nieuws te ontdekken en wat heb je daar nu mee bereikt?'

'Wat doet het ertoe, vader! Ik ben wie ik wil zijn, meer wil ik niet,' antwoordde ik laconiek.

'En wat ben je dan?' vroeg hij streng, alsof hij wilde aantonen dat ik niets was, een mislukking.

Ik zei dat ik dat niet wist; het was zinloos te proberen een antwoord op die vraag te geven, want ik wist het niet. Ik wilde opstaan om weg te gaan, maar hij hield mij met zijn hand tegen en vroeg waarom ik hem en mijn moeder zo veel verdriet bezorgde.

'Vader, begrijp je niet dat ik jullie geen verdriet wil doen? Ik weet zelf niet wat er met mij aan de hand is. Deze dingen overkomen mij nu eenmaal. Ik heb daar geen macht over,' zei ik.

Uit mijn verwarde situatie trok hij altijd zijn eigen conclusies en die kwamen dan neer op zijn eigen gelijk halen. Mijn leven zou waardeloos zijn, doordat ik niet zijn conformistische wetten naleefde.

'Moge Allah hem onder zijn bescherming nemen!' riep mijn moeder, die zijn lunch was komen brengen.

'Allah neemt geen heidenen in bescherming. Hun wacht de hel in het hiernamaals,' riep hij in de richting van mijn moeder.

Die discussie werd voor mij bijna ondraaglijk; ik kon hem niet meer apathisch aanhoren en probeerde mij te verzetten. 'Luister eens goed, vader!' riep ik driftig. 'U beschuldigt mij van heidendom, alleen maar omdat ik niet degene ben geworden die aan uw verwachtingspatroon voldoet. Wat weet u eigenlijk van mijn leven en van wat mij beweegt? Niets, volstrekt niets.'

Mijn vader verbaasde zich niet over mijn opstandige gedrag. Hij keek mij nonchalant aan en ik vervolgde: 'U hebt zelf altijd gezegd dat ieders levensloop al bij de geboorte door Allah is bepaald en dat men zich in deze wereld moet schikken. Dat is toch *el maktoeb*, lotsbestemming, nietwaar? Maar als het om uw eigen kinderen gaat, zijn het louter heidenen en zondaars, die hun geloof hebben verloochend.'

Toen ik klaar was viel er een stilte. Om erger te voorkomen stond ik op en liep ik naar de voortuin, waar mijn moeder bezig was. Ik nam plaats op een tuinstoel en zag hoe zij bezig was de tuin op te ruimen. Dat deed ze met een vanzelfsprekende routine, zonder op mij te letten.

De heroïne die ik die morgen had gebruikt, had inmiddels elk effect verloren. Mijn behoefte groeide, maar ik had niets meer, ook geen geld. Ik begon me beroerd te voelen, een situatie waaraan ik nooit zou wennen. De gedachte dat ik de rest van de dag niets te roken had, bezorgde mij een beangstigend gevoel. Ineens had ik een ingeving en zonder enige aanleiding vroeg ik mijn moeder om geld. Ze keek even op en vervolgde haar activiteiten zonder aandacht aan mij te besteden. Toen een verdere reactie uitbleef, maakte ik aanstalten om afscheid te nemen. Ik kuste haar bij wijze van groet op haar voorhoofd, maar zij hield mij tegen en liep naar de keuken. Uit een boodschappenpotje haalde ze 25 gulden tevoorschijn, die ze me stiekem in de hand stopte.

'Zorg dat je vader het niet ziet,' zei ze, terwijl zij de inhoud van haar ijskast plunderde en die voor me in een plastic tas stopte. Ik kuste haar nogmaals op haar voorhoofd en bedankte haar. Zij uitte een zucht van kwaadheid en verdriet tegelijk en duwde mij zachtjes van zich weg. 'Zo draag ik zelf bij aan je ondergang,' zei ze verdrietig en ze verdween weer de tuin in.

Op een dag zat ik bij Karim thuis. We waren beiden ziek en hadden geen geld om heroïne te kopen. Toen we tevergeefs in Hoog Catharijne hadden geprobeerd wat te bietsen, stelde Karim voor om weer eens te gaan stelen.

'Kom! We moeten iets gaan doen, want we kunnen op niemand rekenen,' zei Karim. 'Wat wil je gaan doen?,' vroeg ik, terwijl ik eigenlijk al een vermoeden had.

'We gaan naar de Rembrandtbioscoop,' antwoordde hij. Ik keek hem niet-begrijpend aan: 'Wil je nu naar de film gaan?' Hij zag mijn onbegrip en zei: 'Nee, we gaan niet naar de film. We gaan zakkenrollen, mijn vriend Abkader. Kijk! We wachten op de voorstelling van zeven uur; een halfuur voordat de deuren opengaan, is de drukte voor de kassa enorm. En dan is het eenvoudig om een paar tassen te rollen.'

Ik knikte begrijpend, maar was wel bezorgd.

'Maak je maar geen zorgen; ik heb dit wel vaker gedaan,' zei hij geruststellend.

Ik liet mij overhalen om te gaan zakkenrollen en we gingen naar de Rembrandtbioscoop aan de Oudegracht. Het was ongeveer zes uur toen wij daar aankwamen. We liepen nog even heen en weer, toen even later een lange rij zich begon te vormen voor de kassa.

'Kom snel mee, Abkader,' zei Karim en hij liep in de richting van de kassa, terwijl ik hem volgde. 'We zorgen dat we achter een vrouw met een tas gaan staan. Jij gaat achter haar staan en begint zo nu en dan zachtjes vooruit te duwen en de rest doe ik. Wat er ook gebeurt, kijk niet in mijn richting. Zorg dat je de aandacht afleidt,' zei Karim.

'Dat is goed!' antwoordde ik, terwijl ik mijn hart in mijn borst voelde bonken van spanning. Ik had zweet in mijn handen, hoewel het koud was.

We wachtten ongeveer tien minuten en eindelijk kwam er een echtpaar in de rij staan. De vrouw ging achter de man staan en wij sloten snel de rij met ongeveer acht mensen die stonden te wachten om een kaartje te kopen. Wij isoleerden onze prooi, net zoals leeuwen dat doen, om daarna toe te slaan. De rij achter ons werd langer en terwijl ik zachtjes en onopvallend vooruit begon te duwen, liet Karim zijn hand langs de tas van de vrouw glijden. Het echtpaar voor mij had niets in de gaten. De rij schoof telkens een stap of twee naar voren en bij elke stap drukte ik mijn hele lichaam vooruit. Ik was bang dat de vrouw mijn hartslag zou voelen. Voordat ik iets in de gaten had, tikte Karim mij op de arm. Het teken om ervandoor te gaan. Het werd ook tijd, want het echtpaar was bijna bij de kassa.

We vertrokken uit de rij, liepen de eerste de beste steeg in en zetten het op een lopen in de richting van het station, onze thuishaven. Pas toen we bij het Muziekcentrum waren aangekomen, hielden wij onze pas in. 'Het is gelukt!' riep ik buiten adem. Karim knikte en haalde de portemonnee tevoorschijn. 'Hoeveel zit erin?' vroeg ik ongeduldig. Karim haalde het geld eruit en liet me twee briefjes van honderd en drie van vijfentwintig gulden zien en nog wat kleingeld. 'Het geld ligt overal om je heen op straat; je moet het alleen maar weten te pakken,' zei hij lachend, terwijl hij de portemonnee voor de ingang van het Muziekcentrum in een vuilnisbak deponeerde. Karim gaf me de helft van het geld en we gingen op zoek naar de Egyptenaar.

'Kom! We moeten hem snel vinden. Ik hou het bijna niet meer van de pijn,' riep Karim. 'Laten we eerst in de shoarmazaak kijken; misschien zit hij daar,' zei ik. En inderdaad, daar zat hij aan de bar shoarma te eten.

'Salem effendim!' riep Karim in zijn richting. 'Ik heb je hard nodig, effendim.' Mahmoud groette ons vriendelijk en nam een flinke hap van het brood met lamsvlees. We bestelden een kop koffie en gingen aan een tafel in de hoek zitten. Mahmoud kwam met zijn eten bij ons zitten. 'Heb je wat bij je,' vroeg Karim ongeduldig.

De Egyptenaar knikte: 'Hoeveel willen jullie?'

Ik vroeg hem voor honderd gulden en hij haalde vier pakjes van vijfentwintig gulden tevoorschijn en schoof die naar me toe. Ik gaf hem het geld onder de tafel door en ging snel naar het toilet, terwijl hij verder ging met Karim. Ik sloot me in het toilet op en haalde mijn chineesfolie tevoorschijn. Ik rookte langzaam en op mijn gemak, totdat alle spanning en pijn uit mijn lichaam waren verdwenen, de genezing

in mijn lichaam en geest was getreden. Mijn God, wat voelde ik me ineens goed. Het leven in mijn lichaam kwam langzaam in beweging en
ik begon me weer mens te voelen, een geweldig mens. Daarna keerde
ik terug naar de tafel, waar Karim ongeduldig zat te wachten. Hij rende
op zijn beurt naar het toilet, alsof daar de gezelligheid was te vinden.

Ik begon langzaam mijn koffie op te drinken en stak een sigaret
op. Mahmoud had zijn eten al op en zat ook koffie te drinken. Toen
Karim even later terugkwam, bestelden we shoarma. Ik bedacht dat ik
de hele dag nog niets had gegeten. We aten het brood met het vlees op,
namen afscheid van Mahmoud, die zijn gesprek met de eigenaar van
de zaak vervolgde, en vertrokken naar Hoog Catharijne.

Het tassenrollen bij de Rembrandt was een uitstekend middel voor
mij en Karim om te voorzien in onze dagelijkse geldbehoefte voor
drugs. Een paar dagen later stonden wij weer op diezelfde plek als ha-
viken te zoeken naar een mogelijke prooi. Ditmaal spraken wij af dat
Karim voor afleiding zou zorgen en ik de tas zou rollen. Na ongeveer
een halfuur was het zover. Een vrouw met een handtas sloot met haar
partner de rij en wij gingen snel achter hen staan, voordat anderen dat
voor onze neus zouden doen. Op een bepaald ogenblik begon Karim
rechts van de vrouw met drukke gebaren te zoeken naar iets in zijn jaszak. Met die bewegingen raakte hij de vrouw, die even afgeleid was.
'Sorry! Sorry!' verontschuldigde Karim zich voor het ongemak. Ik
maakte van die gelegenheid gebruik om met een snelle beweging de
rits van de tas van de vrouw te openen en de portemonnee eruit te til-
len, terwijl mijn hart in mijn lichaam bonsde van angst. Dat ging zo
snel dat niemand iets in de gaten had. Met mijn elleboog stootte ik tegen Karim als teken dat we klaar waren. Karim zei in gebroken Nederlands dat hij zijn portemonnee thuis was vergeten en wij gingen ervandoor. Er zat tachtig gulden in; het was niet veel, maar we konden er
voor die dag mee verder.

Ik ontdekte dat er heel wat nodig is om succesvol te zijn in het zak-
kenrollersvak. Je moet naast snelheid ook over stalen zenuwen beschikken en goed kunnen samenwerken met je partner. Het vereist
ook flexibiliteit, improvisatievermogen en veel geduld.

Wij hebben daarna ongeveer een week gewacht, voordat we weer
een bezoek brachten aan de bioscoop, de bron van onze inkomsten.
Ditmaal zagen we een man met een dikke portefeuille in zijn achter-

zak. 'Zie je dat?' vroeg Karim. 'Dat moet niet zo moeilijk zijn. Kom op. Zorg jij voor de afleiding, dan rol ik deze.' Ik ging links achter de man staan en begon met drukke gebaren zogenaamd te zoeken naar mijn portemonnee, terwijl ik de man expres aanraakte. Terwijl hij zich op mij concentreerde, probeerde Karim rechts van de man de portefeuille uit zijn zak te pakken. Maar Karim had zich vergist: omdat de portefeuille zo vol zat, bleef hij achter de zak haken en merkte de man het. Karim had zijn vergissing op tijd door en zette het op een lopen. Toen brak de hel los. Ik wilde Karim volgen, maar de man wist mij net in de kraag van mijn jas te grijpen. Ik was gepakt. Op dat moment zag ik dat twee andere mannen de man te hulp wilden schieten door mij bij mijn armen vast te grijpen. Zonder na te denken schoot ik met een snelle beweging uit mijn jas, een truc die ik anderen vaak had zien doen. En het werkte. Ik begon te rennen. Ik keek achterom en zag dat het gezelschap niet van plan was om mij achterna te rennen. Pas toen ik in de buurt van het Muziekcentrum was, hield ik mijn pas in. Ik was buiten adem en opgelucht dat ik had kunnen ontsnappen.

Er waren twee onuitgesproken regels binnen de drugsgemeenschap van Hoog Catharijne. De eerste was dat wie de kans krijgt om te ontsnappen, dat meteen moet doen en wie gesnapt wordt dan pech heeft. De tweede regel was dat als je gesnapt bent, je je partner in geen geval verraadt, en wie dat wel doet, kan zich beter niet meer in Hoog Catharijne vertonen, want die zal onder de groep verslaafden geen leven meer hebben.

Ik had, zoals zo vaak, ook nu geluk. Het lukte mij altijd wel te ontkomen in dit soort situaties, en ook bij de politie was ik goed in het in veiligheid brengen van mezelf. De ervaring die ik in mijn jeugd had opgedaan in de soek, kwam mij nu goed van pas. Als ik begon te rennen, was ik voor anderen ongrijpbaar. Dat was mijn kracht.

Ik ging op zoek naar Karim en ik vond hem bij het Muziekcentrum. Ook hij was naar mij aan het zoeken geweest. 'Hoi, Abkader!' zei hij naar mij toelopend. 'Hoe heb je je bevrijd? En waar is je jas?' Ik vertelde hem hoe ik was ontsnapt en hij lachte. 'Laten we naar een jas voor je gaan zoeken.' Wij gingen samen verder naar de winkels van Hoog Catharijne en een uur later liep ik in een nieuw zwart colbertjasje.

DRUGSKOERIER

Op een dag kwam ik in Hoog Catharijne Arien tegen, die op zoek was naar een goede dealer. Hij kende er zelf nog maar weinig. Ramzi liep er, zoals bijna altijd, wel rond, maar die had te kleine pakjes en vroeg te veel geld. Ik had Arien al drie weken niet gezien.

'Waar heb je uitgehangen?' vroeg ik.

'Nergens!' antwoordde hij.

'Je ziet er beroerd uit, Arien!'

'Ik voel me ook beroerd: ik heb de hele dag nog niets gerookt. Vanmorgen kwam ik hier zonder geld, maar er was niemand die medelijden met mij had. Die verdomde junks, allemaal profiteurs,' riep hij kwaad.

'Deze wereld hier is keihard en kent geen mededogen. In deze jungle geldt de wet van de sterkste. Je hebt hier leiders en je hebt meelopers, en ik betwijfel of wij ergens bij horen,' zei ik. 'Wij zijn geen leiders, maar we zijn ook geen volgers. Wij hebben een eigen wil!' Arien knikte bevestigend.

Op dat moment zag ik de Egyptenaar onze kant uit komen lopen. Breed grijzend als altijd liep hij naar me toe en hij gaf me een hand. 'Salem, effendim Abkader,' zei hij.

Mahmoud begon meteen met een klaagverhaal, begeleid door veel handgebaren, over Nederlanders die Arabieren onrecht aandeden. Hij was net een uur geleden bijna op de vuist gegaan met twee politieagenten, die hem zonder aanleiding wilden fouilleren, en het was hem gelukt om dat te voorkomen.

'Stel je eens voor,' riep hij. 'Dan was ik al mijn voorraad kwijtgeraakt.' Hij had zo'n drie gram bij zich, en dat was niet niets.

'Mijn vriend en ik willen kopen,' zei ik, toen hij een beetje gekalmeerd was.

'Niet hier,' antwoordde hij, terwijl hij nerveus om zich heen keek.

'Ik heb een idee,' riep Arien, toen ik het verhaal van de Egyptenaar voor hem vertaald had. 'Waarom gaan jullie niet mee? Bij mij thuis zullen we van niemand last hebben.'

'Ja goed, effendim, hier alleen maar gevaarlijk met veel politie,' zei hij in gebroken Nederlands.

Mahmoud had een auto en wij reden met hem mee naar Ariens flat in Kanaleneiland. Zijn vriendin was niet thuis. Ik had het vermoeden dat er iets niet pluis was; misschien kwam dat door de rotzooi in de flat. Het zag er niet-opgeruimd uit en een hoop spullen waren uit de woning verdwenen. Ik heb Arien daar verder niet naar gevraagd.

Toen we waren gaan zitten, vroeg ik de Egyptenaar om mij voor vijfentwintig gulden heroïne te geven. Voor dat bedrag kreeg ik een grotere hoeveelheid dan ik gewend was; hij was kennelijk in een goeie bui. Arien had meer geld en vroeg om één gram heroïne. Zonder op de Egyptenaar te letten, die in gebroken Nederlands verder ging met zijn verhaal over de twee agenten, begonnen Arien en ik te roken, bijna paniekerig, alsof ons leven ervan afhing. En dat was zeker ook het geval.

'Het was allemaal de schuld van Kasem. Die had mij er bijna in geluisd om zichzelf te redden, maar nu hebben ze hem mooi zelf meegenomen. Jullie zijn er wel slecht aan toe!' onderbrak hij zichzelf. Arien knikte.

'Heb je bier?' vroeg hij aan Arien.

'Ja, pak maar uit de ijskast in de keuken,' antwoordde Arien, en Mahmoud ging zichzelf bedienen.

'Een vreemde vogel, die Egyptenaar,' zei Arien.

'Ja, hij is een beetje maf,' antwoordde ik, 'maar je kunt hem beter te vriend houden.'

Mahmoud kwam met drie flesjes bier terug en ging weer zitten. 'Ik mag jullie wel,' zei hij met de bekende grijns op zijn gezicht. 'Jullie zijn niet zoals dat andere uitschot in Hoog Catharijne en de Bradi Strati.'

Arien keek even op: 'Iedereen die aan deze rotzooi verslaafd raakt, wordt uitschot.'

De Egyptenaar schudde het hoofd. 'Nee effendim, als je net zo veel ervaring hebt als ik, herken je dingen in mensen, en ik zeg je, jullie zijn anders.'

Na een paar chineesjes begon ik mij beter te voelen. De koude rillingen, de pijn in mijn botten en de verwarring in mijn hoofd verdwe-

nen langzaam en maakten plaats voor een gevoel van zaligheid, een gevoel van nieuw leven.

Arien hief zijn fles bier op en riep: 'Gezondheid, vrienden.'

De Egyptenaar lachte breed en nam een flinke slok bier. 'De mooiste momenten in je leven breng je met vrienden door,' riep hij in de
richting van Arien. Toen hij de gitaar in de hoek zag, riep hij blij:
'Speel eens wat muziek voor ons, effendim!' terwijl hij de gitaar in de
armen van Arien duwde. Arien nam het instrument over en liet zijn
vingers zachtjes langs de snaren glijden. Het bluesritme deed de Egyptenaar in zijn handen klappen. Hij was helemaal in zijn hum. Arien
zong bluesnummers met zijn zachtmoedige stem en die leken goed
van toepassing op het moment. Later gaf Arien mij de gitaar om voor
onze vriend iets Arabisch te spelen.

De Egyptenaar sprong op van vreugde bij het horen van de Arabische melodieën van zijn bekende landgenoot Abdelhafid Hafiz. 'Effendim! Effendim! Waarom heb je dat niet eerder gezegd!' en hij begon de
melodie bijna foutloos mee te zingen. Arien moest lachen bij het zien
van zo veel vreugde en blijheid.

'Effendim Abkader! Ik wist niet dat je ook onze eigen Arabische
muziek kon spelen,' riep de Egyptenaar met een overdreven uitbundig-
heid en hij trakteerde mij gul uit zijn voorraad heroïne. Arien had genoeg gekocht. Ik liet mij maar al te graag door zijn gulheid verwennen.

Later in de nacht deed de Egyptenaar ons een voorstel. 'Kijk,' zei hij
ernstig, 'mensen zoals jullie, kom je in de wereld van verslaafden niet
vaak tegen. Ik heb een afnemer in Brussel, aan wie ik regelmatig heroïne kan leveren. Ik ben zelf al een keer in dat land opgepakt, dus voor
mij is het daarmee afgelopen. Nu zoek ik iemand die ik kan vertrouwen om zo nu en dan een pakje voor me in Brussel te bezorgen. Tegen
een flinke vergoeding natuurlijk. Nou, wat zeggen jullie daarvan?'

'Ik denk er niet aan,' antwoordde Arien beslist. 'Weet je wat ze daar
met je flikken als ze je pakken met heroïne? Dan sturen ze je terug
naar de piramide van de farao!'

Mahmoud probeerde ons ervan te overtuigen dat het niet zo moeilijk was, maar ten slotte gaf hij zijn pogingen op. We bleven nog lang
zitten roken en praten, en pas tegen de ochtend vertrok ik naar mijn
kamer.

Mahmouds voorstel had mij niet meer losgelaten. Telkens als ik zonder geld kwam te zitten, overwoog ik naar hem toe te stappen en op zijn voorstel in te gaan, maar telkens wist ik mezelf in bedwang te houden. Ik was bang voor de gevolgen, als ik in België gesnapt zou worden.

Op een keer had ik al twee hele dagen niets te roken gehad en ik kon nergens aan geld komen. Steeds moest ik weer aan Mahmouds voorstel denken. Uiteindelijk besloot ik na drie dagen van gedwongen afkicken naar hem toe te gaan en hoopte hem in de shoarmazaak te treffen, maar daar was hij niet. Ik zocht hem in Hoog Catharijne, maar daar was hij ook niet. Moedeloos keerde ik naar mijn kamer terug. Was ik maar eerder op zijn voorstel ingegaan. Tegen de middag ging ik opnieuw op zoek. Opnieuw zonder succes. Tegen de avond begon ik de hoop op te geven. Ik deed die nacht geen oog dicht van de pijn in mijn lichaam. De klok in mijn kamer heeft nog nooit zo langzaam getikt. Ik wachtte op het licht van de nieuwe dag. Ik moest nog uren wachten voordat ik weer op zoek kon gaan naar de Egyptenaar. Ik bleef op het Vredenburg bij de shoarmazaak rondhangen in de hoop dat hij zich daar zou laten zien. Pas tegen drie uur 's middags kwam hij uit de richting van de parkeergarages lopen. Ik was erg blij zijn lelijke gezicht te zien.

Terwijl wij elkaar groetten, liepen we de zaak binnen. 'Ik moet je spreken Mahmoud,' zei ik. Hij gebaarde mij even te wachten en bestelde twee koffie.

'Ik heb geen zin in koffie, luister nou even. Je hebt ons een tijdje terug een voorstel gedaan om voor je naar Brussel te reizen. Arien wilde dat toen niet. Ik wil wel de pakketten voor je naar Brussel brengen.' Ik keek hem smekend aan in de hoop dat hij mij deze kans wilde geven.

'Ik heb daar ook nog even over nagedacht en ik weet het eerlijk gezegd niet. Het risico, dat je in Brussel loopt, is niet niks en dan heb ik het niet over de politie, maar meer over onze Arabische broeders daar, die je om een paar gram heroïne de keel doorsnijden,' was zijn antwoord.

'Het maakt me niet uit, dat risico wil ik wel nemen. Geloof me, ik weet wat ik doe,' zei ik.

Na een ogenblik nam hij een besluit. 'Oké, kom vanavond naar dit adres,' en hij schreef iets voor me op een briefje.

Mahmoud woonde in Overvecht, waar hij een eigen huurhuis had.

Toen ik aanbelde, ontving hij mij vriendelijk. 'Salem effendim!' riep ik met gemaakt enthousiasme in mijn stem. Hij groette terug en vroeg mij binnen te komen. Zonder omwegen vertelde ik hem dat ik al dagen zonder geld zat en vroeg hem mij alvast een voorschot te geven. Hij pakte een klein bolletje van vijftig gulden en gaf dat aan mij.

'Als je terugkomt, krijg je van mij nog eens tweehonderdvijftig gulden. Dat is de afspraak die ik met je kan maken.'

Ik vond alles prima, zolang ik maar iets te roken had. De Egyptenaar ging in zijn slaapkamer met zijn contacten in Brussel telefoneren en ik ging aan de slag om de schade in te halen. Ik genoot intens van de genezingskracht van het bruine poeder, waar mijn geest en lichaam afhankelijk van waren geworden. Ik wist niet hoelang hij weg was geweest, maar toen hij terugkwam, vond hij een heel ander mens voor zich.

'Ik zie dat je weer een beetje opgelapt bent,' merkte hij op. 'Ik heb net gebeld, en als je wilt, kun je morgenochtend vertrekken.' Ik knikte en hij vervolgde: 'Goed! Neem de trein naar Brussel en stap uit op Brussel-Noord. Daar neem je de tram in de richting van Schaarbeek. Bij de halte Rue van der Leuven stap je uit en honderd meter verderop aan je rechterhand vind je de GoGo Bar. Daar ga je naar binnen, je bestelt iets te drinken en vraagt naar Salem. Aan Salem vertel je dat Mahmoud uit Nederland je met een boodschap heeft gestuurd. Hij zal je een gesloten envelop geven en je overhandigt hem vervolgens dit pakje,' en hij legde een pakje ter grootte van een pakje shag op tafel.

Ik knikte dat ik het begrepen had en vroeg hem mij om geld voor de treinreis.

'Goed! Stop dit pakje goed weg en ga je paspoort halen. En vergeet je verblijfsvergunning niet, want in België wordt streng gecontroleerd,' riep hij.

Ik haalde mijn papieren uit mijn jaszak en liet ze hem zien. 'Ik was al voorbereid,' zei ik lachend en ik stopte het pakje in de binnenzak van mijn colbertjasje. Mahmoud knikte tevreden. Ik bleef die nacht bij hem slapen en de volgende ochtend vertrok ik om elf uur te voet naar het Centraal Station.

Om halftwee 's middags zat ik in de sneltrein naar Rotterdam *de Volkskrant* te lezen, die ik onderweg had gekocht. Ik moest mijn gedachten ergens op richten om niet voortdurend te hoeven denken aan de last die ik met me meedroeg. In Rotterdam moest ik een halfuur wachten op de trein naar Parijs, die in Brussel een tussenstop maakt. Ik bestelde bij een kiosk een beker koffie en liep op mijn gemak in de richting van het spoor waar mijn trein zou vertrekken. Zonder dat ik er erg in had, botste ik tegen twee agenten op en ik kon maar net voorkomen dat een van hen mijn beker koffie over zijn kleding kreeg.

'Man, kijk waar je loopt!' riep een van de agenten geïrriteerd. Ik schrok bij het zien van die blauwe uniformen. Mijn hart begon in mijn lijf te bonken en ik dacht aan het pakket, dat ik bij mij droeg. Ik bood nederig mijn excuses aan en wilde doorlopen. De andere agent hield mij echter tegen.

'Wacht heel even, waar ga je naartoe?' vroeg hij.

'Ik ben onderweg naar familie in Brussel,' antwoordde ik.

'Mag ik je paspoort en je treinkaartje zien?' vroeg diezelfde agent, terwijl de andere mij in de gaten hield. Ik wist dat de politie in het Rotterdamse station streng controleerde, vanwege al die drugsverslaafden en de criminaliteit rondom het station.

Ik gaf de man mijn paspoort, waar ook mijn kaartje in zat. Terwijl hij het document doorbladerde vroeg hij: 'Hoe heet je?'

'Abkader Chrifi,' antwoordde ik volgzaam. Ik was op het ergste voorbereid. Mijn carrière als drugskoerier zou dramatisch ten einde komen, nog voordat die was begonnen. Ze gaan mij fouilleren, dacht ik. Ik moet hier weg, voordat ze mij arresteren. Ik stond op het punt om hard weg te hollen, toen de agent mij het reisdocument overhandigde en mij vriendelijk een goede reis wenste. Ik bedankte hem opgelucht en haastte me in de richting van de trein, die net was gearriveerd.

Ik stapte in de trein, zocht een plekje waar ik de binnenkomende reizigers goed kon zien en begon aan mijn koffie, die lauw was geworden. Om de tijd te doden begon ik de krant aandachtig te lezen. Ik las bijna elk artikel en elke regel. Eén keer liep ik naar het toilet, waar ik wat heroïne rookte, en voordat ik het in de gaten had, stopte de trein op station Roosendaal, het laatste Nederlandse station voor de Belgische grens, waar het niet ongebruikelijk was dat de Belgische douane paspoortcontroles hield. Ik keek onopvallend langs het perron, maar er waren nergens douaniers te bekennen. Ik was al regelmatig bij de grens gecontroleerd en daarom was ik op mijn hoede. Alles wat er een

beetje Noord-Afrikaans uitzag, vond men bij de Belgische grens ver-
dacht en werd zorgvuldig gecontroleerd. Een discriminerend over-
heidsbeleid; men veronderstelde dat er met vreemdelingen altijd iets
aan de hand is: illegaal, crimineel, drugssmokkelaar of vluchteling.

De trein raasde over de landsgrens en ik kwam veilig in Brussel
aan. Op station Brussel-Noord wisselde ik bij een wisselkantoor voor
twintig gulden aan Belgische franken.

In een klein winkeltje met snoepgoed en veel chocola kocht ik een
grote reep chocola, en ik liep al etend en genietend van de zoete cacao-
smaak in de richting van de trams.

Zoals Mahmoud mij had gezegd, nam ik de tram naar Schaarbeek,
waar ik zonder veel moeite de GoGo Bar vond. Schaarbeek was een
gettowijk, waar bijna geen Belgen meer woonden. Het café was erg
klein en kleurig verlicht. Het had iets weg van een minidiscotheek.
Aan een tafel bij het raam, dat zwart was geschilderd, zodat er geen
daglicht was, zaten twee mannen in gezelschap van twee vrouwen
zachtjes met elkaar te praten, en voor de rest was het café, op de vrouw
achter de bar na, leeg.

Ik nam plaats op een kruk aan de bar een bestelde een koffie met
geroosterd brood en kaas. Ik at gretig en luisterde naar de discoachtige
muziek. Bij mijn tweede bestelling vroeg ik de vrouw, die een Noord-
Afrikaans uiterlijk had, in het Arabisch naar Salem. Ze vroeg mij te
wachten en liep naar een achterkamer. Even later verscheen er een
donkerbruine man met een zonnebril, die zijn ogen geheel bedekte.
De man was slank en had het uiterlijk van de Franse acteur Alain Delon. Met zijn dunne lippen zag hij er heel ernstig uit. Hij sprak met een
Algerijns accent.

'Wat kan ik voor je doen?' vroeg de man in het Arabisch. Ik vertelde
dat ik een boodschap had van Mahmoud uit Utrecht en hij knikte
goedkeurend.

'Kom, loop even mee naar mijn kantoor,' zei hij en ik volgde hem
achter de bar naar een klein slecht verlicht achterkamertje, waar een
bureau stond met een leren draaistoel.

'Waar is het?' vroeg de man. Ik vroeg naar de envelop. Ik was bang
dat de man mij zou belazeren, maar dat gebeurde niet. Hij trok een bu-
reaulade open en haalde er een witte envelop uit, legde die voor mij op
het bureau neer en vroeg opnieuw naar het pakje. Ik haalde het pakje

uit mijn jaszak en gaf het hem. Hij deed het open, maakte met zijn nagel een snee in de plastic verpakking en nam met zijn pink een beetje van het bruine poeder, dat hij vervolgens op zijn tong legde om te proeven. Ik volgde zijn bewegingen met spanning. Ik was bang dat er iets niet in orde zou zijn. Die man behoorde misschien tot de Algerijnse maffia, dacht ik. Terwijl ik dacht aan de confrontatie met de agenten in Rotterdam, voelde ik een misselijkheid in mijn maag opkomen die ik maar net wist te onderdrukken. Waar ben ik in godsnaam mee bezig, dacht ik. Begaf ik mij niet op glad ijs? Ik was op het ergste voorbereid. Tot mijn grote opluchting knikte de man goedkeurend naar het pakje en ik zuchtte inwendig van opluchting. Ik stopte de dichte envelop veilig in de binnenzak van mijn jasje en wachtte op wat ging gebeuren.

De man, die weinig sprak, gaf mij een hand en bedankte mij voor de boodschap. Tegen de vrouw riep hij dat mijn drank en eten van de zaak waren. Zij verscheurde de bon, die zij had klaargelegd, en gooide de snippers weg. Ik ging terug naar de bar, waar ik op mijn kruk ging zitten en een whisky met ijs bestelde om de spanning van die dag te verwerken. Voordat ik wegging, ging ik nog even op het toilet heroïne roken om op krachten te komen. Door de alcohol in combinatie met heroïne zag de wereld er altijd een stuk plezieriger uit en kende ik geen angst meer. Daarna nam ik afscheid en verliet ik het café. Het was inmiddels zeven uur 's avonds. Ik haastte mij richting Brussel-Noord en vertrok zoals ik gekomen was, alleen nu zonder pakket heroïne, maar met een envelop met ongeveer vijfduizend gulden. Ook op de terugweg was er geen grenscontrole en verliep de reis voorspoedig.

Pas tegen twaalf uur middernacht arriveerde ik bij het huis van Mahmoud. Die zat geduldig op mij te wachten. Ik gaf hem de envelop, die hij snel openmaakte en hij begon het geld te tellen. Ten slotte knikte hij tevreden en bood hij mij iets te drinken aan. Ik weigerde, want ik wilde alleen maar naar huis.

'Bedankt, effendim!' riep Mahmoud en hij vroeg hoe mijn reis was verlopen.

'Niets bijzonders,' antwoordde ik, zonder te vertellen over de confrontatie met de twee agenten. Hij woog een gram heroïne af en gaf die aan mij, zoals was afgesproken, en deed daarbovenop nog eens een ex-

tra gram. Ook gaf hij mij tweehonderd gulden. Ik had genoeg geld en
genoeg drugs voor bijna een hele week.

'Je bent een goeie vent, Abkader!' zei hij.

'Als je wilt, wil ik de volgende keer best nog een reisje voor je
doen,' zei ik. Ik had een makkelijke manier ontdekt om aan geld en
heroïne te komen.

Mahmoud knikte. 'Als ik je nodig heb, dan weet ik je wel te vinden.' Even later vertrok ik vermoeid maar voldaan naar mijn kamer.

Toen ik in mijn kamer kwam, deed ik de schemerlamp aan, zette
de plaat 'Narjak anna ila mchit' van Nass El Ghiwane op en ging met
kleren en schoenen en al op het bed liggen met mijn handen onder
mijn hoofd. Ik luisterde naar de tragische, melancholische muziek en
de verlatenheid in de schreeuw van Omar Asaid, de zanger. Ik vond de
wereld best zo. Ik dacht na over de reis naar Brussel en over de Algerijnse Alain Delon in de GoGo Bar. Ik was drugskoerier geworden.

Sindsdien deed ik om de twee weken een reis naar Brussel. En zo
kon ik lange tijd in mijn drugsonderhoud voorzien, zonder te gaan stelen.

Ik was op een dag weer onderweg naar Brussel met een pakje van
Mahmoud. In Rotterdam op het Centraal Station aangekomen miste ik
net de trein naar Brussel en ik moest ruim een uur wachten op de volgende. En wat ik toen deed, was niet verstandig, concludeerde ik achteraf. Ik ging op het verlaten gedeelte van het station op zoek naar de
daar rondhangende drugsverslaafden, met de bedoeling een paar chineesjes te roken, voordat mijn trein naar Brussel zou vertrekken. Net
toen ik het groepje verslaafden naderde, kwamen er ineens uit het
niets tientallen politieagenten de plek van de verslaafden binnen stor-
men. Het was een razzia. Buiten zag ik motoragenten de uitgangen be-
waken, zodat niemand kon vluchten.

Zonder na te denken liep ik snel terug in de richting vanwaar ik gekomen was, mengde mij tussen de reizigers en verliet ongemerkt de
plaats van het onheil. Ik liep naar een andere uitgang, buiten bereik
van de politiemacht en zette het op een lopen om het station zo snel
mogelijk te verlaten, in de richting van het stadscentrum. Ik had geluk
dat ik nog buiten de cirkel liep van de razzia. Ik heb daarna vijf uur in
de winkelstraten van Rotterdam rondgehangen, totdat ik ervan overtuigd was dat ik mijn reis veilig kon voortzetten.

Ik had die dag veel geluk dat ik niet werd opgepakt met vijfentwintig gram heroïne ter waarde van meer dan vijfduizend gulden bij me. De rest van de reis verliep tot mijn grote opluchting zonder problemen.

Karims vlucht

Ik zat te ontbijten toen Karim aanbelde. Ik had hem al drie weken niet gezien.

'Abkader!' riep hij opgewonden, terwijl hij binnenkwam. 'Je moet mij helpen.'

Op dat moment zag ik dat zijn arm gewikkeld was in een hoofddoek. 'Wat is er met je gebeurd Karim!' riep ik.

'Je moet mij helpen het land te verlaten. Ik heb besloten te vertrekken.' Ik keek naar de reistas, die hij bij zich had, en we liepen samen naar boven. Massoud stond mij bij de trap op te wachten.

'Ik krijg nog geld van jou!' riep hij op een toon die niet vriendelijk was.

'Later!' antwoordde ik en liep zonder hem verder aandacht te schenken snel met Karim naar mijn kamer, waar we rustig konden praten.

Ik schonk een kop zwarte koffie voor hem in en hij begon te vertellen wat er was gebeurd. De nacht tevoren was hij op zwerftocht geweest in Driebergen. Hij had gehoord dat daar veel rijkelui woonden. In zijn eentje had hij 's avonds de bus genomen en daar een tijdje rondgezworven. In totaal had hij in vijf woningen ingebroken. Bij het vijfde huis werd hij echter door een man in pyjama betrapt. De eigenaar van de woning had een geweer gepakt en dreigde te gaan schieten als hij nog maar één beweging zou maken. Toen de man naar de telefoon greep om de politie te bellen, was hij voor één klein moment afgeleid. En daarvan maakte Karim gebruik om te vluchten. Zonder na te denken sprong hij dwars door het raam van de huiskamer naar buiten, zonder acht te slaan op de scherven, die in zijn lichaam sneden, en hij zette het op een lopen. Er reden geen bussen meer en dus had hij de hele nacht moeten lopen om thuis te komen.

Zijn moeder maakte de wond aan zijn arm schoon en verbond hem met een hoofddoek. Hij had in totaal vierduizend gulden aan contanten bij zich. Hij gaf de gouden sieraden, die hij had gestolen, met een waarde van misschien wel tweeduizend gulden, aan zijn moeder. Zijn vergunningsaanvraag was afgewezen en omdat hij toch het land uit zou worden gezet, had hij besloten om wat geld bij elkaar te stelen om niet met lege handen te vertrekken.

'En nu wil ik zo snel mogelijk de trein nemen naar Barcelona. De man met het geweer kan mijn signalement al hebben doorgegeven aan de politie. Ik kan mij nu in Utrecht nergens meer laten zien. Ik weet zeker dat ze mij aan het zoeken zijn. Denk je dat je misschien een auto kunt regelen om mij ergens buiten de stad naar een station te rijden?'

'Misschien,' antwoordde ik onzeker en ik vroeg hem mij de wond aan zijn arm te laten zien. Ik schrok toen hij de doek openwikkelde. De hele voorkant van zijn arm lag open en zat onder het opgedroogde bloed. Ik werd er bijna misselijk van.

'Je kan zo niet gaan reizen, Karim! Je moet eerst naar een ziekenhuis,' riep ik, mijn walging onderdrukkend.

'Geen sprake van!' wierp hij beslist tegen. 'Ik krijg meteen de smerissen op mijn dak.'

Uiteindelijk wist ik hem ervan te overtuigen dat het te gevaarlijk was om met een opengesneden arm een reis van ruim twee dagen te ondernemen. De wond zou immers onderweg kunnen gaan ontsteken en bovendien konden er nog glasscherven in zitten. Tegen de tijd dat hij in Spanje zou aankomen, liep hij kans zijn hele arm kwijt te raken.

'Maar ik ben niet verzekerd. Hoe moet dat dan?' vroeg hij. Ik vertelde hem dat hij zich daar geen zorgen over moest maken en het aan mij moest overlaten.

Ik moest eerst een auto regelen, maar wie zou mij zijn auto lenen? Mijn oudste broer misschien? Nee, die was erg zuinig op zijn spullen. De Egyptenaar! Ja, dat was het! Als Mahmoud hoorde waarvoor ik de auto nodig had, zou hij hem beslist aan me meegeven.

Ik vroeg Karim wat te gaan slapen, terwijl ik in Hoog Catharijne op zoek ging naar de Egyptenaar. Karim gaf mij duizend gulden mee om heroïne voor onderweg voor hem te kopen. Hij had zich voorgenomen om in Spanje te gaan afkicken.

Tot mijn grote teleurstelling was Mahmoud nergens te bekennen en niemand had hem gezien. Het was misschien nog te vroeg. De Egyptenaar liet zich nooit vóór twee uur zien. Maar ik bleef uren kriskras door Hoog Catharijne lopen in de hoop hem tegen te komen. Toen ik na vijf lange uren van zoeken nog geen succes had, ging ik hem thuis opzoeken. Tot mijn grote vreugde was hij daar; in het gezelschap van twee vrouwen, die zich leken te vermaken met een glas wijn.

'Salem effendim, Abkader, wat kom je doen?' vroeg hij. Ik stapte de gang in zonder te antwoorden. Hij liep naar de woonkamer en trok de deur dicht, zodat wij rustig konden praten, zonder het gegiechel van de twee aangeschoten vrouwen. Hij vroeg mij nogmaals wat ik wilde en ik vertelde hem van Karim en wat ik van hem nodig had. 'Zo, heeft die zak het eindelijk voor elkaar!' riep hij lachend.

'Luister Mahmoud, ik kom voor duizend gulden heroïne voor Karim kopen, maar je moet mij wel je auto lenen om hem naar Rotterdam te brengen.'

De Egyptenaar was bereid alles te doen om Karim te helpen, vooral omdat hij voor duizend gulden aan heroïne had verkocht. Hij vroeg mij even te wachten en liep naar boven om de heroïne te halen.

Even later keerde hij terug met vijf kleine pakjes, die hij aan mij gaf. Ik gaf hem het geld en stopte de pakjes goed weg in mijn jaszak. Op dat moment kwam een van de vrouwen uit de woonkamer en liep in de richting van het toilet.

'Je hebt goed gezelschap, Mahmoud,' zei ik lachend. Hij knikte en keek trots. 'Nou, geef mij je autopapieren en sleutels,' zei ik, terwijl ik mijn hand uitstak. Hij gaf me de sleutels en de autopapieren van zijn groene Ford Capri. Ik bedankte hem, wenste hem veel plezier met zijn aangeschoten gezelschap en vertrok met de auto naar huis.

Het gaf mij een kick om in de Ford Capri te rijden. Ik voelde mij net als in de politieserie van Starsky en Hutch. Alleen de lijnen aan de zijkanten van de auto ontbraken. Onderweg zette ik de radio hard aan met een soulachtige muziek.

Toen ik thuiskwam, was Karim wakker; hij had helemaal niet geslapen. Ik gaf hem de heroïne en voordat we vertrokken, rookten we minstens een halve gram op. Ik ging met hem naar het Ziekenhuis Overvecht in Utrecht-Noord. Karim was zichtbaar nerveus en elke keer dat hij een politieauto langs zag rijden, liet hij zich naar beneden zakken.

'Hoe moet het als ze mij in het ziekenhuis naar mijn identiteit vragen?' vroeg hij voor de tiende maal.

'Maak je daar maar geen zorgen over. Als ze vragen gaan stellen, dan geef ik antwoorden. Hou je nu maar rustig en laat de rest maar aan mij over,' antwoordde ik, terwijl ik het parkeerterrein van het ziekenhuis op reed. Karim leek niet erg gerustgesteld.

Eenmaal binnen bij de eerste hulp moesten wij plaatsnemen in een lege wachtkamer. Een kwartier later kwam een jonge verpleegster naar ons toe, die ons vriendelijk vroeg haar te volgen naar de behandelkamer, waar een jonge dokter druk bezig was zijn instrumenten op een tafel te herschikken. Toen hij klaar was, draaide hij zich om en gaf hij ons een hand.

'Wat kan ik voor u doen, heren?' Ik wees naar de arm van Karim en vertelde dat hij die ochtend thuis een ongeluk had gehad.

De verpleegster vroeg Karim of hij verzekerd was en bij welke verzekeringsmaatschappij. Op die vraag had ik Karim voorbereid. Hij gaf haar, zoals wij hadden afgesproken, mijn ziekenfondskaart. Zonder verder vragen te stellen begon zij de gegevens op de kaart over te nemen op een registratiekaart van het ziekenhuis, terwijl de dokter zich over de wond aan Karims arm boog. Nadat hij die had onderzocht, stelde hij Karim gerust, gaf hem twee prikken in zijn arm en vroeg mij in de wachtkamer te wachten. De behandeling duurde een heel uur en eindelijk kwam Karim naar buiten. Zijn arm was in een schoon wit verband gewikkeld en in een doek om zijn nek gebonden. De dokter had heel wat glasscherven uit zijn arm verwijderd en had de wond na verdoving met ongeveer twintig hechtingen gehecht.

We stapten in de auto en Karim voelde zich stukken beter. De arts had hem pijnstillers voorgeschreven en die haalden wij meteen op bij de apotheek. Hij zou ze de komende dagen hard nodig hebben.

Pas op de snelweg naar Rotterdam ontspande Karim zich een beetje en hij haalde opgelucht adem. We waren allebei te moe om over het komende afscheid te praten en dus zaten we zwijgend naast elkaar. Op de een of andere manier probeerden wij beiden onze gevoelens te verbergen door niet over het afscheid te praten. Wij zaten als twee vrienden naast elkaar op weg naar een kruising waar onze wegen definitief zouden scheiden. De gedachte dat ik Karim nooit meer terug zou zien, deed mij veel verdriet. Karim was een boef, maar hij was altijd eerlijk tegen mij geweest en hij had mij vaak geholpen. Nu verdween hij uit mijn leven, net als al mijn vrienden in het verleden, een lot dat mij nog altijd leek te achtervolgen.

Eenmaal op Rotterdam Centraal Station kochten we eerst een trein-kaartje voor Karim, een enkeltje Parijs. Daar moest hij overstappen en een kaartje voor Barcelona kopen. Karim had ongeveer een uur, voor-dat zijn trein vertrok.

We gingen naar de stationsrestauratie en bestelden ieder een uit-smijter en koffie.

'Ik zal je missen!' zei Karim. 'Al de tijd dat ik hier heb gewoond, ben jij mijn enige echte vriend geweest, de enige die ik ooit heb ge-had.'

Ik keek hem aan, maar wist niets te zeggen, behalve dat ik hem ook behoorlijk zou missen en dat de vriendschappelijke gevoelens weder-zijds waren.

'Ik zal nooit vergeten wat je al die jaren voor mij gedaan hebt. Bij de vreemdelingendienst, bij de gemeente, en al die formulieren, die je voor mij hebt ingevuld om mijn vergunning te krijgen. En zeker niet wat je vandaag voor mij hebt gedaan.' Hij stak zijn hand in zijn tas en haalde er vijfhonderd gulden uit, die hij aan mij gaf. Voordat ik iets kon zeggen, had hij het geld al in mijn jaszak gestoken. Ik accepteerde de gift, die ik goed kon gebruiken, en bedankte hem. Karim rekende de lunch af en we wandelden naar het perron, waar de trein naar Parijs al klaarstond.

'Nou, Karim, daar ga je dan!' zei ik en we omhelsden elkaar. 'Zorg een beetje goed voor jezelf.' Wij klopten elkaar stevig op de schouders en even later stapte hij in de trein, die langzaam in beweging kwam en met een vaart uit het station verdween. Ik stond daar nog enkele minu-ten naar niets te kijken. Ik voelde een leegte in mijn binnenste en ik kon niet aan de gedachte wennen dat Karim definitief uit mijn leven was verdwenen.

Ik had nog geen zin om naar huis te gaan en dus reed ik richting Den Haag, naar Scheveningen om daar langs het strand een lange wandeling te maken en zo mijn verdriet te verwerken. Ik voelde mij erg eenzaam. Ik had medelijden met Karim, en ineens moest ik denken aan Marsmans gedicht *Twee Vrienden*, dat ik ooit had gelezen:

De maan maakt den nacht tot een sneeuwwit veld.
Een man heeft zijn vriend van zijn leven verteld –
Er is door dit spreken een wonder gebeurd:

hun harten zijn zoozeer eender gekleurd
dat de een als hij soms naar de ander ziet
bij zichzelven zegt: maar ben ík dat niet?
Een vrouw; nog een vrouw; een verterend gemis,
het is alsof alles ten einde is –
Want één hart blijft thuis, en één hart gaat op reis
maar geen van twee vindt het Paradijs.

Het toeval wilde dat Marsman dit gedicht in 1926 schreef in Noordwijk, waar hij was om hechter te worden met water en lucht. Het leek alsof ook hij langs de kust op zoek was naar de verbinding met zichzelf en met zijn schepper.

Een vriend had mijn leven voorgoed verlaten: ik bleef thuis en Karim ging op reis, maar geen van ons zal het paradijs vinden. De gedachte aan dit gedicht maakte mij nog eenzamer en verlaten.

Tegen de avond bracht ik de auto terug naar de Egyptenaar, die bezig was zaken te doen in Hoog Catharijne.

'Abkader! Goed dat ik je tref. Zou je opnieuw een pakje voor mij naar Brussel willen brengen?' vroeg hij.

'Wanneer?' vroeg ik.

'Als je wilt, vandaag of morgen!' antwoordde hij.

'Vandaag niet, maar morgen is goed,' zei ik. We spraken af dat ik de volgende ochtend het pakje en het geld voor de reis bij hem zou komen ophalen.

Ik bedankte hem voor de auto, kocht voor honderd gulden heroïne van hem en vertrok vervolgens naar huis. Ik voelde mij alleen en ik wilde ook alleen zijn. Thuis kwam ik de Hindoestaanse hospita tegen, die met Massoud in de keuken stond te praten. Ik trachtte ongezien naar mijn zolderkamer te lopen, maar tevergeefs, ze had mij al gezien.

'Abkader!' riep ze. 'Ik krijg nog twee maanden huur van je!'

Alsof ik dat niet wist. De hospita liet bijna geen dag voorbijgaan om haar huurders eraan te herinneren dat zij haar geld verschuldigd waren. Van het geld dat ik van Karim had gekregen, gaf ik haar tweehonderd gulden en ik zei dat ik de rest later zou betalen. Ook Massoud riep mij geld terug te geven, dat ik van hem had geleend. Hij keek mij boos aan. Ik kon niets anders doen dan hem de verschuldigde vijftig gulden geven.

'Ik wil de volle vijfhonderd gulden, die ik nog van je moet krijgen!' riep de hospita ontevreden. 'Meer heb ik niet,' zei ik, terwijl ik mijn schouders ophaalde. Ik liep snel door naar boven. 'Zorg dan dat je volgende week de rest betaalt. Anders zoek je maar een andere kamer!' riep ze mij nijdig na. Ik was te moe om te reageren.

Eenmaal in mijn kamer deed ik de schemerlamp aan, zette een plaat op van Stanley Clarke, 'I Wanna Play For You', die ik niet had verkocht, en liet mij op mijn bed vallen. Ik was te moe om te gaan zitten, maar niet moe genoeg om direct in slaap te vallen. Ik lag naar de zachte muziek te luisteren en dacht na over wat er die dag gebeurd was; ik voelde mij alleen. Mijn eerste chineesje had ik van Karim gekregen. We hadden daarna veel samen meegemaakt, plezierige en soms minder plezierige momenten. Nu was hij uit mijn leven verdwenen. Ik dacht na over mijn leven en over mijn afhankelijkheid. Hoe meer ik hierover piekerde, hoe triester ik mij ging voelen.

Wat was er nu toch met mij gebeurd? Het vertrek van Karim had iets in mij losgemaakt. Hij was het begin van mijn verslaving. Voor het eerst in de drie jaar dat ik verslaafd was, begon ik er serieus over te denken om te gaan afkicken. Hoe meer ik daarover nadacht, hoe aantrekkelijker die gedachte werd. Ik zou mij weer vrij voelen. Geen gejaag meer om aan geld te moeten komen en ik zou weer gewoon kunnen leven zoals voorheen. Maar de gedachte aan mijn leven vóór de verslaving was ook niet ideaal. Maar in ieder geval was ik toen wel vrij van de rotzooi waarvan ik nu afhankelijk was. Ik zou misschien weer rust vinden in het leven.

De muziek was opgehouden, ik stond op en zette een plaat op van Nass El Ghiwane, 'De roep in de woestijn'. Ik haalde mijn heroïne tevoorschijn en begon te roken, terwijl ik naar de trieste melodieën van verlatenheid en eenzaamheid luisterde. Op de klok zag ik dat het twee uur 's nachts was.

De gedachte aan afkicken en de weg naar de vrijheid lieten mij niet meer los. Maar wat kon ik gaan doen, als ik was afgekickt? Daar wilde ik liever niet aan denken. Ik wilde helemaal nergens meer aan denken! Ik was echter niet in staat mijn gedachten te beheersen. Ik had een leeg gevoel in mijn maag, maar er was niets te eten. Met het afkicken in mijn gedachten en een lege maag viel ik uiteindelijk in slaap.

De volgende dag werd ik pas tegen twaalf uur wakker. Ik liep naar de douchecabine en nam een warme douche. Mehmet was in de keuken aan het eten en hij riep iets over de hospita dat ik niet kon volgen. Ik lachte mee alsof ik hem begrepen had. Hij vroeg of ik van zijn gebakken eieren mee wilde eten. Ondanks mijn honger van de vorige avond nam ik alleen een bruin broodje en een kopje hete Turkse koffie met hem. Ik bedankte hem en ging snel terug naar mijn kamer. Ik had genoeg heroïne om de dag mee te beginnen. Na een paar chineesjes begon de gedachte aan afkicken weer op te komen. Maar ik liet de gedachte toch weer voor wat die was en vertrok om twee uur naar Mahmoud. Ik belde aan en hij deed open.

'Ah, kom binnen effendim, kom binnen!' riep hij. Ik gaf hem, zoals gebruikelijk, een hand en stapte naar binnen. 'Wil je iets drinken?' vroeg hij.

'Ja, geef maar iets fris als je hebt,' antwoordde ik. Nadat hij twee glazen sinaasappelsap op tafel had gezet, ging hij op de bank tegenover mij zitten.

'Ik kom om het pakje voor je weg te brengen,' zei ik zonder omwegen.

Mahmoud haalde het pakje en ik begon aan mijn zoveelste reis voor hem naar Brussel. Het pakje was groter en zwaarder dan de andere keren. Deze reisjes waren voor mij routine geworden. Ik kon er mijn verslaving goed mee financieren en ik hoefde in ieder geval niet meer te gaan stelen.

In de trein van Rotterdam naar Brussel kreeg ik een vreemd gevoel, dat ik niet kon verklaren. Ik was niet meer zo zeker van mijn zaak. In tegenstelling tot de andere keren zag ik in Roosendaal een groep douaniers de trein binnen stappen. Ik stond op en keek geschrokken om mij heen. Zonder na te denken rende ik snel naar het dichtstbijzijnde toilet, stopte het pakje achter de wc-pot en liep onopvallend twee wagons verderop, ver weg van het toilet waar ik het pakje had verstopt. Ik moest voorkomen dat men het pakje en mijn aanwezigheid in de trein met elkaar in verband zou brengen. Tijdens het lopen keek ik om mij heen, maar niemand had mij gezien.

In de volgende wagon nam ik plaats naast een wat oudere man, die mij vriendelijk toeknikte. Bij het naderen van de douaniers voelde ik het zweet in mijn handen en mijn hart begon weer flink te keer te gaan. Ik pakte mijn Marokkaanse paspoort en gaf dat aan de douanier, die naar het document keek en vervolgens naar mij. Hij bleef lang bij mij staan.

De oude man naast mij keek naar mij en ondertussen keek iedereen in de wagon in mijn richting. Ik had het gevoel dat ze mij allemaal doorhadden.

Uiteindelijk gaf de man mij mijn paspoort terug en ging hij verder met de paspoortcontrole.

De rest van de reis bleef ik op mijn plek zitten en durfde ik niet naar het toilet te gaan om het waardevolle pakje op te halen. Pas vlak bij het station van Brussel, liep ik terug naar de plek waar ik het pakje had achtergelaten. Ik stapte naar binnen, deed de deur dicht en stak mijn hand achter de wc-pot. Ik voelde geen pakje. Ik probeerde het opnieuw. Niets! Ik voelde op de vloer en aan de zijkanten van de wc-pot. Helemaal niets. Het pakje van Mahmoud was verdwenen. De douaniers hadden het pakje gevonden en meegenomen. Ik maakte snel dat ik wegkwam, voordat zij het pakje met mij in verband brachten.

Ik was niet alleen bang, maar ook woedend op mezelf. Ik was voor duizenden guldens aan heroïne kwijt. Hoe moest ik dit Mahmoud uitleggen en hoe zou hij reageren? Wat ging er met mij gebeuren? Ik probeerde daar niet aan te denken.

Ik verliet verslagen de trein, die inmiddels op het station van Brussel-Noord was gearriveerd. De douaniers waren gelukkig nergens te bekennen, want anders had het er nog dramatischer voor mij uitgezien. Voor die hoeveelheid heroïne zou ik vijf jaar gevangenisstraf kunnen krijgen en zou ik als ongewenst vreemdeling het land uit worden gezet. Mijn vriend Hassan, die in Brussel had gewoond, had dit meegemaakt.

Naar de GoGo Bar gaan had geen zin meer, want ik had Alain Delon niets te bieden. Ik ging in een café in het station een biertje drinken, voordat ik aan de terugreis naar Utrecht begon. Het bier gaf mij weer moed.

De hele terugreis dacht ik aan hoe ik dit nieuws moest overbrengen aan de Egyptenaar. Hoe dichter ik het Utrechtse Centraal Station naderde, hoe nerveuzer ik werd. Ik hoopte dat de trein nooit zou aankomen en dat ik dan ook nooit hoefde uit te stappen om Mahmoud te vertellen dat ik zijn pakketje kwijt was.

Ik zocht Mahmoud tevergeefs in het station en op zijn vaste plek in de shoarmazaak. Daarna ging ik met de bus naar zijn huis toe. Toen ik aanbelde, deed hij open.

'Nu al terug? Dat heb je snel gedaan,' zei hij. Zodra we binnen waren, zag hij aan mijn gezicht dat er iets niet in orde was.

'Het is weg. Alles is weg,' antwoordde ik, terwijl ik op de bank ging zitten.

'Wat is weg?' vroeg Mahmoud.

'Het pakket, de heroïne,' antwoordde ik en ik vertelde hem het hele verhaal. Mahmoud was woedend. Hij stond op en sloeg hard met zijn vuist op de eettafel. Hij begon in het Arabisch te schelden.

'Wat heb je met mijn pakket gedaan. stomme zak!' schreeuwde hij naar mij. 'Je had dat pakket nooit uit het oog mogen verliezen.'

Ik keek hem strak aan en schreeuwde terug: 'Had ik mij soms moeten laten oppakken en mij voorgoed laten terugsturen naar Marokko! Is dat wat je wilde?'

Mahmoud zei niets, maar leek door mijn reactie te bedaren.

'Of probeer je mij op te lichten. Je hebt dat pakket toch niet achtergehouden om het zelf te verkopen? Vertel op! Er zat voor tienduizend gulden aan drugs in dat pakje. Als je mij bedondert, ben je nog niet jarig. Nogmaals, vertel op: waar heb je die drugs gelaten?' Hij keek mij dreigend aan.

'Kom man, beheers je toch. Als ik je had willen bedonderen, dan had ik dat al veel eerder gedaan,' riep ik. Ik was bang dat hij mij zou aanvallen. Hij was dol geworden. Ik stond op en wilde weggaan. In de gang greep hij hardhandig mijn arm vast.

'Ik zal je in de gaten houden. Als ik je betrap met mijn heroïne, dan schiet ik je neer. Dat beloof ik je!' zei hij dreigend, terwijl hij mij grof tegen de muur duwde. Ik trok mijn jas recht en snelde naar buiten, voordat deze man echt buiten zinnen zou raken.

De dagen die volgden, probeerde ik Mahmoud te ontwijken als ik hem zag. Ook hij negeerde mij. Het trieste was dat ik mijn belangrijkste bron van inkomsten voorgoed was kwijtgeraakt.

DE BUS DES LEVENS

Op een ochtend, ik zat al een paar dagen zonder geld, nam ik het besluit een poging te ondernemen om van mijn drugsverslaving af te komen. Ik ging naar het Centrum voor Alcohol en Drugs, waar het methadonteam gevestigd was. Aan de receptie van het CAD werd ik vriendelijk door een jonge vrouw ontvangen. Ik vertelde haar dat ik verslaafd was en dat ik wilde afkicken.

Ze vroeg mij plaats te nemen op een bank en even later werd ik door een hulpverlener die zich voorstelde als Peter, meegenomen naar een spreekkamer op de eerste etage. Hij informeerde naar mijn persoonlijke gegevens, die hij in een dossier registreerde.

'Zo, Abkader,' zei hij toen hij alles had genoteerd, 'je wilt dus afkicken?' Ik knikte. 'Waarom ben je eigenlijk gaan gebruiken?' vroeg hij.

Ik zei dat ik het niet wist. 'Ik was op een dag met vrienden, die aan het chinezen waren, en toen heb ik meegedaan en dat vond ik prettig. Zo is het begonnen en voordat ik het wist, kon ik niet meer zonder. Sindsdien ben ik blijven gebruiken,' vertelde ik.

'Hoelang gebruik je al?' vroeg hij.

'Ongeveer drie, vier jaar,' antwoordde ik.

Hij knikte. 'We zullen het voor dit moment hierbij laten.' Nadat hij alle informatie had genoteerd, legde hij mij de procedure uit. Ik moest urine inleveren en dan moest ik mij de volgende ochtend weer melden. Daarna zou er een afkicktraject voor mij worden uitgezet. Ik moest zorgen dat ik clean bleef. Eenmaal per twee weken zou ik een soort begeleidingsgesprek met Peter hebben.

De volgende dag stond ik om elf uur voor de receptie. Ik had zoals afgesproken niets gebruikt; ik had trouwens toch geen geld, dus ik kon ook niet anders. Ik was ziek aan het worden en hoopte dat ik snel methadon zou krijgen. Ik kreeg een kop koffie en nam plaats op de bank. Peter liet lang op zich wachten. Na een halfuur kwam hij eindelijk naar beneden, hij gaf mij een hand en vroeg mij met hem mee te lopen naar een grote ruimte naast de receptie vol stoelen en tafels. We namen plaats achter een salontafel en hij haalde mijn dossier tevoorschijn.

'Je begint vandaag met methadon. Je krijgt gedurende een periode van twee weken elke dag veertig milligram. Na die twee weken gaan we elke week afbouwen met vijf milligram. Als alles goed gaat, ben je over een maand of drie helemaal van je verslaving af,' vertelde Peter mij. Ik was blij te horen dat ik in korte tijd en met weinig lichamelijke pijn mijn verslavingsprobleem zou oplossen.

Hij voegde de daad bij het woord en haalde uit een koffer naast zich een klein flesje met een soort paars vocht. Met zijn duim brak hij de punt van de fles en gaf die aan mij.

'Hier, drink,' zei hij. 'Je zult je straks beter voelen. Je lichaam zal geen last krijgen van afkickverschijnselen, maar onthoud één ding. Ga niet naast deze hoeveelheid methadon nog eens drugs gebruiken. Want dan raak je dubbel verslaafd.'

Ik bedankte hem voor zijn raad. 'Ik wil alleen maar stoppen,' antwoordde ik, terwijl ik het paarse vocht in één slok dankbaar naar binnen werkte. Ik voelde me erg beroerd en dit was een soort tovermiddel, waardoor ik mij beter zou voelen.

'Kom morgenochtend tussen tien en elf uur naar de Maliebaan. Daar staat de methadonbus. Als je je daar meldt, krijg je elke dag je portie methadon. Om te controleren of je er heroïne of andere harddrugs bij gebruikt, moet je om de dag urine afgeven. Goed, ga nu maar, ik wil je over twee weken weer spreken,' beëindigde Peter het gesprek.

Ik nam afscheid en vertrok. Terwijl ik naar huis liep, begon ik het effect van het methadon te voelen. De pijn begon langzaam uit mijn lichaam te verdwijnen. Ik begon weer helder te worden in mijn hoofd. Het voelde alsof ik net heroïne had gerookt. Dit was een geweldige ervaring: ik voelde mij prettig zonder heroïne. Ik had dus geen geld meer nodig om mij goed te voelen.

Vanaf die dag stond ik elke ochtend om elf uur trouw te wachten op de aankomst van de 'bus des levens', de bus die me zou verlossen van de pijn. Niet zozeer de pijn in mijn lichaam, maar de mentale pijn, die veel erger was, schuldgevoel, schaamte, angst, eenzaamheid en wat nog meer?

Voor mij stond het bezoek aan de bus gelijk aan een bezoek aan de moskee, en de hulpverlener die mij het methadon toediende, was de imam. Ik was erin geslaagd om twee weken lang geen heroïne te gebruiken naast het methadon. Ik probeerde zo veel mogelijk Hoog Catharijne te mijden, maar ik kon nergens anders heen. Daarom bracht ik veel tijd door in mijn kamer en deed niet open als er iemand voor mij kwam.

'De methadonbus' was door de gemeente Utrecht opgezet voor de opvang van drugsverslaafden. Het methadon bood een tijdelijke oplossing tegen afkickverschijnselen. Het doel was de criminaliteit door drugsverslaafden in de stad terug te dringen. De meeste drugsverslaafden beschouwden methadon als een welkome aanvulling op hun dagelijks gebruik. Voor sommigen was het een vervangend middel, hoewel deze groep klein was. Ik behoorde tot die laatste groep. Door het methadon hoefde ik niet dagelijks op rooftocht.

In het begin was het een oude stadsbus, die na enige aanpassingen in gebruik was genomen als methadonbus; later werd met overheidssubsidie een luxe touringcar aangeschaft. In de winters was het er lekker warm en was het prettig om er een paar uur door te brengen. Naast het methadon kon men in de bus ook koffie en thee krijgen. Soms werd er ook een stukje cake bij opgediend. De bus was groot en blauwwit van kleur. Het achterportier deed dienst als ingang voor de gebruikers. Het achterste gedeelte was als zithoek ingericht, met een bar waarop thermoskannen stonden met warme koffie en thee. Aan de voorkant, achter de chauffeurscabine werd het methadon vanachter een soort balie uitgedeeld. In het midden van de bus waren een dames- en herentoilet ingebouwd. Alle gebruikers werden om de dag op bijgebruik gecontroleerd. Af en toe probeerden sommigen hun bijgebruik te verbergen en brachten urine van iemand anders mee. Zo had een jongen op een dag urine van zijn zuster meegenomen. Een paar dagen later kreeg hij de gelukkige mededeling dat hij zwanger was. De andere busbezoekers lagen in een deuk van het lachen. Hij liep rood aan van schaamte en verliet na ontvangst van zijn methadon onmiddellijk de bus. Het was erg om te zien hoe diep een mens kan vallen.

Ik hield het precies drie weken vol om geen heroïne te gebruiken. Aan het einde van de maand, bij het ontvangen van mijn uitkering, kon ik het niet laten om voor de gezelligheid Hoog Catharijne op te zoeken. Ik had mij in de afgelopen drie weken thuis vreselijk verveeld. Toen ik Kasem tegen het lijf liep, twijfelde ik dan ook geen moment.

'Ik heb je een tijdje niet gezien, Abkader. Heb je soms vastgezeten?' vroeg Kasem.

'Nee, Kasem, vastzitten niet. Ik loop sinds drie weken bij het methadonteam. Ik heb ook drie weken niets gebruikt, alleen methadon,' antwoordde ik.

'Knap, probeer het nu maar vol te houden. Begin niet meer aan die rotzooi,' zei Kasem.

Ik wist niet of ik hem moest vertellen dat ik juist van plan was om weer te gaan gebruiken. Maar ik had hem nodig, dus ik zei: 'Nou, het valt niet mee om je drie weken lang thuis op te sluiten, bang iemand tegen te komen die je weer aan je verslaving helpt. Ik heb mij ook vreselijk verveeld. Mijn leven kan niet zonder drugs en zonder Hoog Catharijne. Ik heb ineens geen vrienden meer en ik heb niets meer te doen. De dagen duren maanden. Het is vreselijk – heb je wat bij je?'

Kasem lachte en knikte: 'Hoeveel wil je hebben?'

Ik dacht na en riep: 'Doe maar voor vijftig gulden.'

Ik gaf Kasem het geld en hij gaf mij twee kleine heroïnebolletjes. Daarna nam ik afscheid van hem en vertrok ik naar mijn kamer. Ik had nu de drugs niet zozeer nodig om mijn lichaam en geest te genezen; ik deed het enkel voor het plezier, en dat stelde mij op de een of andere manier gerust. Ik had nu methadon, en heroïne roken deed ik alleen voor mijn plezier. Ik had er echter nooit aan moeten beginnen. Peter van het methadonteam had gelijk. Binnen enkele weken kwam naast mijn heroïneverslaving ook de methadonverslaving. In mijn periodieke gesprekken met Peter probeerde hij vaak de oorzaak van mijn drugsgebruik te achterhalen, maar ik draaide altijd om de feiten heen. Ik vond het erg moeilijk om mijn ziel aan hem bloot te geven. Ik wilde dat niet en hij doorzag mij. Ik wist zelf niet wat er met mij aan de hand was. Ik wist alleen dat er een zwarte leegte was, waar ik bang voor was, een zwarte nachtmerrie die mijn leven beheerste, dag en nacht. Alleen de drugs konden mij verlossen van deze zwarte hel. Dat was het pact dat ik met de duivel had gesloten.

Op een dag zei Peter tijdens een gesprek: 'Abkader, ik merk dat het mij niet lukt om tot je door te dringen. Wat ik ook probeer, je weigert om over je problemen te praten.'

Zonder hem uit te laten spreken, riep ik: 'Ik heb geen problemen! Mijn enige probleem is mijn drugsverslaving en het lukt mij niet om weer clean te worden. Dat is mijn probleem!'

Peter schudde zijn hoofd en vervolgde op een rustige toon: 'Ik geloof niet dat dat je enige probleem is, Abkader. Je gebruikt nu al vier jaar, dat betekent dat je al vier jaar buiten de maatschappij leeft en dat doe je niet voor je plezier. Praat over de dingen die in je leven zijn gebeurd! Praat erover! Dat zal je helpen om je problemen te begrijpen. Je bent erg gesloten, als het om jezelf gaat. Ik begrijp dat het vanuit jullie cultuur niet gebruikelijk is om over je problemen te praten, maar het is erg belangrijk dat je dat leert. Anders kom je nooit verder in je leven.'

Hij pauzeerde even en zag hoe ik over zijn woorden nadacht. Ik wist dat hij gelijk had, maar waar moest ik beginnen? Ik was verward. Ik wist zelf niet helemaal wat er met mij aan de hand was.

Peter vervolgde: 'Ik zal je niet onder druk zetten, maar als je dit traject bij ons succesvol wilt doorlopen, dan moet je je houding veranderen. Anders hebben onze gesprekken ook geen zin meer.'

Hij zag dat ik dat niet erg zou vinden. Hoe graag ik het ook zou willen, ik kon niet met hem over mijn gevoelens praten. Hij zou mij toch niet begrijpen – Peter was een hulpverlener, die gewoon zijn werk deed. Wat moest hij met mijn verwarring, verbittering en frustraties? Behalve ze dan toe te voegen aan mijn persoonlijke dossier? Dat wilde ik niet. Dus bleef ik volhouden dat er met mij niets aan de hand was.

Vier weken later besloot Peter de gesprekken met mij te staken; hij was eventueel bereid ze te hervatten als ik van gedachten was veranderd en de bereidheid zou tonen om over mezelf te vertellen. Ik wist dat Peter het goed met mij meende, maar ik kon niet open tegenover hem zijn. Het lukte mij niet en ik begreep zelf niet waarom. Ik was niet gewend om over mijn gevoelens te praten met anderen. Ik had het nooit eerder gedaan.

Ik was blij dat ik mijn dagelijkse hoeveelheid methadon gewoon elke dag mocht komen halen. Over mijn bijgebruik deden zij niet moeilijk meer. Peter had mij waarschijnlijk door mijn geslotenheid als hopeloos bestempeld en ik werd met rust gelaten.

De avond na mijn laatste gesprek met Peter zat ik met Arien en Ramzi in café Eigenwijs. Ik vertelde hun over mijn gesprekken met Peter.

'Ik geloof niet in methadon,' zei Ramzi.

'Heb jij er nog nooit over gedacht om te stoppen?' vroeg ik hem.

'Nee niet echt. Ik zou niet weten waarom. Ik heb het goed naar mijn zin. Ik voel mij gelukkiger met drugs dan zonder.' Hij nam een slok bier en zette zijn glas weer op tafel.

'En jij Arien! Denk jij wel eens aan stoppen met deze zooi waaraan wij vastzitten?' Arien schudde zijn hoofd.

'Die erfenis van je oma raakt toch een keer op. Wat doe je als je geen geld meer hebt? Ga je dan weer scholen beroven?'

Arien lachte; hij had inderdaad vaak scholen beroofd. Eén keer werd hij opgepakt en kreeg hij vier weken gevangenisstraf.

Ik vervolgde: 'Het loopt nog slecht met ons af als we niets doen om ons leven te veranderen. Dit is geen spel – dit is de harde werkelijkheid. Deze wereld deugt niet, en wij kunnen ons niet bevrijden. Wij zitten hier voor altijd aan vast. Wie zijn lot in eigen hand wil houden, wil niets met heroïne en andere verslavende middelen te maken hebben. Wij hebben immers de macht over onszelf aan anderen gegeven. We zitten aan hun aanvoerlijnen vast als een marionet aan zijn touwtjes en doen wat er van ons verwacht wordt. Onze opdracht is dagelijks een paar honderd, wekelijks een paar duizend gulden bij elkaar te schooien, die in de portefeuille van de dealer verdwijnt, die vervolgens weer een groot deel kwijtraakt aan de tussenhandelaar, die het op zijn beurt van de importeur heeft gekocht, die zijn winst met de smokkelaars moet delen, die het weer van de fabrikant hebben, die het van de afnemer heeft, die de papavers van de boeren koopt en dragers heeft betaald. Bovendien moeten er onderweg nog her en der politie- en douaneambtenaren omgekocht worden. Al dat geld is verdisconteerd in de prijs die een junk op straat betaalt.' Dat had ik ergens gelezen.

Ramzi knikte. 'Als je het zo bekijkt, is het erg dramatisch. Daar staan we nooit zo bij stil. Het is niet toevallig dat, op hetzelfde moment dat de jeugdwerkeloosheid in Europa schrikbarend stijgt en er geen oplossing voor dat groeiende maatschappelijke probleem in zicht is, tegelijkertijd in heel Europa volop goedkope heroïne van goede kwaliteit op de markt komt. De drugsmaffia weet wel wat ze doen; alleen de politici weten het niet. De enige manier om de drugsmaffia te bestrijden is door het spul goedkoper aan te bieden dan de handelaren, waardoor de drugsmaffia failliet gaat.'

Arien lachte en zei: 'Slim opgemerkt, Ramzi!' Hans kwam even bij ons zitten. Hij zag er slecht uit. 'Geef mij maar speed!' riep hij en hij vervolgde: 'Sportlui, wielrenners, atleten en voetballers zijn er gek op. Ook de punks ontdekten dat ze er prima op konden headbangen, en de metalfreaks voelden zich er sterk en stoer door. Journalisten gebruiken het om dagen achter elkaar door te kunnen schrijven. Wie speed heeft gebruikt, kan dagen en nachten doorwerken en studeren, urenlang blijven vrijen of te gek dansen. Je raakt heel geconcentreerd op details en je hersens functioneren razendsnel.'

Arien knikte en zei: 'Er is één groot nadeel aan speed verbonden: het is zwaar verslavend. Je gaat na een speedtrip net zo lang down als je up bent geweest. En juist tijdens de uitputting erna heb je zin je energie weer op te wekken met een extra dosis speed. Zo raak je al snel verstrikt in een vicieuze cirkel, een amfetaminepsychose. Een speedgebruiker eet meestal weinig of niets, maar is vaak een stevige drinker, en dat ben jij zeker, Hans. Dus het lichaam heeft het extra zwaar te verduren. Net als bij cocaïne wordt het gebit gesloopt. En dat is dan alleen nog maar de buitenkant. Ook vanbinnen takelt het lichaam af: onder andere de nieren en de lever krijgen zware klappen.'

Ik ontdekte dat veel Marokkaanse, Surinaamse en Molukse verslaafden een goeie ontwikkeling hadden. Sommigen hadden zelfs een zo hoog intellectueel niveau dat ik mij afvroeg hoe het mogelijk was dat zij in dit wereldje terecht waren gekomen. Maar zij waren net als ik niet opgewassen tegen de westerse maatschappij, die hen had afgewezen. Ook zij keerden zich tegen de maatschappij en zagen het drugsgebruik als een vorm van verzet. Zij waren zich bewust van het feit dat zij door de samenleving waren uitgekotst, en wilden daar helemaal niets meer mee te maken hebben. Geld stelen voor hun overleving van mensen die het maatschappelijk en economisch wel goed doen, zagen zij eerder als een soort Robin Hood-daad. Zij stalen van de rijken en gaven het aan de armen, zichzelf. Immers, de verslaafdengemeenschap van Hoog Catharijne vormde de onderste laag van de maatschappij.

Hans begon een beetje heen en weer te wiebelen op zijn stoel en hij was bijna gevallen als Arien hem niet had opgevangen. Zijn ogen draaiden op een vreemde manier.

'Gaat het wel goed met je, Hans?' vroeg ik. Arien keek hem ook bezorgd aan.

'Maak je over mij geen zorgen,' antwoordde hij en hij ging met zijn glas bier naar buiten. Hij ging vaak achter het café in de steeg spuiten, want hij mocht dat van de café-eigenaar niet meer in de toiletten doen.

'Het gaat niet goed met Hans,' zei Arien.

Op dat moment kwam Philip binnen. 'Hebben jullie Hans gezien? Is hij soms dronken?' riep hij, terwijl hij ging zitten.

'Zoals altijd,' antwoordde Arien, 'dronken, stoned, speedy. Het maakt hem allemaal niets uit.'

Philip liep naar de bar, bestelde vier bier en kwam weer zitten. Arien draaide een joint en kwam niet meer op ons gesprek over afkicken terug. Arien zag even later dat ik wat afwezig was en vroeg wat er aan de hand was.

'Ik ben niet gerust om Hans. Hij ziet er niet goed uit. Hij is nu al een uur buiten, wat doet hij daar zolang?'

Arien knikte. 'Je hebt gelijk. Kom, laten we naar buiten gaan om hem te zoeken.'

Ik ging met Arien naar buiten, terwijl Philip binnen bleef om op onze biertjes te passen. In de donkere steeg zagen wij Hans, half zittend en half liggend tegen de muur. Hij bewoog niet.

'Hans! Hans!' riep Arien. Hans gaf geen antwoord. Arien keek mij aan en wij vermoedden het ergste.

'Hans! Man, zeg toch wat!' riep Arien nogmaals, maar Hans antwoordde niet.

'Hij beweegt niet,' zei ik.

Op dat moment gaf Arien Hans een duw tegen zijn schouder en Hans viel neer. Ik schrok. Hans had nog een naald in zijn arm. Hij was dood, dacht ik. Ik raakte in paniek en wilde daar weg. 'Kom Arien, laten we hier weggaan!'

Arien was rustig gebleven en voelde met twee vingers aan Hans' nek. 'Hij leeft nog, ga snel vragen of ze een ambulance bellen, nu meteen!'

Ik rende weg en stormde het café binnen, waar de eigenaar achter de bar met een aantal gasten stond te praten.

'Snel, bel een ambulance! Hans ligt in de steeg!' riep ik naar het gezelschap. De barman twijfelde geen moment, greep de telefoon en belde het alarmnummer. Daarna renden wij met z'n allen naar de steeg, waar Arien nog steeds over Hans gebogen stond. 'Laat iemand een deken halen, voordat hij doodvriest,' riep hij. Een van de barmedewerkers liep snel naar binnen en kwam terug met een deken. Ook de bareigenaar boog zich nu over Hans. Arien vertelde hem hoe wij hem hadden gevonden, en over de spuit in zijn arm. Arien wist als fysiotherapeut wat hij moest doen. Hij wilde Hans laten opstaan en hem in beweging houden, maar Hans reageerde niet meer en hing slap over Ariens schouder. Het werd erg druk in de steeg.

Even later arriveerde de ambulance en werd iedereen gemaand het café binnen te gaan. De verplegers onderzochten Hans snel en legden hem op een brancard. Het zag er niet goed uit, dat zagen wij aan de gehaaste bewegingen van de verplegers, die met grote vaart in de richting van het Academisch Ziekenhuis vertrokken. Weer in het café aan onze tafel riep Arien tegen mij: 'Hans haalt de nacht niet, denk ik.' Ik geloofde hem.

Arien had hem langzaam zien doodgaan. 'Ik was blij dat de ambulance er was. Hans was erg koud aan het worden. Hij reageerde helemaal niet meer, maar dood was hij nog niet, dat voelde ik, want er stroomde nog bloed in zijn aderen.'

Ik bestelde weer bier voor ons. Philip was helemaal in de war; hij kende Hans erg goed. Wij waren allemaal geschrokken. Het is erg vreemd een man te zien sterven die je persoonlijk goed kent.

Voor middernacht stelde ik Arien, Ramzi en Philip voor om naar mijn kamer te gaan, want ik had geen zin om die nacht alleen te zijn. Arien had genoeg geld bij zich om heroïne te kopen. Ramzi had heroïne bij zich voor zichzelf. Wij liepen eerst naar Hoog Catharijne, waar het er om dat uur in de nacht verlaten uitzag, maar waar ondanks het late tijdstip nog altijd een paar dealers rondliepen. Ik hoopte dat ik Mahmoud, die nog altijd erg boos op mij was vanwege het kwijtraken van zijn pakket heroïne, niet zou tegenkomen.. Ik meed hem liever en dat lukte over het algemeen goed.

We kwamen Kasem tegen, die met Selima in de richting van de stationsrestauratie liep. Toen hij ons zag, wist hij dat wij naar een dealer op zoek waren. Hij vroeg Selima op hem te wachten en liep ons tegemoet.

'Hoeveel?' vroeg hij, toen hij op een meter was genaderd.

'Vier bolletjes,' antwoordde Arien.

'Kom je mee?' vroeg Kasem aan Arien.

Wij moesten wachten. Kasem verstopte zijn drugs ergens in Hoog

Catharijne, zodat hij niet opgepakt zou worden met heroïne op zak. Tien minuten later kwamen ze weer terug. We namen afscheid van Kasem, die naar zijn vriendin terugliep, en gingen naar mijn kamer. Terwijl Philip en Arien op de twee enige stoelen gingen zitten, nam ik plaats op het bed. Ramzi ging op een kussen op de grond zitten.

Arien pakte een bolletje heroïne, leegde de inhoud op een stuk papier en begon het bruine poeder fijn te snijden. Philip zette ondertussen een plaat van Jimi Hendrix op, 'Band of Gypsys', een van zijn mooiste. Arien rookte zelf een paar keer en deed daarna een beetje poeder op mijn zilverfolie, die ik al klaar had gelegd. Hij gaf ook Philip te roken. Philip nam zelf nooit meer dan twee chineesjes. Hij is daarom nooit verslaafd geraakt aan deze rotzooi. Ook Ramzi zat stilletjes te roken. Wij bleven tot laat in de ochtend roken en naar de muziek van Jimi Hendrix luisteren, en probeerden te vergeten wat we in de steeg bij het café hadden gezien. We spraken over Karim en vroegen ons af in welk deel van de wereld hij op dat moment uithing. We spraken over de verwoesting door de drugs en over doodgaan. We spraken over de zinloosheid van het leven en de domheid van de kudde in een onrechtvaardige maatschappij. Voor het eerst zag ik verdriet en eenzaamheid in de ogen van Arien, die zijn gevoelens anders altijd in bedwang hield. Ik bedacht dat hij net als ik inderdaad een eigen verhaal had, dat niemand kende, behalve hijzelf. Arien was een vriend om wie ik oprecht gaf. Ik respecteerde het verdriet in zijn ogen en ik vroeg hem er niet naar. Immers, hij deed dit ook bij mij niet.

Omdat het laat werd, bleven Philip en Arien bij mij slapen. Zij sliepen gewoon op de grond, maar dat vonden ze niet erg. Als je stoned en aangeschoten bent, schik je je heel gemakkelijk. Ramzi ging liever naar huis, want voor hem was er geen plaats in de kamer.

De volgende dag gingen we alle drie naar café Eigenwijs om te kijken of er nieuws was over Hans. De eigenaar vertelde ons dat Hans die nacht in het ziekenhuis was overleden aan een overdosis. Iedereen baalde van dit bericht. Arien had het ons al verteld, maar nu was het definitief. Hans was dood. De maatschappij was van één junk, crimineel en lastpost verlost. Zo ging dat in de drugswereld; de maatschappij rouwt daar niet om: er ging wel vaker iemand dood, jonge mensen die geen waarde hechtten aan het leven. Maar waren wij niet het product van de maatschappij?

Als er een verslaafde doodgaat, praat iedereen de hele dag over hem, terwijl de volgende dag iedereen hem vergeten is en het leven gewoon verdergaat, verder naar het volgende slachtoffer. Iedere gebruiker loopt kans op een overdosis of slecht, vergiftigd spul. Je weet het van tevoren nooit.

We dronken koffie, aten een tosti en luisterden naar de verhalen die een aantal gasten over Hans wisten te vertellen. Hans was er niet meer! Zouden er in de hel drugs zijn?

Kat in de nacht

De dagen, weken en maanden gingen langzaam voorbij. Mijn situatie was, mede door het bijgebruik van methadon, uitzichtlozer dan ooit. De gedachte aan afkicken liet me niet meer los en op een gegeven moment was ik ervan overtuigd dat ik niets anders wilde. Afrekenen met de demon, die mij in zijn greep had en die mijn geest volledig in zijn bezit had. Ik was ooit zo stom geweest te experimenteren met het bruine hemelse poeder, dat mijn leven beheerste en tot een hel had gemaakt. Ik voelde me beklemd in een demonische wurggreep zonder medelijden of genade. Ik zou mezelf met alle kracht die ik nog bezat, kunnen proberen te bevrijden, want zo voortmodderen in het leven had geen zin. De vlam in mijn ziel was langzaam uitgedoofd.

Iedere beginnende gebruiker denkt dat hij ermee zal stoppen zodra hij het genoeg vindt. Iedere nieuwe gebruiker denkt dat hij sterker is dan de drugs, en dat had ik ook gedacht. Dat is nu precies het gevoel dat heroïne veroorzaakt. De heroïne maakt de verslaafde zo zeker van zichzelf dat hij zich, op wat voor manier ook, altijd weer weet te verzekeren van een volgende portie dope, desnoods door geld te stelen van familie of vrienden. Als hij afkickverschijnselen heeft, is hij extra gedreven om zijn dope binnen te krijgen. Een verslaafde leeft alleen maar voor de dope en verder heeft hij volslagen lak aan de wereld en de mensen om zich heen. Mijn verslaving had bijna al het leven uit mijn fysieke en geestelijke bestaan gezogen, als een spin in een web die een vlieg leegzuigt. Ik was een wandelend geraamte geworden, innerlijk leeg en verlaten en zonder enig ander doel dan dagelijks rondhangen in Hoog Catharijne om aan geld voor heroïne te komen, tegen elke prijs. Ik zat aan dit ritueel vastgeketend. Ik was een dief geworden, een oplichter en een drugskoerier.

Er waren van die dagen dat de hemel met grauwe wolken was beschilderd. De lucht leek onheilspellend omgeven door een grijs en zwart mysterie. Deze hemelbeschildering leek mijn eigen gevoelens in een abstract heelal weer te geven. Ja, want zo was ik. Ik had al dagen niets gerookt en het was ellendig mezelf zo machteloos te zien lijden, zonder geld. De eerste tijd was ik nog vol moed op stap gegaan naar Hoog Catharijne in de hoop iets te kunnen bietsen, maar na mijn mislukte pogingen gaf ik het op en keerde ik naar mijn kamer om vervolgens ziekelijk op bed te gaan liggen kreunen van de pijn in mijn lichaam.

Massoud was niet thuis; misschien had hij mij wat geld kunnen lenen. De andere bewoners hoefde ik niet eens te proberen, want daar kreeg ik geen cent los. Het zweet droop van mijn lichaam en liet mijn dekbed zuur ruiken. Het was erg koud op die zolderkamer en de elektrische kachel kon mij amper de warmte geven die ik nodig had. De kamer leek wel een diepvries. Mijn zieke lichaam was niet meer in staat warmte te produceren, zodat ik niets anders kon doen dan rillend van de kou in bed blijven liggen.

Hoe vaak stond ik niet op en liep ik besluiteloos door de kamer te draven om mij vervolgens weer moedeloos en radeloos op het bed te laten vallen. Hoewel ik al dagen niets had gegeten, had ik geen trek in voedsel. Tegen de avond wees niets erop dat mijn situatie in die kamer nog vanzelf zou veranderen en ik besloot een poging te wagen om Arien te vinden, die mij zeker zou helpen.

Snel trok ik mijn kleren aan en vertrok ik richting Kanaleneiland. Geld voor de bus had ik niet en ik moest in die ziekelijke toestand een kilometer of vijf lopen; een andere keus had ik niet. Mijn benen konden mij nauwelijks dragen, maar toch stapte ik flink door. Het vooruitzicht dat er aan het einde van de weg een einde kwam aan mijn lijden, gaf mij kracht om door te zetten.

Ik liep langs het Holiday Inn Hotel achter het station. Binnen zag het er warm en gezellig uit. Gasten in nette kleding gingen in en uit, zonder acht te slaan op de portier, die voor een speciale gelegenheid was gehuurd en gekleed was in een carnavalspak. Zijn bewegingen waren stijf en mechanisch en zijn gezicht had geen enkele andere uitdrukking dan die van zijn onderdanigheid. Toen ik hem op ongeveer een meter afstand passeerde, keek hij argwanend en denigrerend in mijn richting. Ik vroeg mij af wie nu eigenlijk te benijden was: ik, in mijn ellendige situatie, of hij, in zijn belachelijke, nederige vermomming.

Ik liep snel door in de richting van de Jaarbeurshallen en naar de

Kanaalweg. Het was inmiddels elf uur en de straten waren donker en verlaten.

Ik was zo in gedachten verzonken dat ik de naderende groep jongens onder de tunnel aan de Kanaalweg niet had opgemerkt. Toen zij mij zagen naderen, bleven zij staan. Ze waren dronken en nogal luidruchtig en even overwoog ik terug te lopen, maar dat kon eigenlijk al niet meer. Opeens drong het tot mij door dat zo laat in de avond de hele omgeving verlaten was. En de aanwezigheid van vier aangeschoten skinheads maakte de omgeving erg dreigend. Zij waren een jaar of vijfentwintig en ze zagen er grof en agressief uit. Ze waren gekleed in militaire legerbroeken, groene jassen en laarzen. Hun kale hoofden glommen in het licht van de straatlantaarns.

Op het moment dat ik ze op vijf meter afstand was genaderd, begon een van de jongens mij iets toe te roepen: 'Hé, zwarte, wat doe je hier! Dit is verboden terrein voor Marokkanen. Ga terug naar waar je vandaan komt. Rot op!'

Ik moest mezelf dwingen niet door mijn benen te zakken van angst en het zweet brak mij uit. Ik wist niet wat die ruige figuren van mij wilden. Ik was te beroerd om hard weg te lopen. Ik deed net of ik niets hoorde in de hoop snel langs hen heen te kunnen glippen, maar ze versperden mij de weg en ik kon niet passeren.

'Nederland is voor Nederlanders,' riep een ander. 'Rot op, naar waar je vandaan komt! Jouw soort moeten we hier niet!' en hij gaf me een flinke stomp in mijn maag en raakte mijn ribben. Ik verloor mijn evenwicht en belandde met een klap op de grond. Het waren neonazi's.

Zonder iets te zeggen probeerde ik overeind te komen, maar een van de jongens duwde me met zijn legerlaars weer tegen de grond. Alles ging vergezeld van een juichende opwinding en veel gelach.

'Laten we hem in het kanaal gooien. Dan is er één Marokkaan minder!' riep een van de jongens en de rest begon te juichen.

Oh, mijn God, dat konden ze niet doen, dacht ik. Ik raakte in paniek en mijn lichaam trilde van angst. Ik haalde onopvallend het zakmesje dat ik gebruikte om drugs te snijden, uit mijn jaszak. Ik zwaaide met het mes en raakte een van de jongens in zijn arm, terwijl ik schreeuwde: 'Laat me los, heb het lef niet mij nog een keer aan te raken!'

De skinheads hadden niet gerekend op deze aanval en deinsden voor een klein ogenblik achteruit. Die verwarring was voor mij voldoende om ervandoor te gaan. Ik zette al mijn angst voor heel even opzij, deed een snelle stap naar voren en haalde met mijn schoen uit naar de jongen die mij tegen de grond had getrapt. Ik raakte hem hard in zijn kruis en hij gaf een kreet van pijn. Zonder na te denken zette ik het op een lopen. Ik rende zo hard als ik nog nooit had gerend, terwijl de woedende skinheads de achtervolging inzetten. Het gestamp van hun laarzen en hun geschreeuw waren bijna oorverdovend en bezorgden mij een afgrijselijke angst. Ze leken wel een kudde doorgedraaide en moordlustige neushoorns.

Voorbij de tunnel sloeg ik rechts af in de richting van de bewoonde wereld. Ik moest de flats zien te bereiken. Daar zou ik mij makkelijker ergens kunnen verschuilen. De skinheads zaten mij nog altijd als dolle pitbulls achterna. Ik moest snel een schuilplaats vinden, want ik begon in ademnood te raken en mijn hart bonsde van angst in mijn zieke lichaam. Ik begon te hoesten en te kokhalzen. Ik werd misselijk en toch moest ik blijven doorhollen, want ik wist wat me te wachten stond als ze me zouden pakken: ze zouden mij waarschijnlijk vermoorden.

Bij de Admiraal Helfrichlaan ging ik rechtsaf en ik liep heel lang rechtdoor, totdat ik links de flatgebouwen zag. Bij een van deze flats zag ik de deur van het voorportaal op een kier staan. Zonder mij een moment te bedenken stapte ik het flatgebouw binnen en ik duwde de deur snel achter me dicht. Vervolgens rende ik trap op naar de eerste verdieping en ik ging snel op de grond liggen op een plaats waar ik de ingang goed kon zien. Ik hield mijn adem in.

Even later raasden mijn achtervolgers voorbij en ik kon eindelijk weer ademhalen. Pas op dat moment merkte ik de hond, die achter een glazen deur met lichte doorkijkgordijnen mij nauwlettend in de gaten hield. De Duitse herder begon te grommen.

'Stil! Braaf hondje, braaf hondje,' riep ik smekend. Maar dat had ik beter niet kunnen doen, want hij begon nu te blaffen. In de gang werd het licht aangedaan en even later verscheen er een dikke vrouw met vet haar gekleed in een nachthemd. 'Piet! Er ligt hier een buitenlander voor de deur!' riep ze naar iemand in de huiskamer. Ik hoorde op de achtergrond het gevloek en gedreig van haar man.

'Rot op, of ik bel de politie!' riep ze agressief in mijn richting, terwijl de hond blafte. Ik wilde de komst van Piet niet afwachten, stond op en rende naar buiten.

Oh, mijn God!, dacht ik, wat bezielde die mensen toch? Het was alsof ik in een wereld van krankzinnigen was terechtgekomen. Een nachtmerrie. Eenmaal buiten gekomen zag ik dat de straat verlaten was. In het huis achter mij hoorde ik stemmen gemengd met het geblaf van mijn verrader, die de hele buurt op mijn aanwezigheid had geattendeerd. Opnieuw ging ik als een opgejaagde vos op de vlucht.

Een paar blokken verderop durfde ik pas wat langzamer te gaan lopen. Ik was aan het einde van mijn krachten. Van de skinheads was niets meer te bekennen; ik was aan een gewelddadige confrontatie met neonazi's ontsnapt.

Hoe vaak hebben aanhangers van het fascisme niet een buitenlander neergestoken of doodgeslagen? Onlangs was Kevin, een Antilliaanse jongen van vijftien jaar, in Amsterdam door een groep fascisten neergestoken in een snackbar. Ik was aan de dood ontsnapt.

Links van mij was het winkelcentrum van Kanaleneiland. Ik zocht naar een bankje en ging uitgeput zitten. De pijn in mijn lichaam was ondraaglijk. Ik nam een sigaret en begon, rillend van de kou in mijn lichaam, te roken. Het winkelcentrum was verlaten. Iets verderop liep een kat naar een afvalbak te loeren. Met een soepele beweging sprong hij erop en begon naar iets eetbaars te zoeken. Heel even was ik mijn eigen bestaan vergeten en keek ik gefascineerd naar de activiteiten van die kleine tijger. Even later sprong de kat weer op de grond met een restje van wat een halve kip moest zijn geweest tussen zijn scherpe tanden. Toen hij mij in de gaten kreeg, spande hij zijn spieren, klaar om met zijn kip te vluchten. Maar op de een of andere manier voelde hij geen dreiging. Hij legde zijn bezit voor zich op de grond en begon het liefdevol te likken, maar alert als hij was, verloor hij mij geen moment uit het oog. Ik probeerde zijn aandacht te trekken. Eerst keek hij wantrouwend in mijn richting, maar even later maakte dat plaats voor onverschilligheid. Het was alsof de kat voelde wat ik voelde; wij tweeën, een kat en een mens, twee wezens van de donkere kant van de wereld.

'Begrijp jij iets van deze mensen?' vroeg ik zachtjes aan de kat, bang dat iemand anders mij zou horen. 'Waarschijnlijk niet!' De kat keek even verveeld op en vervolgde zijn activiteit zonder zich verder aan mijn gepraat te storen.

'Alles wat op twee poten loopt, noemt zich mens! Als je je in deze maatschappij wilt bewijzen, wijzen Nederlanders je bij voorbaat af. Ze geven je geen kans om een positie in de samenleving te bemachtigen; de goede posities zijn alleen voor de Nederlanders bestemd. Die verdelen zij onder elkaar en een vreemdeling, dat zijn mensen als ik, krijgt geen kans om ertussen te komen. Loop je over straat, dan staren ze je met hun blauwe ogen aan, vol haat en kou en zonder warmte of glans. Al je stappen worden nauwlettend gevolgd en niets van wat je doet, blijft onopgemerkt. Eén misstap en je bent er geweest, ze nemen je te grazen en je wordt bij voorbaat schuldig verklaard. Het liefst zouden ze je willen ophangen en van blijheid en vreugde dansen en zingen rondom je hangende lijk.

Ondanks al deze ellende, ondanks het feit dat zij overal naar je wijzen, ondanks de wantrouwige blikken die je bestaan omgeven en de massale afwijzing door de maatschappij, probeer je als vreemde in hun midden toch een miezerig bestaan op te bouwen binnen de grauwe muren van je eigen eenzaamheid en verlatenheid. Zij praten over integratie en jij, dom schaap, integreert onvoorwaardelijk. Je hebt hun taal leren beheersen, je hebt niet alleen hun leefwijze overgenomen maar ook hun denk- en eetgewoonten – maar zijn ze dan tevreden? Wat willen ze nog meer? Je hebt je eigen gemeenschap al verraden en verloochend. Waar is integratie goed voor? Het leidt tot zelfverloochening!

Je overtreft veel mensen met alles wat je onderneemt, maar wat stellen zij daartegenover? Waardering? Mededogen? Genegenheid? Kameraadschap? Nee, helemaal niets! Jaloezie, haat en nijd en boosheid, en daarmee kwellen zij niet alleen zichzelf maar ook anderen. Jaloezie en nijd zijn de bron van mensenhaat! Vooroordelen!

Dus, hoe je je ook aanpast en wit kleurt, denk niet dat zij je ooit als een volwaardig mens zullen aanvaarden, want deze hypocrieten snakken enorm naar zondebokken als jij om hun eigen frustraties te verklaren en op af te reageren. Ze zullen je altijd blijven afwijzen; je zult nooit een van hen worden – je bent bruin en je blijft bruin. Ze smijten beledigende opmerkingen naar je, die diepe wonden in je ziel snijden, en ze proberen je als ongewenst vreemdeling te verjagen. Ze zullen je blijven achtervolgen, en met het laatste restje kracht probeer je overeind te blijven met behoud van je eigen valse trots en waardigheid, want dat is je enige masker. Ze schrijven veel over je, maar laten je zelf zelden aan het woord. Denken zij nu werkelijk dat ze je begrijpen? Begrip is er pas als je elkaar op gelijk niveau kunt benaderen! Snij mij open en kijk hoe mijn bloed kleurt op de grond!

Wat je eigen medelijden betreft, daar kun je alleen maar nog veel dieper in wegzakken. Zieligheid wordt tragisch als je je van je eigen zieligheid bewust wordt!'

De kat had ondertussen de kip naar binnen gewerkt en was zijn poten aan het schoonlikken. Hij keek zo nu en dan onverstoord op.

Ik moest denken aan mijn kinderdroom over het leven achter de horizon. Hoe ik op een dag van huis vertrok om mijn vader achterna te gaan en het leven achter de horizon vinden.

Deze droom veranderde vijftien jaar later in een nachtmerrie. Het leven achter de horizon was voor mij een afgrijselijk bestaan geworden. De kat keek mij aan met een blik in zijn ogen alsof hij mij had begrepen, en ik wilde graag geloven dat dat zo was.

Ik stak nog een sigaret op. De pijn in mijn ribben van de schop van daarnet was hevig en herinnerde mij aan de kwellingen waaraan ik was ontsnapt. Lichamelijke pijn geneest, maar innerlijke wonden, zullen die ooit genezen? Geestelijke pijn is duizendmaal erger, een soort pijn die door de jaren heen een stempel op de menselijke ziel drukt en bijna niet meer uit te wissen is.

Ik dacht aan wat mijn vader mij eens had verteld: dat als een man sterft en begraven wordt, hij deze wereld achter zich laat en zijn familie Allah dankt dat hij zo gelukkig was te kunnen ontsnappen. Maar een man die over straat kruipt zonder vrienden, zonder kleren, zonder een mat om op te liggen, zonder een stuk brood om te eten, is levend maar niet echt levend, dood maar niet eens dood. Dat zou Allahs vreselijkste straf zijn aan deze zijde van het hellevuur. Ik was aan deze zijde van het hellevuur.

Had mijn vader gelijk? Ik wou dat ik kon sterven om aan deze hel te ontkomen. Terwijl ik aan doodgaan dacht, keek ik naar de kat en zijn drang om in leven te blijven. Katten mogen dan zogenaamd negen levens hebben, zij willen ook graag leven. De drang van deze kat om te overleven imponeerde mij voor een moment. Ik werd mij er ineens van bewust dat ik op een tweesprong stond. Dat gevoel werd intenser naarmate ik de soepele bewegingen en de heldere blikken van de kat gadesloeg. Ik voelde een innerlijke drang om te leven. Ik wilde nog niet

dood. Ik wilde kiezen voor het leven, maar ik wist niet hoe. Ik wilde terugvechten, maar ik wist niet hoe.

Ik had nog kans. Ik moest niet opgeven en doodgaan. Ik was te
jong om te sterven. Ik dacht aan de aanblik van Hans in de steeg en aan
hoe koud zijn lichaam was. Zo wilde ik niet eindigen. Ik had ineens
een binding met de kat, die naar mij had geluisterd zoals geen mens
nog ooit had gedaan. Ik had de kat deelgenoot gemaakt van de emoties
die ik nog nooit met iemand had gedeeld. Ik voelde een soort rust en
kalmte in mijn geest en had een gevoel van blijdschap vanwege de ontdekking van de gedachte aan leven, aan terugvechten, aan de weigering om dood te gaan. Er ontbrandde een vonk in mijn ziel en die gaf
mij de nodige moed en kracht om even weer helder te denken. Er gebeurde iets in mij wat ik niet kon verklaren: ik wist precies wat mij te
doen stond. Ik huilde voor het eerst sinds mijn kinderjaren en mijn
tranen waren zoet en vol leven. Ik bleef lang zitten huilen midden in de
nacht op een bankje in het winkelcentrum, verlaten en eenzaam.

Daarna nam ik het belangrijke besluit om al mijn kracht en moed
te verzamelen om de strijd aan te gaan met de demon, die bezit had genomen van mijn lichaam en geest. De kat begon verveeld te miauwen
en probeerde mijn aandacht te trekken.

'Bedankt, kat; het is nu tijd om afscheid te nemen,' sprak ik hem
toe, terwijl ik mijn peuk vasthield tussen duim en middelvinger en
mikte. De peuk schoot weg en belandde voor de kat, uiteenspattend in
honderd kleine flitsende lichtjes. De kat sprong snel weg en verdween
in de duisternis.

Het was laat en het had geen zin meer om Arien te gaan opzoeken.
Ik besloot met een tevreden gevoel naar mijn kamer terug te lopen. In
de verte hoorde ik de sirene van een politiewagen. Ik had automatisch
de neiging om weg te duiken, maar ik deed het niet. Ik had mijn waardigheid en zelfrespect nog niet verloren.

Vertrek naar het onbekende

Op een ochtend werd ik ruw uit mijn slaap gewekt door het getik van de ouderwetse wekker, die op een stapel boeken stond naast de matras. Deze matras, waarop ik de laatste weken had geslapen, begon net te wennen, maar de afgelopen nacht was de laatste keer dat ik mijn lichaam daarop te rusten had gelegd. Aan alles leek een einde te komen.

De geur van gebakken eieren in olijfolie en verse koffie drong door de gang mijn kamer binnen, terwijl ik me aankleedde. In de huiskamer zat de kleine Latifa, mijn nichtje van drie jaar, naar de televisie te staren, alsof zij haar leven lang niet anders had gedaan. Er was niets anders te zien dan het testbeeld.

Mijn schoonzus Karima was in de keuken bezig het ontbijt klaar te maken. Karima en mijn broer Aziz zijn altijd goed voor me geweest. Ik had mezelf beloofd hun goedheid ooit op de een of ander manier te vergoeden. Hoe? Dat wist ik nog niet.

Ik schonk mezelf een kop koffie in en ging naast de kleine Latifa op de grond zitten. Wij speelden even samen. Latifa vroeg waar ik heen ging en wanneer ik terugkwam. Ik antwoordde dat ik heel gauw terugkwam en beloofde haar een keer met de trein mee te nemen naar heel ver weg. Later kwam Karima met een bord gebakken eieren de huiskamer binnen lopen, maar ik had zoals meestal 's morgens geen trek.

Ik liep terug naar de logeerkamer, ging op de matras zitten en keek naar de oude poster van Jimi Hendrix aan de muur. Op een oud tafeltje stond een rij boeken netjes opgesteld. Op deze boeken was ik altijd zuinig geweest. Ik stond op en bekeek de boeken aandachtig, stuk voor stuk. Ik bekeek de kaften en selecteerde er zeven.

In *Het leven is elders* van Milan Kundera wordt het leven beschreven van Jaromil, die door zijn kleinburgerlijke, in de liefde bedrogen moeder wordt voorbestemd een geniaal dichter te worden. En zo wordt de verlegen Jaromil een zelfingenomen dichter-tegen-wil-en-dank, hunkerend naar roem en erkenning, en innerlijk gekweld door zijn kinderlijke uiterlijk en betuttelende moeder. Maar uiteindelijk zal hij, naar het voorbeeld van verscheidene groten uit de geschiedenis, dromend van een dood door gloed en vlammen, heel onpoëtisch sterven.

In *Een man* van Oriana Fallaci grijpt in 1967 een militaire junta onder leiding van kolonel Papadopoulos de macht en hij houdt Griekenland in zijn greep. Er ontstaat verzet, waarin met name de dichter Alexander Panagoulis actief is. In 1968 pleegt hij een mislukte aanslag op Papadopoulos en na ernstige martelingen wordt hij ter dood veroordeeld. Hij krijgt echter gratie en wordt eenzaam opgesloten. In 1973 wordt hij onder een iets democratischer bewind vrijgelaten.

De geverfde vogel van Kosinski vertelt het verhaal van een Joods jongetje in Oost-Europa tijdens de Tweede Wereldoorlog. Bij het uitbreken van de oorlog wordt het kind door zijn ouders uit veiligheidsoverwegingen naar het platteland gestuurd. Het is de intense beleving van een kind dat rondzwerft door een wereld vol dreiging en vijanden. En het gaat over de gruwelijke daden tegen de mensheid.

Niet morgen maar nu van de bekende psychotherapeut Wayne Dyer voert aan dat we allemaal een 'mentale achilleshiel' hebben, bewust of onbewust. Hierdoor vallen we vaak terug in onproductief gedrag, waardoor we nooit werkelijk gelukkig of succesvol worden. Wayne Dyer leert ons in dit boek hoe we deze zwakheden kunnen opsporen en hoe we kracht en inspiratie kunnen vinden zonder belemmerd te worden door onze kwetsbare plekken. Veel mensen hebben vaak het gevoel geen controle te hebben over hun gevoelens of reacties. Dyer leert de lezer in dit boek het heft in eigen hand te nemen en ons gedrag niet te laten bepalen door moeilijke situaties. We moeten beter luisteren naar onze eigen behoeften en verlangens en ons minder aantrekken van wat anderen denken. Pas dan zullen we echt onafhankelijk zijn en kunnen we ten volle van het leven genieten. Met name dit boek heeft mij nieuwe inzichten gegeven over mijn leven; het heeft me geleerd om vanuit deze nieuwe inzichten nieuwe uitdagende keuzes te maken, zodat ik me hopelijk zou kunnen verlossen van de greep van mijn drugsverslaving, van het pact met de duivel.

Drie maanden na mijn nachtelijke ontmoeting met de kat was het eindelijk zover: de strijd met de demon ging beginnen. Een maand geleden was Arien samen met Ramzi tijdens een grote inbraak opgepakt.

Zij werden veroordeeld tot een half jaar gevangenisstraf. Ook zij waren uit mijn leven verdwenen, net als iedereen die ik ontmoette.

Mijn hospita had mij uit mijn kamer laten zetten, omdat ik drie maanden huurachterstand had, die ik niet kon betalen. Ik zocht hulp bij mijn anderhalf jaar oudere broer Aziz, die mij voor een maand een kamer bood. Hij hielp mij ook om mijn schuld bij de Hindoestaanse hospita af te lossen, zodat ik mijn basgitaar, basversterker, platen en boeken terugkreeg. Dat was alles wat ik nog bezat. Door later mijn muziekinstrumenten aan een tweedehandswinkelier te verkopen kon ik Aziz terugbetalen. De rest van het geld heb ik gebruikt voor heroïne.

Met een blik op de oude wekker begon ik snel mijn koffer te pakken; ik moest me haasten. Maar het inpakken was zó gedaan: een paar boeken, wat kledingstukken en de koffer zat vol. Veel hoefde ik in ieder geval niet mee te slepen, want waar ik naartoe ging, had ik behalve kleding niets nodig.

In de nieuwe wereld was geen plaats voor oude herinneringen. Die zouden mij alleen maar misleiden en verder in verwarring brengen. Binnenkort zou dit heden tot mijn verleden behoren. Dat was mijn voornaamste zorg. Toch verlangde ik naar dat moment, waarvan ik mij nauwelijks een voorstelling kon maken. De oude koffer was kapot en kon niet goed dicht. Ik bond het deksel met een stuk touw dicht.

Ik rookte mijn laatste voorraad heroïne op en nam afscheid van de kleine Latifa en Karima. Karima verontschuldigde zich voor de zoveelste keer over het feit dat Aziz mij niet naar het station kon brengen. Aziz had het druk op zijn werk en kon geen verlof van zijn baas krijgen.

'Abkader,' riep ze, 'wij wensen je veel sterkte! Waar je ook naartoe gaat.' Ik bedankte haar voor al haar goede zorgen en zei dat zij meer hadden gedaan dan ik ooit terug zou kunnen doen. Als er iemand was die zich moest verontschuldigen, dan was ik het wel. Ik had gebruikgemaakt van de goedheid en de gastvrijheid van anderen.

Met mijn koffer in de hand en mijn jas onder de arm liep ik snel in de richting van de bushalte.

Het was de eerste zondag in mei 1985. De lente was begonnen en de zon scheen helder aan een wolkeloze hemel. Het was wel een beetje fris voor de tijd van het jaar. Ik zat in de abri op lijn 3 te wachten, die mij naar het Centraal Station zou brengen. Op een paar meter afstand van mij waren twee musjes, die zich over een paar broodkruimels bogen. Ik volgde aandachtig de bewegingen van deze kleine schepseltjes, die zich te goed deden aan het heerlijke voedsel.

Ik bleek niet de enige toeschouwer te zijn: hoog in een berk zat een zwarte kraai, die ook nauwkeurig naar de bewegingen van de twee musjes zat te kijken. Hij zat op een tak en keek aandachtig en geduldig naar de twee kleine vogeltjes op de grond. Plotseling nam de kraai een duik en vloog met een enorme snelheid in de richting van de niets vermoedende mussen. Door de overvloed aan eten merkten de mussen het grote gevaarte, dat met een snelheid als van een afgeschoten kanonskogel op hen afkwam, te laat op. De kleinste van de twee zag de kraai nog net op tijd en wist aan zijn aanval te ontkomen, terwijl de andere mus werd onderschept en door de enorme grijze snavel werd gegrepen.

Met snelle bewegingen sloeg de kraai het kleine musje hard tegen de grond, alsof het een lappenpop was, en tilde daarbij zijn kop tussendoor steeds snel op. Hij keek om zich heen als een trotse heerser. De gevluchte mus zat vlakbij op een struik angstig naar het tafereel te kijken. De kraai hield even op en blikte triomfantelijk om zich heen, met het kleine stervende vogeltje in zijn snavel. De kleine mus was ten dode opgeschreven.

Het tafereel trok mijn nieuwsgierigheid. Bijna was ik tussenbeiden gekomen om het leven van het kleine wezentje van het zwarte monster te redden, maar ik liet de natuur haar eigen gang gaan: ik wilde niet voor God spelen.

En de natuur had inderdaad haar eigen geheimen om over leven en dood te beslissen. De gevluchte vogel keek een poos naar het zinloze verzet van zijn soortgenoot en nam een duik naar beneden. Met een fenomenale snelheid dook hij recht op de zwarte kraai af, maar die wist met het grootste gemak van de wereld de kleine klauwtjes te ontwijken. De mus keerde buiten adem terug naar zijn struik en leek een tweede poging te overwegen. Die bleef inderdaad niet uit. Als een speer vloog hij op de kraai af, die zijn vechtlust had onderschat. Met zijn kleine klauwtje raakte hij de kraai precies in het linkeroog. Voor een kort moment verzwakte de zwarte dood zijn greep op de kleine mus in zijn snavel. En dat korte moment was voor het slachtoffertje voldoende om zich met een handige draai te bevrijden. Gewond, maar toch levend, vloog hij met zijn bevrijder weg, terwijl de zwarte kraai een zinloze achtervolgingspoging ondernam – het was te laat; ze waren voorgoed uit zijn zwarte leven verdwenen. De natuur had beslist en het musje moest blijven leven.

Ik was gefascineerd en putte hoop uit dit natuurvoorval. De kleine musjes hadden de prikkel, de kracht en de moed om te vechten, om te willen overleven in een slechte wereld vol gevaren.

Mijn trein zou om twaalf uur vertrekken en met mijn enkele reis naar Meppel op zak besloot ik nog even door de stad te lopen. Een stad waarvan ik alle hoeken en gaten kende, een stad die ik enorm zou missen. Ik stopte mijn tas in de bagagekluis op het station en liep doelloos op de Oudegracht rond, in het oude gedeelte van de stad rond de Domtoren en de kleine cafeetjes met terras. Ik wist niet beter of iedereen liep ook zonder eindbestemming. Langs de grachten was de drukte enorm en waren de terrassen propvol. De mensen om me heen waren gelukkig, of wekten althans die schijn. Ik kon me zelf niet eens een voorstelling van geluk maken. Ik wist niet meer of ik dat gevoel op de gezichten van al die mensen zelf ooit had gehad. Stil en in mezelf gekeerd liep ik tussen de mensenmassa, zonder enig besef van waar ik naartoe ging. Ik voelde mij weemoedig en eenzaam: niemand wist van mijn innerlijke strijd, een strijd om het leven, mijn leven.

Ik had mezelf gedwongen een definitief besluit te nemen. Ik had er ook voor gezorgd alle uitvluchtwegen achter me te sluiten en ik wist dat er geen weg meer terug was... Er was voor mij in deze wereld niets meer om voor te leven. Ik kon niet verder, omdat mijn leven alle zin en nut had verloren. Ik was niet eerder in staat mezelf te bevrijden. Ik was gevangen in een nachtmerrie van een zwart gat.

Mijn besluit stond vast als nooit tevoren. Niemand was betrokken bij mijn beslissing, behalve ikzelf, niet mijn ouders, niet mijn broers of zuster en ook niet mijn zogenaamde vrienden. Aan niemand had ik iets verteld. Waarom zou ik? Ook mijn drugsvrienden had ik niets verteld over mijn besluit. Ik nam van niemand afscheid en verdween ineens uit hun leven. Zo was ik op die gedenkwaardige zondag helemaal klaar voor de strijd. Ik voelde mij net een soldaat die de strijd in ging, niet wetend of hij er dood of levend uit zou komen. Niemand wist van het intense verdriet, de wanhoop en de eenzaamheid waarin ik beklemd zat. Aan medelijden van anderen had ik ook geen behoefte.

Voor mijn familie was ik een vreemde geworden, alsof niet zij mij hadden grootgebracht en ik nooit hun liefde, bezorgdheid en bescherming had gevoeld; voor de Nederlandse maatschappij was ik een vreemde, alsof niet zij mij had gemaakt tot wat ik was geworden. Het beangstigende was dat ik van mezelf vervreemd was, verloren in een samenleving die niet voor mij was bestemd. Ik had de dag daarvoor afscheid van mijn ouders genomen. Ik had ze niets verteld over mijn toekomstige strijd in een ver oord. Ik had ze verteld dat ik voor enkele maanden bij vrienden ging logeren in het noorden van het land en dat ze zich geen zorgen hoefden te maken als ik lange tijd niets van me liet horen. Mijn moeder huilde bij het afscheid. Mijn vader mompelde iets over mijn dwang om weer te gaan rondzwerven zonder een rustplaats te vinden, zoals alle andere mensen. Ik vertelde ze niet wat mijn drijfveren of impulsen waren. Als zij wisten waar ik naartoe ging, zouden ze al het mogelijke proberen te doen om mij tegen te houden. Zij trokken zich mijn mislukking persoonlijk aan en zagen dit als een gebrek in de opvoeding die zij mij hadden gegeven. In hun ogen zou God hen ook straffen voor mijn dwaling en ongehoorzaamheid en voor mijn zonden. Het was beter dat ze de waarheid niet wisten. Ik zou ze na de strijd vertellen wat ik had gedaan, maar dan kon ik ze laten zien dat ik in staat was om de volledige verantwoordelijkheid te nemen voor mijn leven. Ik alleen kon dit doen en niemand anders.

Om halfeen zat ik in de trein naar Zwolle. Het was stil in de trein en zo kon ik rustig over mijn leven nadenken. Heel even overwoog ik in Zwolle de trein terug te nemen naar Utrecht en van mijn hele onderneming af te zien. De terugval in het oude leek mij veel gemakkelijker dan de sprong in het onbekende.

Ik was onderweg naar Arta, maar ik kon me geen voorstelling van Arta maken. Ik had alleen maar de hoop, het diepste verlangen om mezelf te bevrijden. Ik wist dat de weg lang en niet zonder pijn was, maar ik had hoop en zolang ik nog hoop had, was dat de kracht die mij naar Arta zou voeren.

Op het station in Zwolle stond de trein naar Meppel klaar om te vertrekken; nog twee minuten. Ik stond de zoveelste keer in mijn leven op een tweesprong. De weg terug naar het bekende en ondraaglijke verleden of de weg naar de onbekende toekomst, met een beetje hoop, maar ook met de ondraaglijkheid van het onbekende. Ik heb in mijn leven altijd de verkeerde beslissingen genomen. Nog een minuut. Wilde ik dit echt doen? Ik kon nu nog terug naar Utrecht en naar mijn vertrouwde leven! Ik kon niet meer helder denken, terwijl ik daar op het perron naast de trein stond. Nog dertig seconden... En wat als het mislukt? Nog twintig seconden... nog tien. Een stem in mijn binnenste zei zachtjes: 'Abkader! Stap in die trein!' maar ik stond als aan de grond genageld en probeerde het besluit zo lang mogelijk uit te stellen.

De conducteur gaf met zijn fluit de machinist het vertreksein en toen wist ik het. Het was meer een gevoel dan een gedachte of een idee. Ik reageerde intuïtief en zonder na te denken rende ik de trein in, net op het moment dat de deuren dichtklapten. Had ik nog maar één seconde getwijfeld, dan had ik Arta nooit meer kunnen bereiken. Ik zou nooit meer de kracht hebben kunnen opbrengen om nog een keer de innerlijke strijd het hoofd te bieden. Ik zou de strijd altijd blijven verliezen. Maar ik was nu onderweg naar Arta. Dat ik deze slag had gewonnen, gaf mij hoop en voldoening, en de angst werd minder.

Om twee uur liep ik het station in Meppel uit. Ik had instructies gekregen: in Meppel moest ik een nummer bellen en daarna zou ik worden opgehaald. Ik had één kwartje bewaard voor dat ene telefoontje; dat was alles wat ik bezat. En gelukkig lukte het mij om in één keer het nummer goed te draaien. Een stem aan de andere kant vroeg mij te wachten: er was iemand onderweg om mij op te halen.

Terwijl ik stond te wachten, rookte ik mijn laatste sigaret op. Sigaretten had ik in Arta niet meer nodig, was mij verteld, want het was in Arta verboden om te roken.

Op een gegeven moment stopte er een grote zwarte BMW voor mij. De man achter het stuur stapte uit een keek zoekend om zich heen. Hij liep naar me toe en vroeg: 'Ben jij Abkader?' Hij stelde zich voor als Maurits.

'Kom,' zei hij, 'ik breng je naar Arta.'

Ik stapte in en Maurits reed met een vaart weg. Onderweg informeerde hij naar mijn reis uit Utrecht en daarna werd er nog weinig gepraat.

Ik was zenuwachtig en stil en voelde mij misselijk. Ik probeerde de spanning in mijn lichaam en geest te onderdrukken. Ik had afscheid genomen van een bekend leven en zat naast een onbekende man, van wie ik niets wist, in een BMW rijdend op het platteland naar een voor mij onbekende bestemming. Ik kon alleen maar wachten op wat er komen zou.

Wij kwamen aan bij een boerderij in Hamingen (in de buurt van Staphorst) en Maurits reed de oprijlaan op en stopte voor de ingang van het huis. Een paar mensen waren in een moestuin aan het werk. Toen de auto stopte, keken ze even op, maar gingen daarna snel weer verder met hun werk. Voor de ingang van de boerderij lag een Afghaanse windhond te slapen. Ook hij keek even op en sliep daarna onverstoord verder.

Ik werd het huis in geleid. In de keuken, als onderdeel van de huiskamer, werd thee gezet. De geur van de kruidenthee maakte mijn misselijkheid groter.

De kamer was niet groot en de inrichting toonde geen enkele smaak. Ik werd door Maurits voorgesteld aan een vrouw van ongeveer zesentwintig jaar en een man die ruim de dertig was gepasseerd. Maurits bracht me naar een kamer met twee bedden en zei dat ik me voorlopig hier kon installeren.

Ik vroeg of ik de kamer met iemand moest delen. Dat hing ervan af of er nieuwe mensen onderweg waren, maar voorlopig had ik de kamer voor mezelf. Ik was blij met die mededeling.

Nadat ik mijn spullen had uitgepakt, nodigde Maurits mij op zijn kantoor om een aantal formaliteiten te regelen. Hij bood me een kop koffie aan zonder melk, die ik liever liet staan.

'Drink op!' zei hij. 'Je krijgt pas volgende week zondag weer koffie.' Ik bedankte hem en zei dat ik geen zin had in koffie.

Maurits was een rustig en beheerst type. Hij leek zijn woorden zorgvuldig te kiezen en hij stelde mij gauw op mijn gemak. Hij was zeer geïnteresseerd in mij. Hij leek goed te weten wat er komen zou. De formaliteiten waren snel geregeld en hij borg de papieren op in de kast. Daarna werd hij wat informeler. Ik had weinig zin om te praten. Alles aan mijn lichaam begon pijn te doen. Het ging beginnen.

'Probeer je hier thuis te voelen,' zei hij. 'Je zal het niet gemakkelijk krijgen in de eerste weken. Voor elke bewoner van deze boerderij wordt een werkplan opgesteld; jij bent in de eerste week ingedeeld bij Martin in de tuin.'

Ook vertelde hij me dat de groep binnen een kwartier bij elkaar kwam voor de thee, en dat ik in de huiskamer werd verwacht. Daar werd ik aan iedereen voorgesteld. De boerderij telde vier bewoners, twee jongens en twee meisjes en ik was de vijfde. Maurits woonde samen met zijn vrouw en kind van twee jaar in een apart deel van de boerderij. Maar het huishouden werd gezamenlijk gedaan.

Ik voelde me te moe en uitgeput om actief deel te nemen aan gesprekken. Ik gaf korte antwoorden op vragen die men mij stelde en hield mij voor de rest op de achtergrond.

Ik wilde graag even alleen zijn, maar dat zat er niet in. Maurits stelde voor om mij na de thee rond te leiden op de boerderij. Ik had daar helemaal geen zin in, maar durfde geen nee te zeggen.

De boerderij heette Hamingen en was zelf klein, maar er was veel grond omheen. Naast de groentetuin was er een varkensstal met twee enorme beesten, die in de opgedroogde modder lagen te zonnen; op een stuk weiland liep een eenzame koe te grazen.

'De moestuin voorziet ons van verse groenten, en we verbouwen zo veel mogelijk zelf,' legde Maurits uit en hij wees naar een stukje grond waar aardbeien onder een net groeiden. Martin was druk bezig de compost met een hooivork bijeen te scheppen.

Na de rondleiding ging ik terug naar mijn kamer, om mijn spullen op te bergen. Ik had weinig bagage, zodat ik binnen een minuut klaar was. Ik had een uur de tijd voor mezelf voordat de groep weer bijeenkwam voor het avondeten.

Aan mijn eerste dag op Arta leek geen einde te komen, te meer omdat ik verplicht werd deel te nemen aan de activiteiten. Van deze verplichting was ik wel op de hoogte, maar ik had gehoopt dat ik als nieuweling misschien op mijn eerste dag vrijgesteld zou worden en mij kon terugtrekken. Men wilde dat nu juist doelbewust voorkomen. Na het avondeten, dat bestond uit een broodmaaltijd met kruidenthee, gingen we met de hele groep een lange wandeling maken. Ik leerde de bewoners beter kennen en pas tegen halftien 's avonds ging de groep uiteen naar de slaapkamers.

ARENA VAN MIJN STRIJD

Arta was de arena van mijn strijd tegen de demon die mij in zijn macht hield. En de eerste dagen werd ik meteen behoorlijk op de proef gesteld. Tegen de tijd dat ik de volgende avond naar bed ging, was ik verdoofd van vermoeidheid en was de pijn heviger geworden. Ik had het koud, vreselijk koud. Ik trilde over mijn hele lichaam en ik klappertandde. Ik kon niet meer helder denken. Hoewel ik de hele dag niets had gegeten, ook niet tijdens het avondeten, had ik een paar keer op de wc de kleine inhoud van mijn maag leeggekotst.

Boven speelde iemand op een gitaar en ik vond het prettig de bekende geluiden van een muziekinstrument te horen. Als ik niet zo beroerd was, had ik hun gezelschap opgezocht, maar ik was er niet toe in staat. Mijn lichaam kon geen warmte meer produceren, zodat ik bijna versteend van de kou, bevend en trillend, op het bed ging liggen. En dan de jeuk! Die leek mijn lichaam op te vreten; armen, benen, overal was de jeuk. Hoe ik ook krabde, het werd alleen maar erger, alsof een leger mieren over mijn lichaam liep. Gek werd ik ervan. Dit lijden was voor mij niet nieuw. Ik had het al duizend keer beleefd. Nooit had ik eraan kunnen wennen en het ergste moest nog komen.

Eén ding kon ik echter goed: mezelf beheersen. Mijn ouders hadden mij altijd geleerd om mijn gevoelens te beheersen. Een man moet zijn gevoelens in bedwang houden. Zo nu en dan stond ik op om besluiteloos door het kamertje te lopen, om vervolgens moedeloos weer op het bed te gaan liggen.

Tegen middernacht was mijn situatie het ergst geworden. De pijn was zo erg dat ik wilde gillen. Maar ik kon dat niet, want ik was een man en een man gilt niet. Ik wilde de kamer uit rennen en ervandoor gaan, maar ik deed het niet. Waar kon ik midden in de nacht naartoe?

Ik hoopte dat deze wereld en mijn leven maar een droom zouden zijn en dat ik elk moment zou ontwaken en mezelf terug zou vinden in mijn jeugd. Wat had de volwassenheid van een mens voor zin? Ik had altijd willen begrijpen wat leven was, want dan kon ik mijn bestaan begrijpen en koesteren als een geliefde minnares. Dan kon ik er net zo veel van houden als van mijn eigen ellende. Ik hield van mijn ellende, omdat die van mij was en omdat ik hem kon voelen en begrijpen. Ik ging ermee naar bed en werd ermee wakker en het was als een niet te scheiden vriendschap. Mijn ellende was voor mij vertrouwd en zou mij nooit verraden; hij had alleen het doel om mijn bestaan te dienen.

Volgens mijn vader, was ik in het hellevuur terechtgekomen. En dat was Gods straf. God liet mij voor iets lijden. Ik kon niet begrijpen waarom God mij zo wilde straffen dat Hij de duivel bezit van mij liet nemen om mij te vernietigen. Het hellevuur en de duivelsonzin konden ze van me cadeau krijgen. Ik was niet door de duivel bezeten, maar door mijn verslaving aan het bruine gif. Of was de heroïne dan misschien toch een van de mystieke gedaantes van de duivel?

Het leek of ik in een cel was opgesloten; niet zomaar een cel, maar een cel die mijn innerlijke vrijheid van mij afnam. Hoe vaak had ik geprobeerd te vluchten? Vluchten voor mijn angst en eenzaamheid, voor de enorme zwarte leegte die mij omgaf, voor de wanhoop en verwarring, vluchten voor zelfmedelijden en voor de angst.

Alles kon ik ontvluchten, behalve de onwrikbare demon die me in zijn meedogenloze klauwen had vastgeklemd. De heerser van mijn bestaan, de heerser van mijn lichaam, geest en ziel. Hoe vaak had ik niet geprobeerd om uit zijn kerkers te vluchten? Eenmaal in zijn greep was wegkomen bijna onmogelijk; dit was het pact met de duivel.

Deze demon was niet zomaar een duivel. Geen duivel uit een legende of mythe en ook geen duivel uit het hellevuur van de religie. Dit was een aardse duivel. Als je eenmaal een pact met hem hebt gesloten, raak je vast in de val van zijn genot en dan is ontsnappen een illusie. Hij hing om me heen als een zwarte octopus. Hij accepteerde geen compromis, maar eiste en dwong tot absolute overgave. Deze demon had bezit van mij genomen, had zich gemengd in het bloed dat door mijn aderen stroomde en het veranderd in rioolwater. Hij was tot in mijn botten doorgedrongen, waar hij langzaam en pijnlijk knaagde, als een onzichtbaar en hongerig vleesetend dier in mijn binnenste. Hij baande zich een weg naar mijn hersenen, waar hij uiteindelijk zijn zetel had genomen; zijn hoofdkwartier, van waaruit hij mij van mijn gedachten had beroofd, van mijn idealen, hoop en geloof, totdat ik slaaf werd van mijn eigen behoefte. Die behoefte is zijn bestaansrecht, die behoefte is hijzelf. Hij maakte dat ik alles in mijn leven ging haten, inclusief mezelf. Het duurde lang voordat ik wist dat ik tegenover iets stond dat machtiger was dan ik, iets dat vele malen groter was dan ik, iets waar ik niet tegen op was gewassen, iets dat mijn bestaan met een penseel van grauwheid kleurde.

De pijn in mijn lichaam nam toe en ik kon er niets tegen doen. Ze hadden mij geen medicijnen willen geven. Mijn lichaam moest zich op natuurlijke wijze herstellen, dat was hun overtuiging. Er was niets in de kamer wat me een beetje afleiding kon geven, alleen een rij boeken naast het bed. Ook de muziek boven mijn kamer was allang opgehouden.

Het was benauwd stil in huis. Iedereen in het huis sliep, behalve ik. Zo nu en dan hoorde ik het geblaf van de Afghaanse hond. Het kwam me voor als gehuil van een wolf.

Arta Hamingen is een onderdeel van de Arta-Lievegoedgroep, een landelijke instelling die hulp en begeleiding biedt bij verslavings- en psychiatrische problemen. De medewerkers voelen zich geïnspireerd door de antroposofische visie, die ieder mens ziet als een combinatie van lichaam, ziel en geest. Ziekte en verslaving zien zij als een verstoring van het evenwicht tussen deze elementen. Concreet betekent dit dat een antroposofische behandeling een brede behandeling is, die zich richt op de gehele mens. De antroposofische achtergrond wordt de deelnemers en bewoners niet aangepraat of opgedrongen; de behandeling staat open voor iedereen die zich aangetrokken voelt, en de deelnemers bepalen zelf wat in de visie van Arta voor hen bruikbaar is: het gaat er vooral om dat ieder zijn eigen levensweg weet te vinden.

De behandeling van Arta volgt twee wegen: de weg naar binnen en de weg naar buiten. De weg naar binnen houdt in dat je naar jezelf kijkt en met jezelf in het reine probeert te komen. De weg naar buiten betekent dat je je rekenschap geeft van je verhouding tot de buitenwereld, want uiteindelijk zul je in die buitenwereld moeten leren leven. De therapeutische gemeenschap biedt de ruimte om nieuw gedrag uit te proberen en te oefenen. Doordat je medebewoners dezelfde weg gaan, kun je elkaar daarin ondersteunen, corrigeren en aanmoedigen.

Arta heeft huisartsen en een psychiater, die iedere bewoner aan het begin van de opname onderzoeken. Omdat je na een verslaving je verbinding met de buitenwereld weer moet herstellen, is de omgeving waarin de behandeling plaatsvindt, erg belangrijk. Daarom is er veel aandacht voor de inrichting van de ruimtes, met natuurlijke materialen en een bewust kleurgebruik. Er wordt gezond voedsel gegeten, bereid van producten die geteeld zijn zonder kunstmest en zonder bestrijdingsmiddelen, zo veel mogelijk uit eigen tuin.

De volgende dag kwam tegen zeven uur het leven op de boerderij weer op gang. Er werd op de deur van mijn kamer geklopt en Maurits stapte mijn kamer binnen.

'We gaan ontbijten,' zei hij en hij vroeg of ik goed geslapen had. In de wijze waarop hij de vraag stelde, lag het antwoord al verscholen.

'Dat ging wel,' loog ik. Ik wilde niet dat anderen deel hadden in mijn ellende, en bovendien had ik een hekel aan klagen.

Toen ik in de keuken kwam, had iedereen zich al om de eettafel verzameld. Ik wenste het gezelschap goedemorgen en ging op een vrije stoel naast Henk zitten. Henk was erg opgewekt en trok mij het meest aan. Hij was het die de vorige avond gitaar had zitten spelen in zijn kamer, die hij met Martin deelde.

Het ontbijt bestond uit thee, zelfgebakken brood, kaas, pindakaas en jam. Ik had nog altijd geen trek. Maurits moedigde me aan om toch een boterham te eten. Ik smeerde een snee brood met boter en pindakaas en nam kleine hapjes. De kruidenthee gaf me een rustig gevoel. Er werd druk gepraat over de activiteiten van de dag.

'Abkader helpt je vandaag in de tuin,' zei Maurits tegen Martin.

'Ik zal je het boerenvak gauw leren,' sprak Martin met een Achterhoeks accent.

'Bedankt, dat lijkt me heel leuk,' antwoordde ik met gespeeld enthousiasme.

Tijdens het eten kreeg ik enorme drang om over te geven, maar ik dwong mezelf te wachten tot na het ontbijt. Na het eten spoelde ik die paar hapjes brood door het toilet. Mijn God, wat was ik er erg aan toe. Kwam hier nu nooit een eind aan?

'Gaat het een beetje?' vroeg Sylvia, toen ik uit het toilet kwam. 'Kan ik iets voor je doen?'

'Nee, dank je, het gaat wel, ik ben alleen een beetje misselijk,' zei ik.

'De eerste paar dagen zijn het moeilijkst en daarna zal het best meevallen. Hou vol,' zei ze bemoedigend. Sylvia was een van de twee meisjes die al vier weken in de boerderij woonden. Zij was lichamelijk al redelijk opgelapt.

Die dag begonnen we met een flinke wandeling in de frisse boeren-omgeving van Hamingen. Daarna liep ik met Martin in de richting van de moestuin. De zon scheen helder. We liepen langs de varkensstal en de stank kon ik als stadsjongen nauwelijks verdragen. In de groente-tuin gaf Martin me een schoffel en hij deed me voor hoe ik het onkruid tussen de groenten weg moest wieden. Er groeiden diverse groenten in de tuin: tomaten, sperziebonen, doperwten, aardappelen, rode bieten, komkommers, pompoenen, sla en nog veel meer.

Het werken in de buitenlucht deed me goed en ik knapte er een beetje van op, maar de pijn in mijn lichaam ging onophoudelijk door. Onkruid wieden vond ik ook een prettige bezigheid in mijn situatie. Ik kon mijn gedachten uitschakelen, en mijn lichaam bewoog langzaam en soepel met de schoffel heen en weer. De warmte van de zon had een verzachtende werking op mijn lichaam.

Onder het werk praatte Martin veel over zichzelf. Hij woonde in Deventer en was al twee weken op de boerderij. Hij stond zeer onver-schillig tegenover zijn aanwezigheid hier. Hij was samen met zijn li-chamelijk gehandicapte broer, die in een rolstoel zat, aan heroïne en cocaïne verslaafd geraakt, en soms gebruikten zij ook speed en andere verdovende middelen. Na tien jaar verslaving – hij liet mij zijn volge-prikte arm zien – had hij er genoeg van gekregen en zo was hij bij Arta terechtgekomen.

'Hoe zit het met je broer?' vroeg ik.

'Die is een halfjaar geleden aan een overdosis overleden,' ant-woordde hij.

Door naar hem te luisteren vergat ik voor een ogenblik mezelf en mijn situatie.

'Heb je wel eens gespoten?' vroeg hij.

'Nee, nooit,' antwoordde ik. 'Ik hield meer van roken, van de medi-cinale smaak van heroïne in mijn mond en bovendien heb ik altijd een hekel gehad aan naalden.'

Martin liep naar de hoop compost en begon met een hark het spul in een kuil te gooien. Hij werkte hard en praatte tussendoor veel. Af en toe stopte hij om het zweet van zijn voorhoofd te vegen; je kon zien dat hij een echte boer uit de Achterhoek was. Op een bepaald moment kwam Sylvia met Henk aanlopen om groenten te halen voor het middageten.

Henk liep in zijn nette kleren rond en klaagde almaar over het boerenleven op Hamingen. 'Ik snap niet wat ik doe in deze boerenrotzooi,' riep hij, terwijl hij over zijn schone kleren streek. Martin deed voor de grap alsof hij een schep compost naar hem gooide, maar door zijn onhandigheid schoot toch wat compost de lucht in richting Henk, die het afval niet meer kon ontwijken. Hij kreeg de compost precies op zijn overhemd en het miste zijn gezicht maar net.

'Wel verdomme!' riep Henk boos. 'Kijk wat je doet, boerenlummel! Je hebt mijn schone kleren smerig gemaakt met je vieze compost.'

Hij stond op het punt om Martin te lijf te gaan, maar ik hield hem tegen. Martin stond al met zijn hark klaar om hem op te vangen.

Ook Sylvia kwam tussenbeide. 'Kom, Henk, die kleren maken we later wel schoon. Het is de moeite niet om hiervoor te gaan vechten,' zei ze.

'Ja, het was maar een grap, sorry. Ik wilde je niet raken,' zei Martin.

Het leuke van Henk was dat hij mensen weer snel vergaf. Zijn woede bekoelde snel en hij ging naar binnen om zich om te kleden. Sylvia volgde hem met de mand met groenten die zij ondertussen uit de tuin had gehaald. Ik bleef weer alleen met Martin achter, die om zijn onbenullige grap lachte.

'Het zal hem leren, de kapsoneslijder!' zei hij lachend.

'Dat had je misschien beter niet kunnen doen,' zei ik. Martin was al verder gegaan met compost harken. En ik ging weer verder met onkruid wieden. Ik vond het een prettige bezigheid.

Rond halfeen werden we geroepen voor de lunch, die bestond uit gekookte groenten en rijst met twee soorten saus. Henk beklaagde zich tijdens de lunch bij Maurits over de actie van Martin die ochtend. Ook Maurits moest erom lachen. Henk liep een beetje rood aan, maar reageerde verder niet. Ik had nauwelijks van het gezonde voedsel gegeten. Ik had de afgelopen jaren nooit zo veel groenten bij elkaar op één tafel gezien. Ik was dit soort eten niet gewend, en bovendien was ik te ziek om te eten. Ik snakte naar heroïne.

Ik vertelde na de lunch aan Maurits dat ik erg ziek was en vroeg hem die middag in bed te mogen blijven liggen.

'Nee!' antwoordde hij resoluut. 'Hier doet iedereen mee met het dagprogramma. Het is niet goed dat je je terugtrekt in je kamer. Dat willen wij juist zo veel mogelijk voorkomen. Alleen door buiten te zijn en door met je lichaam bezig te zijn, zul je sneller herstellen van de afkickverschijnselen. Met in bed blijven liggen help je jezelf niet. Bovendien, het is hier geen hotel!'

Ik was teleurgesteld over zijn reactie. Wij hadden ongeveer tot halfdrie de tijd voor ons zelf en daarin mocht iedereen bepalen wat hij wilde doen. Vanaf halfdrie moest er weer gewerkt worden. Ik had die pauze gebruikt door in bed te gaan liggen. Ik voelde de warmte van de dekens op mijn lichaam, want ondanks de temperatuur buiten had ik het erg koud. Slapen kon ik niet.

Ik was de hele dag ziek en beroerd. Na het avondeten stond tot mijn grote ergernis een lange wandeling op het programma. Aanvankelijk wilde ik vanwege de pijn in mijn lichaam niet mee, maar Maurits maakte mij opnieuw duidelijk dat het Arta-programma verplicht was en weer mocht ik niet in bed blijven. De gedachte alleen al was voor mij een kwelling, maar ik moest mee.

Tijdens de wandeling deed ik mijn best om niet te vallen. Sandra, het andere meisje, kwam naast mij lopen en begon mij vragen te stellen over mijn verslaving en waarom ik bij Arta was. Ik had geen zin om over mezelf te praten. Ik had helemaal geen zin om te praten.

Zij vertelde zelf.

'Ik heb zelf lang geprobeerd af te kicken. Later probeerde ik het drie jaar met methadon en andere middelen, maar het lukte niet,' zei ze. Ik heb in Amsterdam gewoond en daar is het gewoon erg moeilijk om af te kicken. Ik heb eerder een tijdje bij de Jellinek gezeten, maar zodra ik in de buurt was van mijn oorspronkelijke omgeving, ging het snel weer mis. De drugs vind je overal om je heen. Ik besloot op een gegeven moment om helemaal uit Amsterdam weg te gaan.' Zij pauzeerde even en ik maakte van de gelegenheid gebruik om haar te vragen hoe oud ze was.

'Ik ben dertig,' antwoordde ze, 'en ik zie eruit als een vrouw van veertig.' Ze straalde iets uit van verbittering en hardheid. De sporen van het harde leven in de drugswereld en waarschijnlijk ook in de prostitutie hadden duidelijk een stempel op haar lichaam en ziel gedrukt.

'Hoe lang heb je gebruikt?' vroeg ik. Ze moest heel diep nadenken.

'Vanaf mijn negentiende, dus dat is bij elkaar veertien jaar.' Ze vervolgde: 'Ik heb alles gebruikt wat verdooft: hasj, heroïne, cocaïne, speed, alcohol. Maar ik heb er nu genoeg van. Ik zit nu sinds vier weken bij Arta en voel me lichamelijk al niet meer zo erg ziek, maar het zit in mijn hoofd.' Ze tikte met haar wijsvinger op haar hoofd om duidelijk te maken waar haar verslaving nog zat.

Henk liep achter ons met Martin en Maurits te praten. Hij was het voorval met Martin al helemaal vergeten. Sylvia liep vooruit met de Afghaanse hond van Maurits. Ik vertelde Sandra over mijn verslaving en over mijn liefde voor de muziek.

'Ik had genoeg van mijn leven als gebruiker. Ik bevond mij op een avond op een tweesprong en ik wist dat ik een keuze moest maken. Ik gebruik sinds mijn vijftiende hasj en marihuana, want dat was bij ons thuis heel normaal. Ook mijn vader heeft in zijn militaire tijd in Marokko lang hasj en kif gebruikt. In onze cultuur is dat heel normaal. Maar heroïne is iets heel anders. Daar had ik geen ervaring mee. En ik was eerlijk gezegd ook niet bekend met de gevaren ervan.' Sandra herkende dit. Ook zij was destijds te jong om de wereld en de gevaren van drugs te kennen.

'Laten we hopen dat we hier bij Arta een nieuwe start kunnen maken,' zei ze.

Ondertussen waren we bij de boerderij teruggekomen. Het was ongeveer negen uur. Ik had pijn in mijn benen van het lopen. Ik was natuurlijk wel gewend om in Hoog Catharijne veel te lopen, maar deze wandeling in de frisse boerenlucht was nieuw voor me. We hadden tot tien uur de tijd om voor onszelf iets te doen. Ik ging met Henk naar zijn kamer op de bovenverdieping van de boerderij. De kamer zag er erg gezellig uit. Henk pakte zijn gitaar en begon 'Imagine' van John Lennon te spelen. Even later kwamen Sylvia en Martin erbij zitten. Sylvia begon het lied mee te zingen, terwijl Martin ritmeloos met de muziek meebewoog. Er hing door dat lied een gemoedelijke sfeer in de kamer; een sfeer van vriendschap en saamhorigheid. Ik was voor heel even mijn ellende en mijn pijn vergeten.

Het gezang ging door en toen Henk klaar was en zijn gitaar wegzette, pakte ik die op en begon ik te spelen. Hij keek verbaasd.

'Ik wist niet dat je gitaar speelde,' zei hij.

Ik begon een lied van Bob Dylan te spelen en Henk en Sylvia begonnen mee te zingen. 'How many roads must a man walk down, be-
fore you can call him a man. The answer my friend, is blowing in the
wind, the answer is blowing in the wind.' Martin probeerde het wel,
maar kende de tekst niet goed. Net toen het heel gezellig werd, kwam
Maurits naar boven om ons te vertellen dat het tien uur was. De regel
was dat het vanaf tien uur volledig stil in huis moest zijn. Het licht
mocht wel nog tot halfelf aan.

Op aandringen van Maurits nam ik afscheid en ik liep naar beneden, naar mijn kamer. Daar keek ik nog even naar de boekenkast, waar
verschillende boeken stonden over antroposofie en wat romans, maar
ik had geen zin om te lezen: ik voelde mij erg ziek en lusteloos. Daarom besloot ik maar het licht uit te doen en onder de dekens te gaan liggen. Ik kreeg een hevige hoestaanval en voelde het slijm in mijn keel.
Ook begon ik weer te zweten, al vroeg het trillen van mijn lichaam om
meer aandacht. O, mijn God, wat voelde ik mij beroerd. Mijn lichaam
voerde de strijd met de demon die het had bezet. Deze duivel, die mij
leek te martelen, hield mij wakker om niets van de pijn te missen die
hij mij toebracht. Ik moest bij mijn volle bewustzijn blijven.

Ik werd misselijk en holde naar het toilet om te braken. Vanwege
de stilte in de nacht kon iedereen in de boerderij mij horen. Ik schaamde mij vreselijk, maar kon niet anders. Mijn buik deed pijn en mijn in-
gewanden voelden aan alsof ze opgezwollen waren, alsof ik slangen in
mijn darmen had, die zich door mijn binnenste een weg naar boven
baanden, via mijn maag naar mijn longen. Opnieuw begon ik te kokhalzen en weer rende ik naar het toilet om die beesten in mijn maag
eruit te kotsen. Ik bekeek mezelf in de spiegel en ik schrok van de persoon die ik zag. Ik ging gauw weer naar bed om de warmte van de dekens op mijn zieke lichaam te voelen; dat was mijn enige troost. Ze
wilden mij geen medicijnen geven. Ik moest het helemaal alleen doen,
zeiden ze tegen mij, maar de pijn was ondraaglijk. Hoe verder de nacht
vorderde, hoe erger de pijn werd. Mijn lichaam voelde alsof het in staat
van ontbinding was. Ik had het gevoel dat ik het vlees er zo vanaf kon
rukken. Dat was de demon, die mij had opgevreten.

Ik begon paranoïde te worden en stelde mij duivels voor. 'Je bent in
de hel! Je bent in de hel!' riepen mijn kwelgeesten. Ik stond bang op en
wilde mijn kleren aantrekken om ervandoor te gaan. Dit kon ik niet

meer aan. Het was meer pijn dan een mens kon verdragen.

Toen ik mijn kleren in het donker had aangetrokken, ging ik besluiteloos op de bureaustoel zitten, mij afvragend waar ik in godsnaam midden in de nacht naartoe kon. Ik kon misschien in een paar uur via de plattelandswegen naar het station Meppel lopen, maar tot zes uur in de morgen reden er geen treinen. Ik zat moedeloos over mijn situatie te piekeren. Nee, het beste wat ik kon doen, was gewoon weer te gaan liggen tot de ochtend en dan zou ik na het ontbijt de benen nemen.

Ik trok mijn kleren weer uit en ging weer onder de warme dekens liggen. Goed, demonen, kom mij maar halen dacht ik. Ik kon niets doen, Maar deze keer kwamen ze niet. De pijn was er nog, maar ik voelde mij rustig vanwege het besluit om de volgende ochtend uit deze hel te vertrekken. Ik viel even in een lichte slaap.

Ik droomde dat ik in een nachtclub zat. Het was sjiek, warm en gezellig. Overal zaten mensen te roken en te drinken. Ik kreeg een klein bolletje heroïne aangeboden en een glas whisky. Ik zei, dat ik die heroïne niet wilde en wilde het teruggeven. Op dat moment keek iedereen in de club mij aan. In die blikken zag ik de demon, die mij in zijn greep had. Al die mensen werden tot één vorm, mijn kwelgeest, die mij toesprak. 'Je zult nooit aan mij ontkomen. Weigeren heeft geen zin. Strijd voeren heeft ook geen zin. Uiteindelijk zul je bij mij terugkeren. Je kunt niet anders. Ik bezit je geest en ik bezit je lichaam.' Ik stond angstig op en wilde achteruitlopen, maar ik struikelde over de bank, en op het moment dat ik de grond zou raken werd ik met een kreet wakker. Ik zat bevend overeind naar het zwart in mijn kamer te kijken. Ik was bang. Op de klok zag ik dat ik vijf minuten had geslapen.

Dit was de strijd die ik met de demon voerde. De demon beheerste alles in mij, zelfs mijn dromen. Ik durfde niet meer te gaan slapen en dus bleef ik tot het ochtendlicht wakker op mijn bed zitten wachten.

De nacht was erg lang en ik was blij het eerste licht van de nieuwe dageraad mijn kamer in te zien schijnen. Ik had de hele nacht de gordijnen opengelaten in afwachting van dit moment. Net op het moment dat ik opstond om mij aan te kleden en mijn spullen te pakken en te vertrekken, voelde ik weer een onverklaarbare kracht diep in mij, die mij tegenhield. Die kracht had ik nooit eerder gevoeld. Was dit soms God, die mij een hand toestak? Ik wilde graag geloven dat dit de kracht van God was.

Waar moest ik naartoe als ik nu wegging? Ik had in Utrecht niets om naar terug te gaan. Er was voor mij geen weg terug meer. Ik had alle deuren achter mij dichtgeslagen, alle schepen achter mij verbrand. Bovendien zou mijn vertrek betekenen dat ik de strijd definitief had verloren. Ik was naar dit oord gekomen om te vechten tegen de vreselijke, onverwoestbare demon. Ik kwam naar dit oord om mijn kwelgeest voor altijd te vernietigen en mezelf te bevrijden. Nu weggaan betekende niet alleen dat ik de strijd had verloren, maar hield ook een keuze in voor de totale vernietiging. Want dat was wat de demon in mij deed, mij langzaam en stukje bij beetje vernietigen, totdat ik uiteindelijk in de goot zou sterven, zonder eigenwaarde. Deze gedachte bezorgde mij meer angst dan de pijn van de strijd waarin ik zat.

Ik besloot om het nog één dag vol te houden. De volgende dag kon ik altijd nog weg als ik wilde. Dus ik bleef.

VERTREK UIT DE HEL

Na het ontbijt hielp ik met afwassen. Het was gebruikelijk dat iedereen na het eten in de keuken meehielp. Men vond het effectiever dat het op vrijwillige basis gebeurde dan het te verplichten. Zo leerden de bewoners van Arta om elkaar te helpen zonder dwang van de hulpverleners. Dit systeem van hulpvaardigheid werkte prima. Toen wij klaar waren met de afwas, stelde Maurits voor de dag te beginnen met een waarneming. Elke dag werd de dag na het ontbijt gestart met een activiteit van een halfuur, zoals een wandeling, een waarnemingsoefening of met z'n allen in de tuin klussen; in ieder geval een gezamenlijke activiteit voor alle bewoners.

Die ochtend kregen wij een tekenblok, een potlood en een gum om een onderwerp in de tuin te kiezen en na te tekenen, zoals een bloem, een vrucht of een plant. Deze oefening was erop gericht om de waarnemingsvaardigheden van de bewoners te herstellen na de periode van drugsgebruik, waarin iemand alleen maar oog heeft voor de drugs zelf en voor niets anders. Wij moesten leren de details van het leven en de natuur weer te zien en te ervaren.

Ik ging op een houten kistje in de tuin zitten en begon paardenbloemen en grassprietjes eromheen te tekenen. Verderop zat Henk tegenover de varkensstal. Hij tekende een van de twee varkens die in de ochtendzon lagen te luieren. Sylvia en Sandra zaten bij een rozenplant; zij kozen voor de romantiek. Martin koos zijn compost, kennelijk zijn lust en zijn leven.

Dit tekenen van kleine details in de natuur, waar ik nooit eerder oog voor had gehad, was een prima afleiding van mijn lichamelijke strijd. Ik gaf mij helemaal en voelde mij een Vincent van Gogh of een Picasso, bezig met zijn meesterwerk. Maar mijn waarneming was niet scherp, zodat de tekening nergens op sloeg. Ik verscheurde het blad en begon op een nieuw blad opnieuw. Voordat ik klaar was, was het halfuur om en werden wij gevraagd onze spullen op te bergen voor de volgende keer en aan de slag te gaan met onze werktaken van die dag.

Terwijl de rest naar binnen ging, bleef ik met Martin in de tuin achter. Wij liepen samen naar de schuur, waar het werkmateriaal stond,
en liepen daarna met onze gereedschappen in de hand de tuin in. Martin ging naar het compost, dat als mest werd gebruikt voor de groentetuin, en ik ging weer aan de slag om het onkruid te wieden. Opnieuw
begon Martin met zijn verhalen over zijn drugsgebruik en wat hij allemaal had gedaan om aan geld en drugs te komen. Hij sprak aan één
stuk door. Ik probeerde zo ver mogelijk van hem vandaan te werken,
zodat ik hem niet meer kon horen. Ik wilde gewoon aan de slag en ik
had genoeg aan de ellende van mezelf. Ik had geen behoefte aan zijn
sterke verhalen. Omdat ik niet reageerde, stopte hij op een gegeven
ogenblik vanzelf.

Ik was in mezelf gekeerd aan het werk. Het gevoel van de warme
zon op mijn zieke lichaam sterkte me. Terwijl mijn lichaam zich bezighield met het schoonmaken van de natuur, was ik in gedachten
druk bezig met mijn leven. Het was een chaos in mijn hoofd. Verleden,
heden en toekomst, alles liep in mijn verwarde hoofd door elkaar. Er
was geen structuur in mijn denken en ook geen rust of kalmte. Ik probeerde mij zo veel mogelijk te concentreren op het onkruid wieden.
Maar mijn concentratievermogen was aangetast. Mijn geest was een
soort doolhof van gedachten die nergens toe leidden, behalve naar het
beginpunt. Is dat wat de mannen met de baarden van de moskee mij
op die dag, een paar jaar terug, hadden uitgelegd over de trap op lopen
en als je eenmaal boven was, dan liep je gewoon weer de trap af naar
beneden? De essentie van zinloosheid!

Zij hadden mij verbannen; ik had een pact met de duivel gesloten.
Zij hadden mij uitgestoten, omdat ik andere opvattingen had over het
leven dan zij. Ik had geprobeerd alles uit het leven te halen en te strijden voor mijn opvattingen. Ik wilde in alle openheid de grote wereld
leren kennen en die onvoorwaardelijk toelaten in mijn leven. Ik wilde
gelijkheid, oprechtheid en rechtvaardigheid voor alle mensen. Die
moskeemannen wilden geen openheid en gelijkheid. Zij voelden zichzelf verheven boven ieder schepsel op aarde en wilden alle macht naar
zich toetrekken. Zij misbruikten de opvatting van de volledige overgave, die de islam van elke moslim verwacht. Zij zagen mij als een mislukte schepping van God, een schepping die alleen diende om de

haard in de hel brandend te houden. Ik was in hun ogen niets dan lucht. Een soort virus, dat je moest mijden, voordat je werd besmet.

Ik wilde niet meer denken aan die mannen en hun opvattingen over het leven.

De ochtend was snel voorbij. Henk kwam ons ophalen voor het middageten. Nadat ik mij had opgefrist in de badkamer, liep ik even naar mijn kamer om een paar minuten op bed te liggen. Ik voelde mij erg moe en had helemaal geen zin om in de drukke keuken te zitten.

Lang mocht mijn rust niet duren, want Maurits klopte op de deur en vroeg mij direct aan tafel te komen. Dat was een vaste regel: ook als je geen zin of geen honger had, moest je aan de eettafel zitten. En je mocht pas van tafel als iedereen klaar was met eten.

Ik ging op de rand van het bed zitten, Maurits kwam binnen en terwijl hij op de stoel tegenover mij ging zitten, zei hij: 'Ik weet dat je het moeilijk hebt, Abkader, al praat je weinig over jezelf en vertel je weinig over je pijn. Maar je terugtrekken en gaan liggen piekeren over je ellende en je pijn heeft geen zin. Geloof me, het beste is om te proberen zo veel mogelijk actief bezig te zijn en afleiding te zoeken. Dat is de beste manier om je strijd te vergeten. Probeer het los te laten en concentreer je op het nu.' Hij zweeg en wachtte op mijn reactie.

'Het lukt me niet om me te concentreren op het nu, op dit leven hier. Ik ben in de war en ik wil even alleen zijn. Dat is alles wat ik nu wil, maar ik zal mijn best doen om mee te doen. Dat beloof ik,' antwoordde ik.

We stonden op en, terwijl Maurits mij bemoedigend op de schouder klopte, liepen we samen naar de eetkamer, waar de rest op ons zat te wachten.

Na het eten riep Maurits mij bij hem op kantoor. 'Hoe bevalt het je bij ons?' vroeg hij.

'Om eerlijk te zijn: niet goed,' antwoordde ik open. Dit is nu mijn derde dag hier op de boerderij en ik voel mij hier niet thuis. Ik was vannacht van plan om weg te lopen.'

Maurits knikte begrijpend. 'Dat is heel gebruikelijk en ik ben blij dat je dat eerlijk zegt,' zei hij. 'Iedereen die hier komt, heeft het de eerste drie dagen erg moeilijk. Die eerste drie dagen zijn cruciaal. Als je hier goed doorkomt, zul je het daarna iets makkelijker krijgen. De meeste verslaafden die uitvallen, doen dit binnen de eerste vijf dagen.

En jij hebt het tot nu toe uitstekend gedaan. Hou nog even vol!'

De gedachte dat ik bijna door de eerste cruciale dagen heen was, gaf mij nieuwe moed. Maurits zag dat zijn woorden effect op mij hadden en ging door: 'Aan het eind van de week zullen wij samen een gesprek hebben over je voortgang, en als je in dit tempo doorgaat, zal je doorstroom naar de Witte Hull eerder zijn dan de geplande twee maanden.' Ik was blij te horen dat ik niet twee maanden hier hoefde te blijven, want dat zou ik nooit volhouden.

'Kan ik geen medicijnen krijgen tegen de pijn?' vroeg ik wanhopig.

'Nee, dat gaat echt niet. Medicijnen, roken en koffie zijn middelen die wij hier niet gebruiken en niet toelaten.'

Ik stapte over op een ander onderwerp. 'Waarom hebben jullie hier geen televisie of stereo-installatie?'

Hij legde mij uit dat Arta er alles aan doet om elektrische apparaten die mensen passief maken, buiten de deur te houden. 'Televisie doodt je creativiteit. Alles wordt je voorgeschoteld door anderen. Bovendien wordt alles je opgelegd door anderen. Je kunt alleen maar zappen. Bij ons kun je kranten of boeken lezen als je vrije tijd vindt in het dagprogramma. Wij zijn zowel overdag als 's avonds actief bezig met onze omgeving. Dat vinden wij veel belangrijker. En we proberen dichter bij de natuur te leven.'

Ik zei dat ik het begreep, maar eigenlijk begreep ik het nog niet zo goed. Ik moest dit toch allemaal even verwerken, dacht ik. Geen vlees. Alleen surrogaatkoffie. Sigaretten zijn niet toegestaan. Geen televisie en geen muziek. Al deze middelen associëren drugsgebruikers met hun vorige leven daarginds, had Maurits mij uitgelegd en het was beter om al die associaties weg te nemen, zodat de mensen nieuwe ontdekkingen konden doen in hun nieuwe leven, in het hier en nu. Dat was de filosofie die erachter zat.

'Je hebt mij overtuigd,' zei ik en ik vervolgde: 'Ik vind het een interessant uitgangspunt in jullie aanpak. Alleen, het is niet gemakkelijk om van de ene op de andere dag alles in één keer kwijt te raken. Het is een zwaar programma.'

Maurits lachte en zei: 'Wie zegt dat afkicken gemakkelijk is?' Daarna beëindigde hij het gesprek en mocht ik wat gaan rusten voor het tweede deel van de dag.

Toen ik in bed lag, dacht ik nog eens goed na over wat Maurits had gezegd en over de eerste vijf dagen. Nog twee nachten met de zware strijd tegen de demon. Die nacht ging het gebeuren. Als ik de komende nacht stand wist te houden tegen zijn kwellende aanvallen, dan was het een stap in de goede richting. Die gedachte gaf mij opnieuw veel moed.

De rest van de dag deed ik mijn best om de pijn in mijn lichaam te onderdrukken en mee te doen met de anderen. Na de avondwandeling nam ik een warm bad en ging ik naar bed. Ik was niet ingegaan op de uitnodiging van Henk en Sylvia om bij hen op de kamer muziek te komen maken. Ik was zwak, moe en misselijk, en ik verlangde naar slaap, die ik al twee nachten niet had gehad. Het warme bad deed me goed. Ik pakte een stripboek uit de boekenkast en probeerde in bed wat te lezen. Ik hoorde boven mij de zachte, zingende stemmen en het getokkel van Henks akoestische gitaar.

Die nacht verliep net als de twee vorige, alleen lukte het mij deze keer iets sneller in slaap te vallen: tegen de ochtend, om een uur of vier. En weer was daar die nachtmerrie. Ik bevond mij in diezelfde omgeving als in de vorige droom. Iedereen om mij heen was aan het snuiven of aan het chinezen. Ditmaal kreeg ik niets en ik wilde zo graag chinezen. Ik smeekte de mensen om mij heen om mij iets te geven, maar iedereen duwde mij weg. Ik liep door de ruimte te wankelen en te bedelen, maar niemand wilde mij helpen. Mijn demon had zich niet laten zien en de andere mensen gedroegen zich zo normaal dat ik geloofde dat die situatie echt was. Ik wilde om hulp schreeuwen. Ik wilde de demon roepen, maar ik had geen stem. Ik riep en riep, maar er was geen geluid.

Plots werd ik wakker. Ik keek op de klok naast mijn bed en zag dat ik een halfuur had geslapen. Ik voelde mij verward. Ik stond op, liep naar het raam en deed de gordijnen open. In de verte zag ik de eerste lijn van het ochtendlicht. Dat beetje licht stelde mij weer gerust. Ik was bang voor de nacht en verlangde naar een moment van rust, zonder strijd. Alleen maar rust en verder niets.

Ik vroeg mij af wat het betekende dat mijn demon zich in mijn droom niet had laten zien. Ondanks mijn smeekbeden was hij weggebleven. Was dat een goed teken? Dat wist ik niet. Ik voelde de pijn in mijn lichaam, die mij duidelijk maakte, dat de strijd nog niet gestreden was.

In de morgen was ik als eerste bij de ontbijttafel. Ik voelde mij hongerig, voor het eerst sinds ik op Hamingen was aangekomen. Ik ontbeet die ochtend beter en dronk een glas warme chocolademelk. De rest van de dag voelde ik mij stukken beter en ook sterker. De pijn in mijn lichaam nam duidelijk af. Na de lunch sliep ik voor het eerst sinds vier dagen vast. Als Maurits mij niet wakker had gemaakt, had ik de hele dag doorgeslapen. Maurits zei dat het een goed teken was en herinnerde mij eraan dat ik goed door de eerste drie dagen was gekomen. Het zou nu alleen maar beter worden, zei hij nog eens.

En inderdaad, de daaropvolgende nacht sliep ik stukken beter, al waren de pijn in mijn lichaam en de verwarring en angst in mijn hoofd nog niet helemaal verdwenen. De demon had zich niet meer laten zien. Ik voelde een overwinningskracht in mij zoals ik nooit eerder had gevoeld. Eindelijk had ik doorgezet in mijn strijd. Opnieuw vatte ik moed om te blijven in Arta, de arena van mijn strijd. Ik boekte uitstekende vooruitgang en wilde alles op alles zetten om nu door te gaan.

Op de vijfde dag zag ik er frisser uit, at ik beter en begon ik mij echt te interesseren voor het leven op Hamingen en zijn bewoners.

'Welkom bij de club,' zei Henk op een avond, terwijl we in de buitenlucht rond een kampvuur zaten te genieten van thee, warme chocolademelk en zelfgebakken koekjes. Er werd ook snoep uitgedeeld. Het weer was goed en Hamingen organiseerde een soort lentefeest voor zijn bewoners. Het was ook bedoeld om ons onze ellende even te laten vergeten. Wij speelden gitaar, zongen liederen en spraken over onze toekomst. We voelden ons met elkaar verbonden.

De volgende dag werd de feestroes verbroken door het vertrek van Martin. Bij het ontwaken bleek dat hij zijn spullen had gepakt en stiekem was vertrokken. Hij had niemand iets over zijn vertrek verteld. Er hing een bedrukte sfeer tijdens het ontbijt en er werd weinig gesproken. Terugval van een bewoner was telkens een schok voor de groep. Immers, dat kon iedereen overkomen. En nog erger, er heerste de vrees dat anderen hierdoor ook zouden worden aangemoedigd om weg te gaan, terug naar het vertrouwde leven in de drugswereld. Men vreesde dat de groep uiteen zou vallen.

Maurits organiseerde na het ontbijt een groepsgesprek als openingsprogramma van de dag. Iedereen werd in de gelegenheid gesteld om zijn eigen beleving te vertellen. Toen ik aan de beurt was, bekende k dat ik in de tweede nacht van plan was geweest om weg te lopen, maar dat ik daarvan af had gezien omdat ik nergens heen kon. Ik vertelde ook dat het nu stukken beter ging met mij, zeker na het feest van de vorige avond.

Voor Martin was het feest waarschijnlijk juist de aanleiding geweest om terug te vallen. Hij kon blijkbaar nog niet feestvieren zonder aan drugs te denken. Wij konden dat eigenlijk ook niet, maar wij hadden wel ons best gedaan om niet aan drugs te denken. De rest van de dag probeerden wij ons extra te concentreren op het leven op Hamingen en op elkaar. Dat was de opzet van Maurits. Let op elkaar en steun elkaar, had hij ons gezegd.

Na het avondeten maakten we een langere wandeling dan de andere dagen. Wij liepen gemoedelijk met elkaar te praten over de mogelijkheden in de toekomst. Iedereen had een eigen beeld bij de nieuwe toekomst in Arta. Arta was voor ons een verborgen wereld in de harde werkelijkheid van de maatschappij. Letterlijk afgeschermd van de buitenwereld konden wij hier werken aan ons herstel en aan een hernieuwde voorbereiding op de maatschappij.

Vier lange weken na mijn aankomst kreeg ik op een ochtend de vraag om mij te melden bij Maurits. Ik had in de voorgaande weken gedisciplineerd en hard gewerkt aan mijn lichamelijk herstel. Na de eerste week begon ik mij weer sterker te voelen. Ik had geen last meer van nachtmerries en mijn kwelgeest leek de strijd te hebben opgegeven. Ik at beter van de gezonde biologisch-dynamische voeding, ik kon weer goed slapen en ik was betrokken bij het leven in en rondom de boerderij. Ook kreeg ik meer kleur op mijn gezicht. Ik besteedde steeds meer aandacht aan het leven binnen Arta. Ik dacht minder aan Hoog Catharijne en aan de mensen met wie ik daar omging. In de derde week van mijn verblijf lukte het me om me volledig te concentreren op het leven in Arta.

Ik had hard gewerkt, omdat ik maar één ding wilde, en dat was hier wegkomen en naar de Witte Hull verhuizen. Hamingen was het moeilijkste gedeelte van het hersteltraject van Arta. Elke bewoner wilde niets liever dan naar de Witte Hull gaan. In de volgorde van binnenkomst stond ik als laatste op de lijst voor een doorstroom naar de tweede fase. Voor doorstroom waren twee factoren van belang. De eerste was dat er een plaats moest vrijkomen in de Witte Hull door het vertrek van iemand anders naar de nazorg of bijvoorbeeld door uitval. De tweede factor was je eigen persoonlijke ontwikkeling in je herstelproces en in het nemen van eigen verantwoordelijkheid. Op de eerste factor had je geen invloed, maar op de tweede wel.

Henk was ervan overtuigd dat hij de volgende bewoner van Hamingen was die in aanmerking kwam voor doorstroom naar de Witte Hull. Het frustreerde hem eigenlijk een beetje dat hij niet allang overgeplaatst was. Maurits had daar vaak conflicten over met Henk en legde hem dan uit dat je een plek op de Witte Hull niet zo maar kon afdwingen.

Maurits vroeg mij plaats te nemen op de bank tegenover hem. Hij bood mij een kopje koffie aan, wat niet gebruikelijk was op een doordeweekse dag. Mijn dossier lag naast hem op tafel. Ik voelde dat er iets spannends ging gebeuren, maar durfde niet veel hoop te hebben.

We dronken onze koffie en Maurits begon: 'Abkader, je bent nu precies een maand op Hamingen. We weten dat je het in de eerste weken erg moeilijk hebt gehad, maar we hebben ook gezien dat je hard hebt gewerkt aan je herstel zonder te klagen. Wij hebben je hier de ruimte gegeven om in je eigen tempo aan je herstelproces te werken, binnen de grenzen van de Arta-regels. Ook die verantwoordelijkheid heb je prima opgepakt.' Maurits pauzeerde en ik keek hem vol spanning aan. Vertel nou wat je mij wilt zeggen, dacht ik, maar ik zei niets. Maurits vervolgde: 'Wij hebben je ontwikkeling met de Witte Hull besproken en we vinden dat jij nu zover bent dat je kunt doorstromen. We hebben overleg gehad met de Witte Hull; er komt volgende week een plaats vrij en wij hebben je voorgedragen. Gisteren hebben wij de bevestiging ontvangen dat je kunt komen.'

Mijn vermogen mij snel aan nieuwe omstandigheden aan te passen kwam mij hier nu erg goed van pas. De reis naar de Witte Hull! Ik was blij met deze mededeling. Eindelijk kon ik weg uit Hamingen. Ik bedankte hem voor zijn vertrouwen. Ik kon mijn blijdschap niet inhouden en wilde bijna in de lucht springen, maar toen ik aan Henk dacht, bekoelde mijn vreugde.

'En hoe zit het met Henk? Hij zit hier al twee maanden en maakt aanspraak op doorstroom naar de Witte Hull.'

Maurits knikte en zei: 'In volgorde van binnenkomst zijn de anderen je inderdaad voor, maar jij hebt een snellere ontwikkeling gemaakt dan de anderen. Wij kunnen je hier niets meer bieden. Het is voor jou beter dat je gaat. Henk is nog niet zover; hij moet nog veel leren.'

Henk kon mij eigenlijk ook niets schelen. Het ging erom dat ik volgende week naar de Witte Hull ging en dat was het enige wat voor mij telde. Langer op Hamingen blijven hield voor mij het risico in dat ik zou afhaken en dus was het beter als ik naar de Witte Hull ging.

'Zondag gaan we je met z'n allen naar Zeist brengen. Zorg dat je 's morgens alles gepakt hebt voor je vertrek. We gaan, voordat we naar Zeist rijden, eerst brunchen in Kampen, dus wij vertrekken rond negen uur.'

Ik keek ernaar uit. 'Een brunch in Kampen ter gelegenheid van mijn afscheid, geweldig,' zei ik. Ik bedankte hem voor de zoveelste keer en vertrok in de richting van de woonkamer, waar de rest zat te wachten op wat Maurits met mij had besproken. Henk was er ook en leek wel een vermoeden te hebben.

'Ik mag naar de Witte Hull!' riep ik vrolijk. 'Ik mag zondag weg.'

Sandra en Sylvia feliciteerden mij. Henk zei niets, bleef op afstand en leek teleurgesteld. Hij ging direct naar de kamer van Maurits om verhaal te halen. Na een halfuur kwam hij terug en verontschuldigde zich voor zijn gedrag tegenover mij. Maurits had hem op de een of andere manier overtuigd van zijn beslissing. Het was voor Henk beter om het niet nog erger te maken door in te gaan tegen het beleid van de hulpverleners van Arta, want dan kwam hij helemaal niet meer weg.

De dagen die volgden, deed ik mijn werkzaamheden met blijheid. Ik had zin in alles op boerderij Hamingen. Ik was weer vrolijk. Aan heroïne, hasj, drank en sigaretten dacht ik niet meer. Het enige wat mij bezighield, was de reis naar de Witte Hull. Daar was het leven in alle opzichten beter dan op Hamingen. Dat wist iedereen binnen Hamingen.

Op de dag van mijn vertrek stond ik vroeg op. Het ontbijt om zeven uur bestond enkel uit thee en een koekje; we zouden om negen uur naar Kampen vertrekken voor een uitgebreide brunch in de oude binnenstad. Ik had vóór de thee mijn bezittingen in de oude koffer ingepakt en die met het touw dichtgebonden. De zon scheen die ochtend prachtig en ik voelde mij goed. Ik was lang niet zo helder geweest in mijn hoofd. Ik had lang niet zo van het warme weer en de blauwe lucht genoten. Ik liep na het ontbijt een rondje rondom de boerderij en de groentetuin, om nog eenmaal alles in mij op te nemen. Ondanks dat ik mij niet helemaal thuis had gevoeld op Hamingen, had mijn verblijf op de boerderij mij erg goed gedaan. Ik was lichamelijk voor een groot deel afgekickt en had weer oog voor andere dingen in de wereld dan alleen maar drugs. Ik kon weer genieten van de bloemen, de heldere blauwe hemel en van de grazende koe in de weide van Hamingen. Dit alles was voor mij een herontdekking en ik nam hier tijd voor.

Ik hoefde niet meer te rennen en te stressen. Ik hoefde mij geen zorgen meer te maken over de dag van morgen, ik hoefde niet meer te vluchten voor personen die ik wilde mijden. Er was rust en er was weer leven in mij aan het ontkiemen. Wat dat betreft was mijn doel in Hamingen dus gerealiseerd en was ik toe aan de volgende stap in mijn leven.

Reis naar de Witte Hull

Mijn motivatie om in Arta te blijven nam met de dag toe en ik dacht niet meer aan weggaan.

Met z'n allen vertrokken we in het Toyota-busje van Maurits. Om halftien waren wij in Kampen en voordat wij naar het restaurant gingen, maakten we op voorstel van Maurits een wandeling door de stad. Het was erg verfrissend om op deze zonnige zondagochtend door de monumentale stad te lopen. Ik begon ook weer gevoel voor cultuur te krijgen en dat was een prettige ontdekking.

Om tien uur kwamen we in het restaurant aan waar Maurits had gereserveerd. Het lag aan de gracht in de binnenstad. Het interieur was ouderwets sjiek en smaakvol. We gingen aan een tafel bij het raam zitten en twee obers brachten de brunch. Het was voor het eerst van mijn leven dat ik een brunch meemaakte. Op de grote tafel werd van alles neergezet, kaas, vleeswaren, gebakken en gekookte eieren, gevulde tomaten met garnalen, gebakken ananasschijven, geroosterd brood, stokbrood, plakjes komkommer en nog veel meer. Er werden potten koffie en thee gebracht en karaffen met vers sinasappelsap.

Ik had in tijden niet zulk lekker eten gezien en dit was een welkom geschenk na een maand boereneten in Hamingen, waar ik maar niet aan kon wennen. Hetzelfde gold voor Sylvia, Henk en Sandra. Wij aten zoals wij nooit eerder hadden gedaan. Als iets op was, werd er gewoon nog meer gebracht door de vriendelijke kelners, die leken te genieten van onze eetlust. Maurits schaamde zich bijna voor ons gedrag. Het was maar goed dat het restaurant vrijwel leeg was.

'Eindelijk normaal eten,' riep Henk, terwijl hij aan zijn vierde kopje koffie slurpte met een half stokbrood in zijn hand. Sandra at niet zo veel en die vond het enthousiasme en het geslurp van Henk walgelijk. Terwijl wij ons te goed deden aan het overvloedige voedsel, vertelde Maurits tussendoor iets meer over Kampen.

'Ieder jaar organiseren ze in Kampen een oogstdag. Op die dag wordt verteld hoe het er vroeger op de boerderij aan toeging en je kunt ook een tochtje met paard en wagen maken, verse melk drinken en kijken hoe de boerinnen boter karnen. Heel informatief voor iedereen.' Ik knikte, terwijl Maurits zijn kennis over de Kampense cultuur met ons deelde. Maar echt geïnteresseerd waren Henk en ik niet.

'Hou maar op!' riep Henk verveeld, terwijl hij over zijn opgezwollen buik streek. Hij was zo vol dat er niets meer bij kon en dat leek hij jammer te vinden.

'Cultuurbarbaren!' riep Maurits in onze richting, terwijl hij de kelners gebaarde de rekening te brengen. 'We moeten maar maken dat we wegkomen, voordat we als ongewenste gasten worden gesommeerd het restaurant te verlaten. Mijn positie staat op het spel,' zei Maurits. Wij lachten om zijn opmerking.

We stapten in het busje en de reis naar de Witte Hull was nu echt begonnen.

De Witte Hull lag midden in de bossen van Zeist. Bij aankomst werden wij getrakteerd op een uitgebreide warme lunch met groenten, vlees, verschillende sauzen en een vanilledessert met verse aardbeien. Ik had in korte tijd twee geweldige maaltijden gehad en dat deed mijn magere lichaam goed.

Na de thee nam ik afscheid van Maurits, Henk, Sandra en Sylvia, die weer naar het noorden vertrokken. Ik bleef achter in mijn nieuwe thuis. Ik zat nu officieel in de tweede fase van het Arta-programma en kreeg een kamer op de tweede verdieping van de grote villa. Het terrein van Arta telde heel wat hectaren bos. Mijn kamer was klein en keek uit op een open grasveld met daarachter bomen en struiken. Iets naar links was de houtwerkplaats, een vrijstaand houten gebouw met berken eromheen. Ik had een eenpersoonsbed, een kledingkast, een bureau met stoel en een groot prikbord, waarop ik meteen een paar foto's van mijn ouders, broers en zus hing. Hoewel de kamer verder leeg was, want ik had geen persoonlijke bezittingen behalve mijn kleding en boeken, voelde ik mij er toch meteen thuis. Ik was erg blij dat ik mijn kamer met niemand hoefde te delen, want ik was erg gesteld op mijn privacy.

Die avond werd ik door deelnemers aan fase 3 en 4 uitgebreid rondgeleid en geïnformeerd over de leefgemeenschap op de Witte Hull. René was er al het langst; hij zou over enkele weken weggaan om zelfstandig te gaan wonen in een nazorgproject en dat liet hij iedereen duidelijk merken. Patricia was een oudere vrouw die al erg lang in Arta verbleef. Zij was niet in staat terug te keren in de maatschappij en Arta bood haar de veiligheid en geborgenheid waaraan zij behoefte had. Ze was introvert en erg gevoelig voor stemmingen. De meeste bewoners leken zich weinig van haar aan te trekken. Verder was er Rob, een verdwaalde jongen uit de hippietijd, met lang haar, een snor en een licht baardje, met een spijkerbroek en hoge laarzen en een ontspannen en vreedzaam voorkomen. Rob speelde geweldig piano. Roberto was de dorpsgek: een magere en lange slungel met een dommig en grappig uiterlijk. Hij werd door bijna iedereen voor de gek gehouden en hij maakte zich daar absoluut niet druk om. Hij had tenminste zijn eigen plek in de groep. Roberto had een Spaanse vader en een Nederlandse moeder en was in Spanje geboren. Op een dag gaf hij een lezing over de Spaanse zanger Julio Iglesias en dat liep uit op een komische act. Iedereen lag in een deuk van het lachen, maar dat deerde Roberto helemaal niets, en hij liet zich er niet van weerhouden om zijn verhaal af te maken.

Iedere bewoner binnen de leefgemeenschap had zijn eigen taken in de tuin, de houtwerkplaats, de keuken of in het onderhoud. Net als in Hamingen werd iedere nieuwkomer op de Witte Hull ingedeeld in de tuin. De dagactiviteiten waren verplicht; zelfs ziekte leverde geen vrijstelling op. De regels waren streng; men deed er alles aan om te voorkomen dat bewoners zich op hun kamer konden terugtrekken, want dat zou er alleen maar toe leiden dat de ex-verslaafden gingen piekeren of zelfs overwegen om de hele afkickonderneming op te geven en terug te gaan naar de oude vertrouwde verslavingsomgeving. De verleidingen waren enorm en je moest heel sterk in je schoenen staan om daar niet aan toe te geven.

Twee weken later werden ook Henk en Sylvia naar de Witte Hull gebracht. Henk was er eindelijk, na meer dan twee maanden op Hamingen, in geslaagd door te stromen. Ik trok vaak met hem op.

Voor de eerste zes weken werd ik ingedeeld in de groentetuin, wat ik erg prettig vond. Op mezelf zijn in de buitenlucht gaf mij een gevoel van rust, vrijheid en veiligheid. Ik had nog altijd niet zo veel behoefte aan contact met anderen, die vaak persoonlijke vragen stelden. Met mijn blote handen in de grond wroeten bracht mij op de een of andere manier dichter bij de aarde en daardoor ook bij mezelf.

De eerste maanden op de Witte Hull waren minder zwaar en minder primitief dan de periode in Hamingen. De bosrijke omgeving van Zeist beviel mij veel beter. Ik raakte snel gewend aan de structuur en het systeem van de Artanezen. De twintig bewoners zaten verder in het genezingstraject, waardoor het leven een stuk aangenamer was. Ook het eten was anders en stukken beter.

Mijn dagindeling was als volgt. Ontbijt om zeven uur. Daarna verzamelen in de woonkamer, waar de dag werd geopend door een van de begeleiders en waar een van de bewoners zijn persoonlijke verslag van de vorige dag voorlas. Vervolgens met z'n allen naar de houtwerkplaats, waar we houten poppetjes bewerkten: leeuwen, tijgers, apen, olifanten en giraffen. Die waren voor de verkoop. Om negen uur waren er waarnemingsoefeningen voor alle fase 2-bewoners, meestal in de buitenlucht: tekenen, wandelen of bij slecht weer uitleg over de natuur en haar geheimen door een van de begeleiders. Om tien uur kwamen we opnieuw bijeen in de woonkamer voor de koffie. De koffie was hier echt, maar zo sterk gezet door de bewoners dat je er speedy van werd en dat zonder verdovende middelen, sigaretten en alcohol toch de geest en het lichaam een shot gaf. Hoewel het niet mocht, lieten de meeste begeleiders het oogluikend toe.

Na de koffie werkte ik in de groentetuin, onder leiding van Piet, een ervaren tuinman. Piet was een gedreven man, die zich met hart en ziel gaf aan moeder aarde en alles wat daarop groeide. Zelfs de insecten tussen de groenten kregen zijn respect: er werd niet met gif gespoten. Piet was erg vriendelijk en vrolijk. Zelf had hij nooit iets te maken gehad met drugs, maar hij oordeelde ook nooit over anderen; hij behandelde iedereen met respect en hij werd op zijn beurt door iedereen gerespecteerd.

Piet probeerde vaak een gesprek met mij aan te gaan en vroeg mij dan over Marokko. Ik kon merken dat hij niet gewend was met buitenlanders om te gaan: zijn communicatie met mij was een beetje onwennig. Hij vertrouwde mij een keer toe dat hij nooit buiten Nederland was geweest. Hij had een caravan op een camping in Drenthe en daar ging hij met zijn vrouw voor de vakantie naartoe. Kinderen hadden zij niet en hij leek ze ook niet te missen. Hij nam het leven zoals het kwam en maakte zich niet druk om de dingen die er niet waren. En daarom paste hij ook goed in de antroposofische leefwijze van Arta.

De lunch werd om twaalf uur door de groep die corvee had, geserveerd in de eetzaal. Alle meubels waren van natuurlijke materialen en met de hand gemaakt, net als in de woonkamer, de bibliotheek en de rest van de villa. Ook hier was geen televisie of stereo-installatie. Er werd bij Arta op een natuurlijke manier geleefd en alle middelen en instrumenten die de geest van de mens kunstmatig kunnen beïnvloeden, werden vermeden.

Tussen de middag aten we warm en de maaltijden waren altijd uitgebreid. Vlees stond alleen zondag op het menu. Na het eten deden vrijwilligers de enorme berg afwas. Nieuwe bewoners werden de eerste dagen ontzien, maar daarna kwamen zij ook aan de beurt voor dit enorme karwei.

Na de lunch was er voor fase 2- en 3-bewoners een verplicht rustuurtje in bed. De eerste zestien weken kregen we elke maandag en vrijdag een prik met een mengsel van kruiden om de giftige stoffen uit ons lichaam te helpen verwijderen. Die prik werd toegediend door een verpleegster in uniform, die hiervoor speciaal naar de Witte Hull kwam, en je kreeg hem in je arm, buik of tussen je schouderbladen. Tussen de schouderbladen was erg pijnlijk.

Het middagprogramma bestond uit verschillende creatieve activiteiten, zoals bewegingsleer, schilderen, zang, lezingen of biografiegesprekken. Het avondeten was om zes uur en bestond uit een koude maaltijd met brood, kaas, jam, salades en hagelslag. Na het eten waren we tot halfacht vrij en daarna verzamelden we ons weer in de woonkamer voor de dagafsluiting. Om tien uur was de dag om en ging iedereen naar zijn eigen kamer voor het schrijven van het dagverslag. Dat was verplicht. Deze verslagen werden later met de maatschappelijk werker besproken. De mijne waren in de eerste weken erg oppervlakkig, want ik was niet van plan anderen een blik in mijn zielsleven te gunnen. Om halfelf moest het licht uit.

Er zat veel regelmaat in ons leven op Arta, want we moesten weer leren met regelmaat, inzet en discipline te leven, een manier die we in onze drugsperiode waren verleerd. Wij leerden onszelf en anderen met respect te behandelen. Dit betrof overigens niet alleen mensen, maar ook dieren, waarmee wij deze aarde delen, en de natuur, waarin wij leven. Wij leerden ook de kleinste momenten in het leven te appreciëren.

Het leven in de buitenlucht en het gezonde biologisch-dynamische eten deden mij veel goed. Al na een paar weken op de Witte Hull begon ik in gewicht aan te komen.

Elke zondag maakten we na het ontbijt een lange boswandeling; soms wel tien kilometer. 's Middags gingen we naar het theater, klassieke concerten, het museum of naar de zee. Eenmaal per week kwam meneer Van Amstel, een oude professor in de muziek en pianist, die ons kennis liet maken met klassieke muziek, bijvoorbeeld van Beethoven, Bach en Verdi. Ik raakte snel verliefd op klassieke muziek en luisterde geboeid en gepassioneerd naar zijn verhalen over het leven van deze muziekvirtuozen van lang geleden. Ik genoot van zijn warme en rijke spel op de piano. Ik werd tot in mijn ziel geraakt door zijn verhalen en muziek. Mijn belangstelling voor popmuziek verdween algauw naar de achtergrond. Deze muzieksoort en manier van leven waren voor mij compleet nieuw: ik kende alleen maar het leven van de straat, de popmuziek en de drugs.

Ik besprak deze nieuwe manier van leven vaak met Ronald, mijn maatschappelijk werker. Ik sprak met hem niet alleen over mijn oude leven op straat, maar ook over de structurele verwarring, waarin ik al jaren leefde, en mijn probleem met concentreren. Ik vertelde Ronald over mijn frustraties en onmacht, die veroorzaakt werden door afwijzing en discriminatie. Ik voelde mij in Nederland een soort tweederangsburger. Ronald probeerde mij vaak gerust te stellen. Hij legde mij dan de werking van het denken uit, van het bewustzijn en het onderbewustzijn: wat we denken en voelen, en hoe we op anderen reageren. Hij gaf mij ook boeken van Rudolf Steiner en Bernard Lievegoed, en ook van de bibliotheek van Arta maakte ik regelmatig gebruik. Omdat ik mijn school niet had afgemaakt en mijn algemene ontwikkeling te wensen overliet, probeerde ik al snel mijn kennis te vergroten. Ik bestuurde het werk van Rudolf Steiner, de vader van de antroposofieleer, de Oostenrijkse filosoof, schrijver, architect en pedagoog die van 1861 tot 1925 leefde en die aan de basis van de vrije school, de antroposofische geneeskunst, de heilpedagogiek en de biologisch-dynamische landbouw stond.

Daarnaast raakte ik diep geïnspireerd door het werk van Mahatma Gandhi, en Martin Luther King met zijn vreedzame strijd tegen rassendiscriminatie in de Verenigde Staten. Verder raakte ik geïnteresseerd in cultuur- en kunstgeschiedenis en bestudeerde ik werk van Vermeer, Leonardo Da Vinci en Michelangelo; las ik boeken over het marxisme, de Holocaust en de industriële revolutie in Europa. Al deze thema's boeiden mij enorm. Ik begon me ook te verdiepen in stromingen als de leer van Patanjali en van de Dalai Lama, niet omdat ik op zoek was naar een nieuwe religie, maar omdat ik geboeid was doordat deze stromingen zich richten op het leven in de huidige werkelijkheid en niet in het verleden of in de toekomst. Het gaat immers om het hier en nu.

Ik wilde graag oosterse wijsheid, het christendom, de antroposofie en de islam met elkaar vergelijken. Ik wilde begrijpen waarom het voor mensen zo belangrijk is om zich cultureel en religieus van elkaar te onderscheiden. Over de hele wereld wijzen mensen vooral op de verschillen tussen volkeren en veel minder op de overeenkomsten, en dat is volgens mij de oorzaak van de meeste oorlogen, rassenhaat en massavernietiging. Wat dat betreft vind ik dat de leer van de yoga van Patanjali het best antwoord geeft op de vraag hoe mensen met zichzelf en met elkaar kunnen omgaan: door je te concentreren op je centrum van energie kun je in contact komen met het universum, een kracht waarin iedereen gelijk is, waarin alle mensen compleet en waardevol zijn, zonder uitzondering. De leer van Patanjali, die ouder is dan de meeste religies en geen onderscheid maakt tussen christenen, boeddhisten, joden, moslims en hindoes, bood mij een nieuwe kijk op mezelf en op de wereld om mij heen. In mijn zelfstudie stond ik voor al deze levensstromingen open, vanuit de gedachte dat andere levenswijsheden mij als moslim alleen maar konden verrijken. Anders dan anderen zag ik geen enkele bedreiging in mijn studie van deze levensvisies. Ik herinnerde mij een vers uit de Koran dat vroeger veel indruk op mij had gemaakt; het handelt over de waarde van kennis en wijsheid: 'God is almachtig en alwetend. Hij geeft de wijsheid/kennis aan wie hij wil. En aan wie de wijsheid gegeven is, aan hem is veel goeds gegeven. Maar alleen de verstandigen laten zich vermanen.'

Ik leerde uit de boeken van de bibliotheek ook over de oude Arabieren en moslims van duizend jaar geleden, die gretig waren in het zoeken naar kennis, zowel religieus als wetenschappelijk. Ik las dat snel na het begin van het gezantschap van de profeet Mohammed een grote beschaving ontstond. Moslims boekten grote vooruitgang op veel verschillende gebieden, zoals geografie, natuurkunde, wiskunde, geneeskunde, farmaceutica, bouwkunde, taalkunde en astronomie. Algebra en het Arabische numerieke systeem werden door Arabische wetenschappers in de wereld geïntroduceerd. Moslims hebben altijd een speciale interesse in de astronomie gehad, want de maan en de zon zijn van vitaal belang voor hun dagelijks leven. De Koran bevat dan ook veel verwijzingen naar de astronomie; om een voorbeeld te noemen: 'En tot Zijn tekenen behoort ook de schepping der hemelen en der aarde, en de verscheidenheid van uw talen en (huids)kleuren. En dit zijn voorzeker tekenen voor degenen die willen begrijpen.' Deze verwijzing en het gebod om te leren inspireerden de vroege moslimwetenschappers tot bestudering van de hemelen. Zij integreerden de eerdere werken van Indiërs, Perzen en Grieken in een nieuwe synthese. Zij bestudeerden de eeuwenoude beschavingen, van de Griekse en Romeinse tot de Chinese en Indiase. Werken van Aristoteles, Ptolemaeüs, Euclides en anderen werd in het Arabisch vertaald, en later werden daar eigen moslimideeën, -ontdekkingen en -uitvindingen aan toegevoegd. Deze nieuwe kennis kwam uiteindelijk in Europa terecht en leidde daar tot de renaissance.

Ik vond het interessant om te ontdekken dat de islam de mensheid sterk heeft aangezet tot bestudering en verkenning van het universum.

Ik raakte erg geïnteresseerd in filosofie, psychologie en cultuurgeschiedenis, en studeerde maanden achtereen als een bezetene, want ik realiseerde me dat kennis de sleutel is tot de wereld die ik binnen wilde gaan. Ik was zevenentwintig jaar en wilde de verloren jaren inhalen.

Ontdekking
van de zwarte leegte

Van mijn maatschappelijk werker Ronald leerde ik hoe ik de oorzaak van mijn problemen in mijn 'black box' kon zoeken, mijn onderbewustzijn, waar ik geen directe controle over had, het zwarte gat met mijn angstige herinneringen. Het kon bijvoorbeeld iets zijn wat ik mijn jeugd had meegemaakt, maar hoe ik mijn hersenen ook pijnigde, ik kon de oorzaak maar niet vinden. Ronald toonde veel begrip en was echt geïnteresseerd in mijn leven. Hij probeerde mij altijd te motiveren om het Arta-programma goed te doorlopen. Elke dinsdagmiddag hadden we een gesprek en meestal brachten wij die tijd wandelend in het bos door. Ik keek naar deze gesprekken uit, want ik kon me dan volledig geven en uiten. Naarmate de tijd vorderde, schaamde ik me steeds minder om over mijn emoties en problemen te praten, maar dat kon ik alleen met Ronald.

Ik was een snelle leerling. Ik kon mij gemakkelijk aan het dagritme aanpassen en de meeste programma's leverden voor mij geen enkel probleem op, behalve de groepsgesprekken. Die vonden plaats onder begeleiding van een psychiater en een psycholoog, op maandag- en vrijdagmiddag. In deze gesprekken kwamen de emoties en ervaringen van de bewoners aan de orde en ik kwam er snel achter dat het niet eenvoudig was om buiten schot te blijven. De nieuwelingen lukte het alleen de eerste weken, tijdens het gewenningsproces, maar daarna was de kans dat je niet aan de beurt kwam erg klein. De psychiater en de psycholoog speelden telkens een slim spelletje met de groep en lieten de bewoners al het werk zelf doen. Zij stimuleerden en manipuleerden de bewoners geraffineerd om kritische vragen te stellen over bijvoorbeeld hun verleden, de oorzaak van hun drugsgebruik of waarom ze nu voor Arta hadden gekozen. Bijna iedereen wilde zijn eigen verhaal liever verborgen houden voor de rest van de groep. In eerste instantie gaven de meesten vage en flauwe antwoorden, maar die hielden niet lang stand tegenover de stroom kritische vragen die de groep dan op hen afvuurde onder de manipulerende leiding van de psychiater. Op elk antwoord van de persoon aan de schandpaal kreeg hij tien nieuwe vragen. Het was onmogelijk je lang op de vlakte te houden, want vroeg of laat viel iedereen een keer door de mand. Dit leverde vaak emotionele taferelen en zielige vertoningen op van huilende mensen. En iedereen liet het gebeuren. In dit oord mocht je met je ziel op tafel of, beter gezegd, je moest je ziel op tafel leggen. Iedereen was geïnteresseerd in je zielsleven en wilde weten wat je onder je masker met je meedroeg, terwijl ze tegelijkertijd probeerden te voorkomen dat de anderen een blik in hun eigen ziel konden werpen om daar de persoonlijke geheimen bloot te leggen. Dit was een wekelijks terugkerend spel: laat hen vooral niet je masker afdoen, want je weet niet wat er tevoorschijn komt. De meeste bewoners schrokken vaak van de ontdekkingen die zij tijdens deze groepstherapie over zichzelf deden. De zelfreflectie was nogal confronterend.

Ik had erg veel moeite met deze therapeutische groepsgesprekken. Ik kom uit een cultuur waar het niet gebruikelijk is dat je als man met je gevoelens te koop loopt. Een man hoort zijn emoties te beheersen en je hoort niet de vuile was buiten te hangen. Zodra ik aan de beurt was voor een verhoor over mijn zielsleven en mijn zonden, probeerde ik het spel zo lang mogelijk mee te spelen. Ik wrong me in allerlei bochten om zo veel mogelijk vragen te ontwijken. In het begin slaagde ik er wel in om tijd te rekken, maar dat was enkel uitstel van executie: de confrontatie met mezelf was niet lang te vermijden.

Op een dag zat ik met Elise, Rob en Stefan, een van de begeleiders, die met zijn vrouw en twee kinderen op het terrein van de Witte Hull woonde, op de veranda achter het huis van de middagzon te genieten. Ook Henk kwam op een gegeven moment bij ons staan. We hadden het erover waarom mensen drugs gaan gebruiken voor het onderdrukken van hun emoties; we spraken over de zwakte van de mens, het vluchten en het schuldgevoel over wat wij anderen hebben aangedaan tijdens onze verslavingstijd. Uit het niets vroeg Stefan mij ineens: 'Abkader, waar ben jij voor op de vlucht?' en hij keek mij uitdagend aan.

'Ik?' vroeg ik, om tijd te rekken en om na te denken over mijn antwoord. Hij knikte. 'Niets, waar moet ik voor vluchten?' antwoordde ik, in een poging zijn belangstelling te temperen, maar hij nam daar geen genoegen mee en vroeg door: 'Iedereen hier draagt een masker. Wat zit er onder jouw masker? Jij hebt tot nu toe niets van jezelf laten zien.' En weer keek hij mij uitdagend aan.

Ik zei niets. Zijn vraag had me in verwarring gebracht en om hem te ontwijken beantwoordde ik zijn vraag met een wedervraag: 'Ik, een masker? Hoezo?'

Stefan schudde ongeduldig zijn hoofd. Hij was van Indonesische komaf en een van de meeste kritische begeleiders van Arta, een man die op een beangstigende manier met de ex-verslaafden de psychologische confrontatie zocht. De meeste bewoners waren bang voor hem en ik hoorde daar ook bij. Ik wist dat hij als een spin een web voor mij aan het spinnen was. Ik moest oppassen.

'Laat ik het anders vragen,' vervolgde hij. 'Waarom ben je hiernaartoe gekomen? Wat wil je in Godsnaam hier bij Arta bereiken?'

Hij bracht mij nog meer in verwarring, terwijl de anderen mij aankeken en afwachtten hoe ik mij uit deze confrontatie zou redden. Ik dacht over zijn vraag na en besloot hem deelgenoot te maken van mijn probleem. Ik legde hem uit dat ik vast zat tussen twee culturen en dat dat probleem mijn grootste verwarring vormde. Ik hoopte dat dat hem tevreden zou stellen en zijn psychologische aanval op mij zou pareren, maar hij leek niet onder de indruk. 'Wat is dat voor gelul? Als alle allochtonen in Nederland die in twee of meer culturen leven, dat als een probleem, als verwarring zouden beschouwen, zouden we één miljoen verslaafde allochtonen hebben. Ik snap die onzin niet!' De anderen volgden zijn relaas vol interesse.

'Abkader, wat is jouw probleem? Waar ben je voor op de vlucht?' Ik raakte nog meer in verwarring en dat zag Stefan ook. Hij stuurde daar doelbewust op aan, om mij uit mijn tent te lokken.

'Ik weet niet wat je bedoelt. Mijn grootste probleem is dat ik als buitenstaander overal word afgewezen. Ik word niet als volwaardig gezien in deze maatschappij. Ik word niet geaccepteerd. Ik word altijd gezien als de zoon van een gastarbeider. Dat is mijn probleem! Maar dat begrijp jij toch niet, denk ik,' antwoordde ik met een tegenaanval.

Stefan was nog steeds niet onder de indruk. Hij zei: 'Is dat zo? Schuif jij je totale mislukking en je drugsgebruik in de schoenen van de samenleving? Kan het misschien niet zo zijn dat niet anderen jou

afwijzen, maar dat jij jezelf afwijst? Heb jij jezelf ooit een kans gegeven?' Hij keek mij recht in de ogen. Hij leek dwars door me heen te kijken.

'Wat wil je daarmee zeggen? Is het soms mijn eigen schuld dat anderen mij afwijzen?'

Stefan schudde zijn hoofd en antwoordde: 'Ik weet het niet, zeg jij
het maar.' En na die laatste zin stond hij op en verliet hij de groep op
de veranda, mij verward achterlatend. Henk keek op en zei niets.

'Wat een rotzak,' zei Elise, die het hele gesprek met belangstelling
had gevolgd. Ze was net twintig en maakte zich nergens druk om. Zij
was ook erg open over haar emotionele leven en ik was daar best ja-
loers op. Op de momenten dat ik anderen openhartig over zichzelf
hoorde spreken, haatte ik mijn eigen geslotenheid en mijn cultuur, die
mij dat had geleerd.

'Hij lijkt er zelfs een kick van te krijgen, de zak,' zei Elise, terwijl ze
mij een schouderklopje gaf bij wijze van geruststelling. Ik knikte,
stond op en verliet het gezelschap, dat overging tot een ander onderwerp. Ik voelde mij verstijfd van de spanning in mijn lichaam en in
mijn geest. Ik voelde een brok ellende in mijn hart. De laatste opmerking van Stefan had mij volledig van mijn stuk gebracht. Die opmerking over zelfafwijzing en mijzelf accepteren en een kans geven liet
mij niet meer los. Hoe kan een mens mentaal zo ijskoud en hard zijn
voor een ander die in de vernieling zit? Hij had mij voor het blok gezet
en mijn emoties en mijn denken volledig ontregeld. 'Ja, waar vlucht je
voor, Abkader?' had hij gevraagd. Deze vraag ging steeds door mijn
hoofd. Stefan had heel goed het effect van zijn scherpe opmerking gezien. Hij was weggegaan, omdat hij zag dat hij mij in het diepste van
mijn ziel had geraakt. Hij liet mij in mijn eigen sop gaar koken. Hij
had mij in mijn ziel geraakt en daar kwam mijn eigen minderwaardigheid tevoorschijn. Ja, bedacht ik, ik werd geraakt in mijn eigen minderwaardigheid. Dat was mijn zwakke plek. Maar hoe kon ik dat aan
anderen vertellen? Hoe kun je in een vreemde omgeving anderen duidelijk maken dat je een minderwaardigheidscomplex hebt?

Stefan was mij zo dicht genaderd als nooit iemand in mijn leven
had gedaan, en dat was bedreigend. Zijn woorden lieten mij de rest van
de dag niet meer los, en die nacht deed ik geen oog dicht en dacht ik almaar aan de emoties en herinneringen die zijn woorden bij mij had-

den opgeroepen. Waar ben ik voor op de vlucht? Heb ik misschien mezelf afgewezen? Ik voelde zo'n pijn dat mijn lichaam ervan trilde. Nooit eerder heeft iemand mij in een dergelijke emotionele verwarring gebracht.

Ik kon op de een of andere manier die vragen niet naast mij neerleggen, want daarvoor was de kogel te diep in mijn botten doorgedrongen. Ik voelde een enorme golf van verdriet, eenzaamheid en angst door mijn lichaam stromen, en die was zo krachtig dat ik een gevoel van leven in mij voelde stromen. Voor het eerst in mijn leven had ik zo'n ervaring. Ik stelde mezelf telkens opnieuw de vragen die Stefan mij had gesteld, en kon geen antwoord vinden. Stel dat hij gelijk had en dat het onrecht dat mij was aangedaan alleen in mijn eigen verbeelding bestond? Lijd ik onder mijn eigen minderwaardigheid en accepteer ik mezelf niet zoals ik ben? Heb ik misschien de Marokkaan in mij verloochend en wil ik niet zijn wie ik ben? Waarom ben ik zo overgevoelig voor afwijzing? Houd ik daarom anderen op afstand en raak ik verloren in innerlijke eenzaamheid? Ook dacht ik voor het eerst in al die jaren na over het schuldgevoel: schuld voor wat ik anderen aangedaan had – mijn ouders en broers, mijn vrienden, Michelle en alle mensen die ik had bestolen, opgelicht of bedrogen. Dat gevoel deed pijn. Ik wilde schreeuwen om wat ik allemaal had gedaan. Het was alsof ik net wakker was van een lange winterslaap en mij eindelijk realiseerde dat ik dat alles in een droom had meegemaakt. Maar dit was geen droom, de schuld was levensecht en begon aan mij te knagen.

Hoe kon ik ooit die schulden aflossen? Hoe kon ik de wereld weer onder ogen komen? Hoe kon ik het ooit weer goed maken? Een gevoel van schaamte en schuld vulde mijn geest. Al deze vragen brachten mij nog meer in verwarring en ik kon niet meer helder denken. Ik voelde dat er mentaal iets revolutionairs met mij aan het gebeuren was, maar kon het niet precies plaatsen.

Gek genoeg voelde ik geen angst meer, alleen maar verwarring. Ik was niet meer bang. Als ik sterven moest, dan maar sterven als een man. Ik was niet meer van plan om te vluchten voor wat dan ook. Ik was moe, erg moe. Ik voelde alleen de pijn, en mijn ogen werden vochtig van het gevoel dat uit mijn diepste kern door mijn lijf begon te stromen. Ik kon mijn emoties niet meer in bedwang houden en begon te huilen. Niet uit een gevoel van zelfmedelijden, maar eerder vanuit een gevoel van de ontdekking die ik die dag had gedaan.

De volgende ochtend liep ik Stefan bij de ontbijttafel tegen het lijf. Hij keek mij aan en vroeg: 'Heb je goed geslapen, Abkader?' Ik voelde dat hij dwars door mij heen keek en ik antwoordde dan ook eerlijk dat ik geen oog dicht had gedaan. Hij zei verder niets en ging aan het hoofdeinde van de eettafel zitten.

De rest van de dag beleefde ik als in een soort roes. Er was iets met mij gebeurd wat mij niet meer losliet. Ik wist alleen dat ik diep in mij veel verdriet, pijn, verwarring en eenzaamheid voelde en dat vertelde ik de week daarop aan Ronald. Ik vertelde hem van mijn gesprek met Stefan, de tranen en de slapeloze nacht. Ronald gaf mij de hoop dat we op een dag achter de bron van die emoties zouden komen. Ik moest geduld hebben: alles kwam op zijn tijd. Hij leerde mij om me te concentreren op dingen die ik aan het doen was. Hij zei mij dat ik niet meer moest leven in de illusie van de dingen in het verleden of van de toekomst en wegvluchten in een droomwereld, maar leven in het nu. Ik had al sinds mijn jeugd de gewoonte om zodra de werkelijkheid mij niet beviel of te moeilijk werd, te vluchten in een droomwereld die ik zelf had geschapen. Ik realiseerde me ineens dat ik sinds mijn jeugd gevangenzat in die illusie, en dat ik, zodra de buitenwereld niet voldeed aan het beeld dat ik in mijn illusie had geschapen, teleurgesteld en gefrustreerd raakte over de wereld. Ik zag steeds meer in dat ik niet het slachtoffer was van de maatschappij, geen kind van de rekening, maar eerder slachtoffer was van mijn eigen waanbeelden. Is dat wat Stefan in mij had doorgeprikt? Ik kon het niet met zekerheid zeggen.

WEDERGEBOORTE

Twee weken na mijn gesprek met Stefan gebeurde er iets in het groepsgesprek met de psycholoog en de psychiater. Tijdens de sessie van die vrijdagmiddag leek er maar geen discussie op gang te komen. Niemand durfde te beginnen en iedereen wachtte af welke bewoner vandaag het slachtoffer zou worden. En zonder enige voorbereiding stelde de psychiater mij ineens een vraag: 'Abkader, je bent nu al twee, drie maanden op de Witte Hull, maar wij weten nog steeds niet wie je bent. Vertel je ons wie je bent en waarom je hier bent?' vroeg hij vriendelijk maar uitdagend. Er zat echter iets achter zijn benadering en vraagstelling dat mij zorgen baarde. Ik begon het gebruikelijke verhaal te vertellen over mijn culturele achtergrond, maar hij liet mij niet uitspreken.

'Hou op met die onzin! Wie ben je?' herhaalde hij een beetje geïrriteerd. Ik begon het benauwd te krijgen, terwijl ondertussen de hele groep mij afwachtend aankeek.

Emiel, een bewoner met wie ik weinig contact had, gooide olie op het vuur: 'Ja, je houdt je altijd op de vlakte en je vertelt nooit iets persoonlijks over jezelf, terwijl je altijd een mening hebt over anderen. Vertel ons je mening over jezelf.'

Mijn verwarring nam toe en ik wist niet hoe ik de aanval moest afweren. Ik had wel onder de grond willen verdwijnen. Het bleef een tijdje stil. Ik bleef voor me uit kijken met mijn handen in een vuist onder mijn kin. Plots begon iets in mij uit zichzelf te bewegen. Mijn mond begon te vertellen zonder dat ik daartoe de opdracht had gegeven.

'Ik leef al jaren in de beleving dat ik een slachtoffer ben van de maatschappij en van de omstandigheden,' begon ik. 'Ik vervloek al jaren mijn ouders, de overheid, de maatschappelijke organisaties, werkgevers en iedereen die een oordeel heeft over mij. Ik leef vanaf mijn elfde jaar tussen drie culturen, thuis de islamitische, in de samenleving de maatschappelijke en buiten de straatcultuur. Ik ben daartussen bekneld geraakt. Ik probeer al jaren te vechten tegen de gedachte dat ik niet meer weet wie ik ben. Ik leef vanbinnen in een leeg, zwart gat, en die gedachte is mijn grootste angst, mijn verdriet en ze verwart mij enorm. Dus uw vraag om u te vertellen wie ik ben, kan ik alleen maar beantwoorden met: nee, ik kan u niet vertellen wie ik ben, om de eenvoudige reden dat ik zelf niet weet wie ik ben. En daarom zit ik hier!'

Het bleef lang tijd stil rond de tafel. Ik wist niet wat mij was overkomen: de woorden waren vanzelf uit mijn mond gekomen. Voor het eerst in mijn leven durfde ik voor een groep over mijn emoties van angst, verwarring en boosheid te praten, de waarheid en niets dan de waarheid. Het leek alsof ik buiten mijzelf was getreden en dat was de bijzonderste ervaring van mijn leven.

De psychiater leek geen oordeel te hebben over mijn antwoord. Bernard, de psycholoog, toonde zich tevreden over zo veel openheid van mijn kant. Iedereen wist dat ik erg gesloten was. Zo veel openheid, daar had niemand op gerekend. De psychiater nam mij heel even op en, terwijl de anderen zijn reactie afwachtten, leek hij een besluit te nemen. Zonder verder iets te zeggen stapte hij over naar een andere bewoner en liet hij mij in mijn roes. Ik was opgelucht, opgelucht omdat ik niet meer in de belangstelling stond, en bovenal opgelucht omdat ik eindelijk voor één keer in mijn leven in een groep de waarheid over mijzelf had gezegd en mijn masker had afgedaan, terwijl ik altijd een leugenaar ben geweest voor mezelf en voor anderen. Ja, ik had ineens mijn masker afgedaan en de ware gedaante van Abkader was tevoorschijn gekomen, zonder schaamte en zonder leugens. Dat was mijn doorbraak, de doorbraak waar Ronald regelmatig over had gesproken. Die zou vanzelf komen, had hij gezegd; daar hoefde ik me geen zorgen over te maken.

De Artanezen toonden die dag en ook de dagen daarna veel belangstelling voor mij. Mijn openheid schiep een band met anderen. Hun interesse kwam niet voort uit medelijden, maar uit respect voor de mens die ik was en voor het feit dat ik de waarheid onder ogen had durven zien. Anderen vertelden mij dat ook zij zo'n moment hadden meegemaakt, het moment waarop je wordt opengebroken. Zo werkt het hier, je wordt eerst helemaal opengebroken en daarna begin je jezelf weer op te bouwen.

Vanaf die dag begon ik mij voor het eerst sinds mijn jeugd weer ge-

lukkig te voelen. Het gevoel was nog erg vaag, maar het was er. De erkenning van het feit dat ik niet wist wie ik was en dat ik geen slachtoffer was van mijn omgeving, vergrootte mijn zelfbewustzijn en bracht
mij dichter bij mezelf. Ik voelde me op de een of andere manier bevrijd, de bevrijding waar mijn ziel al lang naar hunkerde. Mijn ziel zat
gevangen in mijn lichaam en met die daad slaagde ik erin een begin te
maken met de bevrijding. Voor het eerst in mijn leven deed ik aan zelfreflectie, was ik bereid naar mezelf te kijken in plaats van altijd de
schuld van mijn ellende bij anderen te leggen. Niet anderen wezen mij
af, maar ik had al die tijd mijzelf afgewezen. En de buitenwereld weer-
spiegelde mijn negatieve zelfbeeld.

De ontdekking van mijn authenticiteit begon zich de weken daarop
uit te breiden in mijn contact met anderen. Zelfs de toenadering van
Stefan was niet meer zo confronterend, maar Stefan wist dat hij mij
had opengebroken. Hij was de oorzaak van de innerlijke confrontatie
met mezelf en mijn wedergeboorte. Misschien had hij de psychiater
wel geïnstrueerd; hij had misschien wel gezegd dat ik nog maar een
klein duwtje nodig had, voordat ik om zou vallen. Ik wist het niet en ik
zou het ook nooit te weten komen.

Ook Ronald was in zijn nopjes met mijn ontwikkeling. Hij zag mij
met sprongen vooruitgaan. Hij zag mij langzaam veranderen van iemand die in zijn contacten een spel speelde, in iemand die authentiek
werd. En hij zag dat die transformatie een positief effect had op mijn
omgeving. Hij zag ook dat ik niet meer vluchtte voor de mensen die
mij dicht naderden, de mensen tot wie ik voorheen afstand hield.

De verandering werd ook zichtbaar in mijn dagverslagen, en als het
mijn beurt was om in de groep mijn verslag voor te lezen, werd er met
belangstelling naar me geluisterd. Ook tijdens de biografiegesprekken
merkte ik dat ik met deze spontane echtheid, die ik nooit eerder had
gehad, de mensen kon boeien.

In de wekelijkse biografiegesprekken werd telkens een van de bewoners in de gelegenheid gesteld om over een periode van zeven jaar
van zijn of haar leven te vertellen. Na vijf maanden had ik de eerste drie
blokken van mijn leven verteld. Ik hoefde nu nog maar een klein blokje
uit mijn geschiedenis te vertellen, en daarna kon ik bij de Arta-leefge-
meenschap een verzoek indienen om naar fase 3 van het traject te mogen gaan.

Een nieuwe fase in mijn leven ging van start. Ik had mij losgemaakt van de gedachte dat de maatschappij, mijn ouders, de afwijzing, non-acceptatie en discriminatie, de oorzaken waren van mijn teleurstelling, verdriet, frustratie en verwarring. Ik leerde accepteren dat ik de schepper van mijn eigen werkelijkheid was. En ik leerde mijzelf te accepteren zoals ik echt was, zonder toeters en bellen.

Ik begon mij langzaam te oefenen in positief denken, zelfvertrouwen en vastberadenheid. Mijn leven was niet meer zwart en donker, maar er was licht verschenen aan het einde van een lange, donkere tunnel. Ik had nieuwe hoop voor de toekomst gekregen. Ik had mezelf verloren en nu had ik mezelf teruggevonden; ik maakte een wedergeboorte mee. Ik, die nog geen halfjaar geleden gedoemd was te sterven in de donkere gangen van Hoog Catharijne...

Door een simpel psychologisch trucje leerde ik af te rekenen met mijn minderwaardigheidsgevoel en negatieve zelfbeeld; ik schreef op een briefje de volgende vier magische zinnen: Ik geloof in mezelf; Ik ben positief; Ik heb zelfvertrouwen; Ik ben vastberaden om te slagen. Dat briefje droeg ik bij me en elke keer als ik die zinnen las, voelde ik de magische trilling van de woorden tot mijn ziel doordringen. Ik werd schepper van mijn eigen werkelijkheid en ik was bezig een nieuw ik te creëren. Er ontstond een sterke basis voor een nieuwe toekomst, helder, zuiver en zonder angst en verwarring. Ik had, na jaren van strijd, vrede met mezelf gesloten. Vrede die mijn ziel en lichaam weer verenigde tot één geheel. Ieder mens had recht om een harmonische eenheid te zijn. Ieder mens had recht op innerlijk geluk en op vrijheid zonder zich te schamen voor zijn afkomst of culturele achtergrond. Ieder mens had recht op rechtvaardigheid en gelijkwaardigheid.

Dankzij de geschriften van Mahatma Gandhi en het werk van Martin Luther King kon ik vanuit een hoger niveau van bewustzijn omgaan met de onrechtvaardigheid in de wereld. Ik leerde nieuwe inzichten ten aanzien van het racismeprobleem. Ik leerde dat niet ik het slachtoffer van racisme was, maar dat de persoon die discrimineert zelf slachtoffer was van zijn eigen emoties van haat. Haat is een ziekte die vanbinnen aan de blanke mens vreet. Ik had met deze hatelijkheid niets te maken. Ik heb al die jaren mijn leven laten bepalen door de haatgevoelens van anderen. Mijn minderwaardigheidsgevoel en negatieve zelfbeeld waren voor een groot deel ontstaan door maatschappelijke en economische non-acceptatie. Ik beschouwde mezelf inderdaad als slachtoffer van het onrecht dat mij werd aangedaan. Mijn nieuwe inzichten bevrijdden mij van deze zelfvernietigende waanbeelden, die mij voor meer dan de helft van mijn leven in hun greep hadden gehad. De tragiek in dit alles was dat ik ook mezelf al die tijd heb afgewezen en gehaat, net als anderen dat deden.

Ik ben sterk van mening dat de methode van geweldloosheid van Gandhi en King zich uitstekend leent voor het creëren van eenheid, harmonie en vrede, zowel binnen als buiten de allochtone gemeenschap. De geschiedenis heeft vaak bewezen dat haat met haat bestrijden even zinloos is als vuur met vuur bestrijden. Als die aanpak gewerkt heeft om andere gemeenschappen te herstellen, waarom zou die dan niet bij de allochtone gemeenschap in Nederland werken?

Ik leerde de zes kenmerken van de methode van vreedzaam verzet uit mijn hoofd en ze openden voor mij een nieuw pad van inzicht, bewustzijn en wijsheid.

Het eerste kenmerk is dat er wordt benadrukt dat geweldloos verzet niet een methode is voor lafaards. Als iemand van deze methode gebruikmaakt omdat hij bang is, of alleen omdat de werktuigen om geweld te gebruiken ontbreken, dan is hij niet de ware aanhanger van geweldloosheid. Dat is de reden waarom Gandhi vaak heeft gezegd dat men beter kan vechten als lafheid het enige alternatief voor geweld is. Hij was er zelf van overtuigd dat er altijd een ander alternatief bestaat. Geen persoon of groep hoeft zich te onderwerpen aan enig onrecht of gebruik te maken van geweld om het onrecht ongedaan te maken. Er is altijd de weg van geweldloos verzet. Het is niet een methode van stilstaande passiviteit. De uitdrukking 'passieve weerstand' wekt de schijn dat het een soort 'niets-doen-methode' is, waarbij degene die weerstand biedt, rustig en lijdzaam het kwade tot zich laat komen. Niets is minder waar. De methode is lichamelijk passief, maar geestelijk zeer actief.

Het tweede kenmerk is dat de methode er niet opuit is de tegenstander te verslaan of te vernederen, maar zijn vriendschap en begrip wil winnen. De geweldloze verzetsstrijder laat zijn protest vaak zien door middel van non-coöperatie, maar hij is er zich van bewust dat dat op zichzelf geen einddoel is: non-coöperatie is niet meer dan een middel om in de tegenstander een gevoel van morele schaamte op te wekken. Het einddoel is verlossing en verzoening. Wat op geweldloosheid volgt, is de gemeenschap in liefde scheppen, terwijl geweld slechts wordt gevolgd door tragische verbittering.

Het derde kenmerk is dat de aanval eerder gericht is tegen de krachten van het kwade dan tegen personen die toevallig dat kwade doen. Het is het kwaad zelf, dat de geweldloze verzetsstrijder wil vernietigen, niet de personen die zelf het slachtoffer zijn van het kwaad. Het doel is de uitroeiing van het onrecht, niet van de personen die onrechtvaardig zijn.

Het vierde kenmerk is de aanvaarding van het lijden zonder wraak te nemen en het incasseren van de slagen van de tegenstander zonder terug te slaan. De geweldloze verzetsstrijder is bereid het geweld zo nodig te aanvaarden, maar het nooit zelf toe te brengen. De vraag dringt zich op hoe de geweldloze verzetsstrijder deze vuurproef rechtvaardigt waartoe hij de mensen oproept, dit gebod van de andere wang toekeren. Het antwoord daarop is dat het onverdiende lijden verlossend is. 'Dingen die van fundamenteel belang zijn voor de mensen, worden niet alleen met het verstand verkregen, maar moeten ook met lijden worden verworven,' zei Gandhi. En hij zei ook: 'Het lijden is oneindig veel machtiger dan de wetten van geweld om de tegenstander te breken en hem de oren te openen, die anders dicht zijn voor de stem van de redelijkheid.'

Het vijfde kenmerk van de methode van vreedzaam verzet is dat het niet alleen het uiterlijke, lichamelijke geweld vermijdt, maar ook het innerlijke geweld van de geest: de geweldloze verzetsstrijder weigert niet alleen zijn tegenstander in elkaar te slaan, hij weigert ook hem te haten. Het beginsel van naastenliefde staat centraal in geweldloosheid. In de strijd voor de menselijke waardigheid mogen de onderdrukten nooit toegeven aan verbittering of haatcampagnes. Als er in dat verband gesproken wordt van het liefhebben van de tegenstander, dan wordt daarmee een liefde bedoeld die begrip betekent, een verlossende goede wil ten opzichte van alle mensen. Het is de liefde van God, die zich in het menselijke hart bevindt. Het is een liefde waarin het individu niet uit is op zijn eigen voordeel maar op dat van zijn medemensen.

Een wijs man heeft eens gezegd: 'Laat niemand je zo ver omlaag trekken dat je hem gaat haten! Als hij je zo ver omlaag haalt, brengt hij je tot het punt waarop je een tegenstander van de gemeenschap wordt. Hij brengt je tot het punt waarop je je tegen de schepping keert en daardoor je persoonlijkheid verliest.'

Het zesde kenmerk is gebaseerd op de overtuiging dat het heelal zich altijd naar rechtvaardigheid wendt. Daarom heeft de aanhanger van de verzetloosheid een vast vertrouwen in de toekomst. Dit vertrouwen is een reden te meer waarom de geweldloze verzetsstrijder lijden kan aanvaarden zonder het te vergelden: hij weet dat hij in zijn strijd voor de rechtvaardigheid de kosmos aan zijn zijde heeft.

(Uit: *Rosa stond niet op*, Martin Luther King, Uitgeverij
Ten Have, 1966)

De gedachte van vreedzaam verzet vindt zijn oorsprong in de tijd van de profeet Mohammed, ruim 1420 jaar geleden. De profeet had een joodse buurman, die Mohammeds nieuwe religieuze ideeën openlijk verwierp. Om zijn ongenoegen te tonen gooide de man elke dag zijn afval voor de deur van Mohammeds huis. De profeet ruimde stilzwijgend het afval op, zonder de confrontatie met zijn buurman aan te gaan. Dit ging zo een tijdje door, totdat er op een dag geen afval meer voor de deur van de profeet werd gegooid. Na drie dagen begon deze zich ongerust te maken over zijn joodse buurman; hij besloot bij hem langs te gaan. De man bleek erg ziek te zijn en niemand had hem opgezocht. De profeet bad voor zijn genezing en sprak een vredewens over hem uit. De joodse buurman werd geëmotioneerd en zei tegen de profeet: 'Mohammed, als dit de vrede is die jouw geloof verkondigt, dan wil ik mij vanaf nu bekeren tot jouw geloof, de islam.'

Iedere moslim kent dit verhaal over de profeet Mohammed, maar volgens mij ontbreekt het de meeste mensen aan de wil om dit principe zelf ook in hun leven toe te passen.

Mahatma Gandhi en Martin Luther King hebben hun volk opgeroepen dit principe van vrede en naastenliefde in de praktijk toe te passen.

Mede door de bestudering van het leven en werk van Martin Luther King kwam ik tot innerlijke vrijheid en vrede met mezelf en de maatschappij. Ik werd onafhankelijk en weerbaar. Na verloop van tijd verdwenen ook de angst en de minderwaardigheidsgevoelens en ontstonden compleetheid en volmaaktheid van lichaam en geest. Ik leerde een belangrijke waarde in mijn leven, namelijk die van mededogen. Ik opende mijn hart voor mededogen en liet mijn haat, woede en frustratie voor wat ze waren. Ik was gestopt met de strijd tegen deze emoties en liet ze gewoon onderdeel zijn van mijn bestaan, want door ze te bestrijden had ik ze voeding gegeven en waren ze groter geworden dan ikzelf; door ze te accepteren maakte ik ze onzichtbaar en daardoor lieten ze mij met rust. Dat was de beste strategie: niet tegen je ondeugden vechten, maar ze overwinnen door ze te accepteren, toe te laten, ze er gewoon te laten zijn. Dan verdwijnen ze vanzelf. Ik ontwikkelde mij in korte tijd mentaal tot een hoger niveau van bewustzijn.

Na acht maanden van vrije gevangenschap kon ik mijn intense verlangen naar de vrijheid buiten niet langer meer onderdrukken. Ik wilde snel verder met mijn leven. Ik had vijf jaar van mijn jonge leven verloren, een tijd waarvan ik mij weinig wilde herinneren. Daarnaast had ik genoeg van het eenzijdige leven op de Witte Hull en verlangde ik naar de culturele samenleving. Ik ben al die tijd de enige buitenlander in de leefgemeenschap geweest en het gemis aan soortgenoten viel mij soms erg zwaar. Het leven voor een allochtoon tussen alleen maar autochtone Nederlanders is geen eenvoudige opgave. Daarom snakte ik vaak naar het leven daarbuiten, waar mensen uit honderd verschillende culturen met elkaar samenleven. Daar hoorde ik thuis.

Op 20 december 1985, vlak voor Kerstmis, dat uitgebreid zou worden gevierd met zang, toneel en een groot feestmaal, besloot ik de Witte Hull te verlaten. De nacht tevoren speelde de gedachte door mijn hoofd om mijn geluk te gaan zoeken in de maatschappij. Mijn intuïtie leek mij helemaal te sturen en ik voerde een innerlijke strijd: moest ik mijn ratio volgen of mijn intuïtie?

Allerlei ideeën dwarrelden als herfstbladeren door mijn hoofd. De grootste vraag die mij bezighield, was die over mijn toekomst. Wat ging ik doen zodra ik vrij was? Over die vraag had ik maanden nagedacht. Ik had mij voorgenomen om van mijn zwakte mijn kracht te maken. Ik besloot mij in te zetten tegen onrechtvaardigheid en wilde mensen die het maatschappelijk en economisch moeilijk hebben, helpen. Ik wilde mij met mijn persoonlijke ervaring voor anderen inzetten. Dat was voor mij zo helder als wat. Ik zou mij gaan inzetten voor een wereld van gelijkheid en rechtvaardigheid, waarin elk individu in de maatschappij een belangrijke rol speelt. Als ik vrij was en mijn plek in de maatschappij had gevonden, nam ik de taak op mij om anderen naar een hoger niveau van bewustzijn te brengen, de weg naar geluk, vrede en vrijheid via het pad van zelfreflectie en zelfbewustzijn. Dat was mijn droom en mijn levensbestemming. Om deze maatschappelijke rol te kunnen vervullen wist ik dat ik weer moest gaan studeren. Ik wist dat ik grote offers moest brengen om mijn taak te volbrengen, maar ik twijfelde geen moment over mijn slagingskansen. Ik was positief en vol zelfvertrouwen. Ik was vastberaden: ik had de passie in mijn leven gevonden en niets of niemand zou mij tegenhouden. Ik werd mij bewust van mijn leven en van het feit dat ik de verpersoonlijking werd van de verschillende levensstromingen binnen de multiculturele samenleving in Nederland. Het zaad van de oplossing van het maatschappelijke en culturele probleem in Nederland was in mij ontkiemd.

Ik realiseerde me dat mijn lijden niet voor niets was geweest; mijn leven had zo moeten lopen – het was 'el maktoeb', mijn lotsbestemming. Vanaf dat moment zou mijn leven in het teken staan van het brengen van geluk, vrede en succes aan alle mensen in de samenleving. Ik accepteerde de vele offers die ik in mijn leven moest brengen om deze droom te realiseren.

Ik had de hele nacht over het besluit nagedacht en me afgevraagd of ik nu mijn verstand moest volgen of mijn intuïtie? Pas tegen de ochtend nam ik een definitief besluit. Ik zou die dag vertrekken. Ik was vastbesloten. Daarna viel ik vredig in slaap.

's Morgens besprak ik mijn plan met Ronald en daarna met Bernard, de psycholoog. Zij probeerden mij van mijn besluit af te brengen. Volgens hen was ik er nog niet rijp voor om blootgesteld te worden aan de harde werkelijkheid in de buitenwereld. Misschien zou ik geen weerstand kunnen bieden aan de vele verleidingen waaraan ik blootgesteld zou worden. Maar ik zei: 'Luister, ik ben anders dan de mensen die jullie gewend zijn te begeleiden. Ik heb al vanaf mijn geboorte een zwaar leven. Ik heb er altijd alleen voor gestaan en ik weet zeker dat ik nu op mijn eigen benen moet gaan staan. Ik kan er bovendien niet meer tegen om alleen tussen de autochtonen te leven. Ik mis de gemengde samenleving, ik mis de andere culturen, de andere talen en het andere eten.'

Ronald was niet overtuigd. 'Het gaat niet om andere mensen of andere culturen, het gaat om jou, Abkader. Jouw programma duurt nog vier maanden, dan pas is het klaar en kun je met begeleiding je geluk in de buitenwereld gaan beproeven. Het is voor jou nog te vroeg, er is nog veel werk te doen. Probeer het, geef het nog een kans. Denk er op zijn minst nog een nacht over voordat je je besluit doorzet.'

Ik knikte dat ik hem begreep, maar dat mijn taak hier klaar was. Ik wilde mijn besluit beslist doorzetten. 's Middags werd de hele leefgemeenschap door Ronald in de woonkamer bij elkaar geroepen en mocht ik mijn besluit om te vertrekken meedelen. Ik voelde mij alleen staan in mijn besluit; ik wist dat de anderen mijn verdriet en mijn eenzaamheid niet konden begrijpen, en mijn besluit ook niet. Het had ook weinig zin om de anderen te overtuigen. Ik hield mijn mededeling om te vertrekken zakelijk en hoewel mijn medebewoners oprecht begaan waren met mijn lot, liet ik mij ook deze keer niet overhalen om te blijven. Het was erg moeilijk om door te zetten, terwijl er zo veel mensen waren die probeerden mij ervan te overtuigen dat ik bij hen thuishoorde en dat de beslissing om terug te keren in de maatschappij te vroeg kwam. Ook zag ik veel verdriet bij mijn lotgenoten.

Om vier uur 's middags stond ik na van iedereen persoonlijk afscheid te hebben genomen met mijn oude koffer buiten. Het had die week behoorlijk gesneeuwd en als het zo doorging zouden we zeker een witte kerst krijgen. Voor mijn vertrek belde ik mijn ouders om ze van mijn komst op de hoogte te stellen.

Langzaam liep ik over het pad in het bos naar de provinciale weg, waar de bus langskwam, en ik voelde een warm gevoel van opluchting en vrijheid door mijn lichaam en geest stromen. Ik had zelf de deur van mijn kooi geopend en mijn vleugels brachten de geur van de vrijheid weer binnen mijn bereik.

Mijn enige bezit bestond, net als bij mijn aankomst, uit kleding, boeken en een paar kunstwerken die ik had gemaakt. Ik had van mijn begeleider net genoeg geld gekregen om een buskaartje naar Utrecht te kopen.

Voor het eerst in jaren voelde ik mij fysiek en mentaal vrij, echt vrij, een vrijheid waar ik de laatste vijf jaar nooit over had durven dromen.

Ik was vrij en die vrijheid zou ik mij nooit meer door wie of wat dan ook laten ontnemen. Ik was ervan overtuigd dat ik op de rand stond van mijn wedergeboorte. Ik was nieuw, fris en kwetsbaar. Mijn laatste informatie over de buitenwereld had ik alleen via kranten; ik had acht maanden geen televisiebeelden gezien; ik moest de wereld opnieuw gaan ontdekken, de wereld die mij ziek had gemaakt en mij had uitgespuugd. Maar nu liet ik mij niet meer uitkotsen. Ik had teruggeknokt en kwam nu als overwinnaar terug. Ik wist één ding: mijn leven zou nu pas gaan beginnen.

Tegelijkertijd bekroop mij ook een soort angst, een angst die mij niet onbekend voorkwam. Kan ik nu sterk genoeg in het leven staan? Ben ik voldoende in evenwicht om niet meer terug te vallen in mijn oude repertoire? Waar moet ik gaan wonen? Staat de maatschappij op mij te wachten? Is er ergens een plek voor mij? Ga ik door met mijn muziekcarrière? Kan ik nieuwe vrienden maken?

Al deze vragen en nog veel meer spookten door mijn hoofd en maakten mij angstig. Had ik er wel verstandig aan gedaan om Arta te verlaten? De tijd zou het leren.

Terugkeer van de vreemde

Het werd kerst. Winkelcentra waren dichtbevolkt met winkelende mensen. Overal probeerden winkeliers een sfeer van gezelligheid te scheppen. Ondanks deze sfeer van warmte en saamhorigheid leken de mensen haast te hebben om snel thuis te komen. Het was koud en het sneeuwde al een paar dagen licht. De dagen waren kort en de avonden lang. Kwam dit moment mij niet bekend voor? De herinnering aan schijnheiligheid en mijn eigen verbittering lag nog vers in mijn geheugen; was dit niet een déjà vu? Maar nu met een belangrijk verschil: ik genoot en ik realiseerde mij goed dat ik niet meer verbitterd was en ook niet gefrustreerd. Ik voelde mij voor het eerst een deel van het totaal. Ik vond het prima dat anderen leefden in hun culturele en religieuze rituelen, waarin Jezus Christus een belangrijk symbool was. Ik had hier geen waardeoordeel over. Ook betrok ik de vreugde van anderen niet op mijn eigen verwarring of frustratie. Het was goed zo. Ik vierde Kerstmis niet, maar ik voelde de vreugde van de andere mensen die het wel deden en dat maakte mij ook een beetje gelukkig. Ik zat niet meer gevangen in mijn eigen emoties. De wereld om mij heen leek veranderd, maar dat was niet zo: mijn kijk op de wereld was veranderd. Deze ontdekking vervulde mij met vreugde en hoop. Ook dat ik me had gerealiseerd dat ik geen slachtoffer meer was van de omstandigheden, geen kind van de rekening, vervulde mij met inspiratie om te leven, echt intens te leven zoals ik nooit eerder had gedaan. Het kind van de rekening had alleen in mijn verbeelding bestaan.

Ik kon nu genieten van een wandeling door het winkelcentrum in de wijk Overvecht. Ik keek naar de etalages van kledingzaken en droomde ervan ook ooit gekleed te gaan in een mooi zwart kostuum met zwarte, Italiaanse, leren schoenen. Ik kocht bij Bruna een *Volkskrant* en streek er daarna mee neer bij het lunchcafé aan de Zamenhofdreef, onder het genot van een kop warme koffie met een amandelkoek. Na jaren van uitsluiting en afzondering raakte ik langzaam weer betrokken bij wat er in de maatschappij gebeurde. Ik was nu goed op de hoogte van actuele informatie op politiek, economisch, cultureel en maatschappelijk vlak. Ik was ook echt geïnteresseerd in wat er om mij heen gebeurde. Het leek alsof ik een winterslaap van jaren had gehouden en nu opeens wakker was geworden.

Ik keek graag naar winkelende mensen en maakte van mijn waarnemingen een oefening in het analyseren van voorbijgangers: wie zijn ze en waar zijn ze mee bezig? Wat zouden ze voor de kost doen en zijn ze echt zichzelf of doen ze maar alsof? Wat zouden ze over mij denken als ze me zien? Of zien ze mij niet eens lopen? Ik begon mij oprecht in mensen te interesseren.

Zonder dat ik het in de gaten had, knikte ik soms vriendelijk naar een voorbijganger bij wijze van groet. Tot mijn grote vreugde beantwoordden deze mensen mijn groet dan met hetzelfde vriendelijke enthousiasme. Ik ontdekte dat niet alle mensen slecht zijn.

Nu ik mijn oude leven vaarwel had gezegd, had ik geen vrienden meer en stond ik er helemaal alleen voor. De oude vrienden waren voor mij geschiedenis, en dat hoofdstuk van mijn leven wilde ik liever voorgoed afsluiten. Ik moest weer aan een nieuw netwerk gaan werken. Maar alles op zijn tijd.

De acht maanden bij Arta, veilig afgesloten van de buitenwereld, hebben voor mij zowel fysiek als mentaal een stevige basis gelegd voor mijn terugkeer in de maatschappij. Als ik niet beter wist, zou ik geloofd hebben dat de samenleving tijdens mijn noodgedwongen afwezigheid veranderd was. De wereld was een stuk vrolijker, hoopvoller en positiever geworden. Maar ik had zelf een transformatie ondergaan: was van een verwarde, onzekere, minderwaardige, gefrustreerde man vrolijk, positief en vastberaden geworden. Ik was vol passie voor het leven en mijn denken was vrij en zuiver. Mijn zelfvertrouwen, positieve denken en mijn vastberadenheid was groter dan ik ooit had ervaren. Mijn minderwaardigheidsgevoel had plaatsgemaakt voor eigenwaarde en zelfrespect.

Ik voelde mij goed, als ik doelloos door de winkelstraten slenterde tussen mensen die allen een doel in het leven leken te hebben. En zo doelloos was ik eigenlijk niet, want er begonnen zich al duidelijke contouren van een toekomstbeeld in mijn hoofd af te tekenen. Er had zich een zaadje in mijn geest geplant van een geweldige droom, die mijn leven met geluk vervulde. Tegelijkertijd maakte deze droom mij ook angstig. Niet zozeer vanwege de wens, maar eerder vanwege de vraag of ik in staat was om de offers te kunnen brengen die nodig waren om die droom te realiseren. De angst voor mislukking zat nog vers in mijn geheugen. Ik was immers levenslang een mislukkeling geweest, mislukt in alles wat ik ooit had ondernomen.

Ik realiseerde mij dat ik iets moest doen in plaats van wachten totdat mijn droom vanzelf werkelijkheid zou worden. Maar ik had nog veel te regelen voordat mijn leven in evenwicht was; het was nu allemaal te pril en te kwetsbaar. Ik was bang voor mijn reactie op tegenslagen, die zich ongetwijfeld weer zouden voordoen. Was ik in staat om vastberaden door te zetten of zou ik bij de eerste beproeving in mijn oude routine terugvallen? Die situatie had zich in de eerste weken na mijn vertrek bij Arta nog niet voorgedaan.

Om weer mislukking te voorkomen begon ik doelen te stellen en ik maakte een boodschappenlijst voor mijn levensplan. Ik kocht bij Bruna stevig wit papier en knipte er een klein stukje uit, iets kleiner dan A6-formaat. Op dit kaartje schreef ik: Mijn doelen voor de komende vijf jaar: 1. zelfstandige huisvesting, 2. mbo- en hbo-studie, 3. werk als arbeidsconsulent, 4. een gezin. Op de achterkant schreef ik: 'Ik ben positief. Ik geloof in mezelf. Ik heb zelfvertrouwen en discipline. Ik ben vastberaden en ik zal nooit opgeven.'

In die volgorde schreef ik mijn dromen en de competenties die ik daarvoor nodig had op en dat kaartje droeg ik steeds bij me. Ik las de regels meer dan honderd keer per dag en op die manier prentte ik de teksten onuitwisbaar in mijn geest en gedachten. Ik maakte een beeld van mezelf zoals ik in mijn droom zou willen zijn. Die werkwijze maakte mij zelfverzekerd en hoe ver ik ook van deze dromen verwijderd was, ik voelde zelfvertrouwen en geloof in mezelf. Ik was vastbesloten om mijn dromen te laten uitkomen.

Al drie weken logeerde ik bij mijn ouders, die mij liefdevol en met open armen hadden opgevangen. Ik begon onze relatie weer op te bouwen en ik realiseerde mij dat ik veel kapot had gemaakt. In die weken maakte ik er een gewoonte van om de administratie voor mijn vader te doen. Hij had al zijn brieven en belangrijke papieren in plastic tassen opgeborgen. Ik kocht voor hem een paar ordners en begon zijn administratie en zijn post overzichtelijk te organiseren. Daarnaast belde ik

allerlei organisaties met vragen over kwijtschelding van belastingza-
ken en het krijgen van armoedesubsidies. Mijn ouders moesten van
een minimumarbeidsongeschiktheidsuitkering rondkomen en ik
slaagde erin voor meer dan duizend gulden aan kwijtscheldingen en
subsidies voor ze binnen te halen. Ik kon toch niet stilzitten en bovendien wilde ik iets voor mijn ouders terugdoen, voor al het leed dat ik ze
had berokkend in die vijf jaar van mijn verslaving. Mijn vader was erg
blij dat ik verantwoordelijkheid toonde en deed er alles aan om mij zijn
vertrouwen en enthousiasme te tonen. Hoewel zijzelf net voldoende
geld hadden om rond te komen, bood hij mij vaak geld aan, want mijn
uitkering was nog niet omgezet van Arta naar mijn nieuwe, onafhan-
kelijke situatie. Ik nam zijn aanbod niet aan, want ik had daar in het
verleden veel misbruik van gemaakt.

In de flat van mijn ouders was een grote kamer ingericht volgens
de Arabische traditie, met zit- en ligbanken langs alle muren van de
kamer. Een schilderij van de heilige plaats Mekka hing aan de muur.
Ik had een deel van deze kamer tijdelijk geconfisqueerd en had in een
hoek een eigen werkplek ingericht met mijn boeken en mijn schrijfge-
rei. Ik zat soms tot laat in de nacht te werken aan mijn persoonlijke
zelfstudie of ik zat te schrijven over mijn levenservaring en mijn visie
op de samenleving. Die bezigheid gaf mij de energie en de inspiratie
die ik nodig had voor mijn droom. En ik werd er ook scherper door in
mijn denken en in mijn geest.

Soms zat ik uren met mijn moeder in de keuken te filosoferen over
ons leven en over mijn jonge jaren. Zo probeerden we de afgelopen vijf
jaar zo veel mogelijk te vergeten. Mijn ouders voelden in die eerste weken aan dat ik erg kwetsbaar was en zij waren erg zorgzaam en bezorgd als ik de deur uitging. Mijn vader smeekte mij niet naar Hoog
Catharijne te gaan, want daar had al die ellende plaatsgevonden: in de
onderwereld van het Hart van Nederland. Daar waren zij hun zoon
kwijtgeraakt. Nu was hij teruggekeerd en zij waren bang hem weer te
verliezen. Hoewel ik mij beperkt voelde in mijn bewegingsvrijheid,
probeerde ik hun zorgzaamheid en bezorgdheid te begrijpen.

Op een dag waagde ik het een bezoek te brengen aan Hoog Catharijne.
Ik voelde mij sterk, zeker van mijn zaak en was niet bang. Nadat ik een
uur op de Oudegracht in de sneeuw had gewandeld liep ik Hoog Ca-

tharijne binnen. Ik naderde het station en zag een groep jongens die ik goed kende en met wie ik veel tijd had doorgebracht. Twee oude bekenden, Mimoun en Ricki, merkten mij op en kwamen snel op mij toelopen. Zij groetten mij enthousiast en vroegen mij van alles over mijn afwezigheid in de afgelopen tien maanden en over het afkickcentrum.

'Lang niet gezien!' zei Ricki, alsof hij mij echt had gemist.

Ik vroeg Ricki of hij Arien en Ramzi nog zag.

'Het gaat niet goed met die twee,' antwoordde Ricki. 'Ramzi is drie maanden geleden vrijgekomen en een maand geleden is hij opnieuw tegen de lamp gelopen. Hij heeft nu een jaar gekregen. En Arien is na zijn vrijlating vertrokken naar Amsterdam; sindsdien hebben wij hem niet meer gezien.'

Jammer; ik had Arien graag willen zien om te kijken hoe het met hem ging. Misschien ook om hem te helpen, want het was een goeie vent.

'Zo, dus je bent afgekickt. Was het moeilijk om te stoppen?' vroeg Mimoun. 'Hoe voelt het nu je niet meer gebruikt? Zeker erg slecht. Ik moet er niet aan denken dat ik zou moeten stoppen, wat zou ik in godsnaam elke dag moeten doen?'

Ik legde hem uit dat het inderdaad erg zwaar was geweest, maar dat ik er geen spijt van had dat ik dat besluit had genomen en dat ik de drugswereld voorgoed de rug had toegekeerd. Het was oké zo!

'O ja?' riep Ricki vol verbazing. 'Dat zeg je nu. Vóór jou hebben heel veel anderen hetzelfde geroepen en kijk nu eens om je heen. Ze zijn er allemaal weer. Ik geef je nog geen tien dagen.'

Mimoun lachte, terwijl hij uit zijn jaszak een pakje Marlboro pakte. Hij bood mij een sigaret aan, die ik aannam. Hoewel ik acht maanden geleden gestopt was met roken, was ik twee weken eerder weer begonnen en rookte ik nu een paar sigaretten per dag. Ricki gaf mij een vuurtje en ik begon langzaam te roken.

Terwijl Mimoun een paar stevige trekjes nam vroeg hij: 'Zeg Abkader, waarom straf je jezelf? Je weet toch dat het geen zin heeft te proberen deze wereld voor altijd te verlaten? Het lukt bijna niemand die we hier kennen om te vluchten. Dit is ons lot.'

Ricki knikte, terwijl hij mijn reactie afwachtte.

'Wat wil je daarmee zeggen, Mimoun?' vroeg ik.

'Wat ik ermee wil zeggen is: geef het op! Het heeft toch geen zin. Als je wilt, kan ik je matsen met een pakje goed spul. Laten we naar de garage hieronder gaan, dan laat ik je zien wat ik bij me heb. Proef zelf en oordeel daarna pas. Als je geen geld hebt, mag je mij ook later betalen.'

De schoft raakte mij precies op mijn gevoelige plek. Zijn voorstel bracht mij even aan het twijfelen en ik dacht aan het heerlijke gevoel van vrijheid van dit verdovende middel. Ja, waarom eigenlijk niet? Ik was toch al afgekickt? Eén keer zou geen kwaad kunnen. Er kon mij toch niets gebeuren? Vervolgens voelde ik de wereld om mij heen draaien en zakte de grond onder mijn voeten weg. Waar was ik in godsnaam mee bezig? Ik had in de afgelopen tien maanden geen moment gedacht aan weer te gaan gebruiken, en deze zogenaamde vrienden hadden mijn zwakte weten te raken om toe te geven aan de behoefte die ik jaren had gehad en waarvan ik nu van bevrijd was. Ik kon niet geloven wat ik had gehoord en hoe ik daarop had gereageerd; vooral dat laatste. Dit voorstel van Mimoun maakte mij angstig en tegelijk woedend en ik dacht aan de angst van mijn ouders en hun waarschuwing om niet naar Hoog Catharijne te gaan. Zij hadden gelijk: het gevaar was overal.

'Waar ben je mee bezig?' vroeg ik Mimoun met een geïrriteerde toon. Voordat hij op mijn vraag kon reageren en het in de gaten kreeg, gaf ik hem een stevige duw op zijn borst, terwijl ik hem toeschreeuwde: 'Vuile rotzak!'

Ik keerde de twee duivels de rug toe en liep snel naar de uitgang aan de kant van het Vredenburg, ver weg van Hoog Catharijne. Eenmaal buiten in de frisse lucht haalde ik diep adem en ik liep rustig verder in de richting van Overvecht. Het was niet verstandig geweest om mezelf nu al op de proef te stellen. Ik was er nu goed van afgekomen, maar zou dat een volgende keer ook lukken?

Ik was ontsnapt aan de hel waarin ik jaren had gezeten, maar ik zou ongetwijfeld deze en andere verslaafden nog vaker tegenkomen. Hoelang zou ik het volhouden voordat ik aan de verleiding toegaf? Had Mimoun misschien toch gelijk en was ontsnappen niet mogelijk? Ik begon voor het eerst aan mezelf te twijfelen, hoe goed ik ook probeerde die twijfel te onderdrukken. Alles zou voor niets zijn geweest, de strijd, de pijn, de verwarring, de bewustwording en de wedergeboorte.

Ik zou alles waarvoor ik in dat jaar had gevochten in één ogenblik opgeven. Ik wist dat ik dat nooit zou laten gebeuren. Er was voor mij geen weg meer terug.

Ik slaagde erin mezelf moed in te praten en overtuigde me ervan dat wat er ook zou gebeuren, ik nooit meer zou toegeven aan die duivelse verleiding.

Sleutel tot kennis

Ik had het goed bij mijn ouders, die er alles aan deden het mij naar de zin te maken, maar ik wist dat ik nooit in staat zou zijn langdurig bij ze in te wonen. Ik had te veel meegemaakt in mijn leven om nog langer onder hun beschermende vleugels te willen leven. Ik had mijn vrijheid en zelfstandigheid nodig. Zij konden dat niet begrijpen en dat accepteerde ik. Mijn schip had zijn eigen koers uitgezet en die was anders dan de koers die mijn ouders voor mij wilden uitzetten.

De belangrijkste basis voor mijn nieuwe leven was een eigen plek hebben om te wonen, een kamer of een appartementje. Het maakte niet zo veel uit, zolang het maar van mij was en betaalbaar was. Ik moest mijn eigen zelfstandige huisvesting regelen, voordat ik aan mijn droom kon beginnen. Tot die tijd kon ik weinig doen.

Een maand na mijn vertrek uit Arta maakte ik een afspraak bij het huisvestingsbureau aan de Oudegracht, waar ik mij wilde inschrijven voor een zelfstandige woning. In het gesprek vertelde ik de dame achter de balie mijn verhaal, en zij was onder de indruk. Mijn doel in dat gesprek was om de hoogste urgentie voor een woning te krijgen. Ik wist dat ik zonder deze urgentie misschien meer dan tien jaar op de wachtlijst zou komen te staan, want de woningnood in Utrecht was enorm.

Ik vertelde de woningambtenaar dat ik dakloos was en dat ik soms bij familie sliep. Ik vertelde naar waarheid dat ik niet in staat was om bij mijn ouders te leven en dat, als ik geen eigen plek had, de kans groot was dat ik overgeleverd was aan het leven op straat, met alle gevolgen van dien. En dan was het maar de vraag of ik ooit weer de kracht zou kunnen opbrengen om nog een keer te proberen om aan de greep van de zwarte octopus te ontsnappen. Voor mij was het een kwestie van leven of dood. Ze beloofde mij mijn zaak voor te zullen leggen aan de commissie die over de urgentie van de aanvragen besliste.

Drie weken later ontving ik een brief dat de commissie mij de hoogste urgentie had verleend en die hield in dat ik binnen drie maanden een woningaanbod kon verwachten. Ik was erg gelukkig met die mededeling.

Nog geen drie maanden later ontving ik een brief met de aankondiging dat er een flat voor mij beschikbaar was gekomen in Overvecht-Zuid. Ik las de brief drie keer en daarna sprong ik van blijdschap in de lucht. Het geluk lachte mij toe. Mijn ouders leken in eerste instantie de reden tot deze uitbundige vreugde niet te begrijpen. Ze vonden het jammer dat ik weer vertrok, want ze hadden mij liever thuis gehouden. Ik zou weer uit hun leven verdwijnen en dat konden zij maar moeilijk accepteren.

Drie maanden later, in mei 1986, het was het begin van de lente, werd een van mijn basisdoelen gerealiseerd; een eigen plek op aarde. Ik betrok een mooi en net appartement aan de Vreuchdenbergdreef in Overvecht-Zuid. Het had een lichte woonkamer met in de hoek een ingebouwd keukentje, dat met een soort bar van de woonkamer was gescheiden. Het balkon aan de zuidkant had de hele dag zon. Er was verder een slaapkamertje en een badkamer met douche en toilet. De vorige bewoner had vloerbedekking achtergelaten en het behang was netjes en schoon genoeg. Ik hoefde dus niets te doen. Het gevoel mijn eigen plek te hebben vervulde mij met geluk. Omdat ik geen bezittingen had en ook geen geld om mijn huis in te richten, kreeg ik van mijn moeder een eenpersoonsmatras met een dekbed en beddengoed. Daarnaast verzamelde ze wat keukengerei voor me, zoals een fluitketel, pannen, borden, glazen en bestek, en dat stopte ze voor mij in een grote doos. De rest moet je maar zelf organiseren, had ze gezegd.

Zodra de volgende maand mijn uitkering van vijfhonderd gulden binnen was, ging ik langs tweedehandswinkels op zoek naar meubels. Tweehonderdvijftig gulden was voor de huur, honderdvijftig gulden legde ik opzij voor mijn levensonderhoud. Voor honderd gulden slaagde ik erin een eethoek met vier stoelen te vinden, een kleine koelkast en een vierpits gasstel. Een maand later kocht ik een oude stereo-installatie met een langspeelplaat, want muziek mocht in mijn huis niet ontbreken. Ik kon nu in ieder geval koken, eten en slapen. De rest had geen haast. Soms vond ik spullen bij het grofvuil, die ik dan mee naar huis nam. Een keer vond ik een tweezitsbank, een andere keer een audiomeubel, weer een andere keer een boekenkastje, en zo slaagde ik erin mijn flat bijna zonder kosten in te richten. Er hing een strakke zwart-wit aquarel aan de muur. Mijn woonkamer straalde met al die weggegooide spullen toch een gezellige en artistieke sfeer uit.

Nu ik mijn huisvestingsdoelstelling had gerealiseerd, was het tijd aan mijn volgende doel te beginnen, een studie. Ik begon me te oriënteren met behulp van vacatures uit de krant, het arbeidsbureau en een zoektocht langs de Utrechtse uitzendbureaus. Van de vacatures die ik uitknipte, maakte ik een soort plakboek. Zo kwam ik aan informatie over de soort banen die er waren op het gebied van arbeidsmarktbemiddeling, de functieomschrijving en de vereiste opleiding. Mijn gesprekken bij het arbeidsbureau, waar ik al meer dan vijf jaar stond ingeschreven, hadden niets opgeleverd.

De afdeling Voorlichting van het arbeidsbureau had verschillende boeken met meer dan duizend beroepen en opleidingen in alle denkbare sectoren. Ik kwam er dagelijks om ze te bestuderen. Het kostte mij weken om een aantal interessante beroepen en studies uit die boeken te bestuderen, maar kennis over die beroepen was voor mij erg belangrijk om te werken aan mijn toekomstbeeld.

Daarnaast raadpleegde ik vaak de vacatures die in het Job Centre werden gepresenteerd, maar ik kreeg bij navraag altijd nul op het rekest. De beroepen waar mijn interesse naar uitging, waren volgens het arbeidsbureau voor mij te hoog gegrepen. Ook gesprekken met een scholingsadviseur leidden weer tot een teleurstelling: ik kreeg het advies om iets met mijn handen te gaan doen, een vak als timmerman, tegelzetter of loodgieter. Ik mocht een oriëntatieprogramma volgen bij het Centrum voor Beroepsoriëntatie en Beroepsbeoefening, maar dat weigerde ik, want ik had twee linkerhanden en geen technisch inzicht of gevoel. Later kwam ik erachter dat dit centrum een soort parkeerplaats was voor allochtone jonge werklozen met wie het arbeidsbureau zich geen raad wist.

Elke dag ging ik langs uitzendbureaus in de stad op zoek naar leuke banen waarin ik door middel van studie in mezelf kon investeren. Mijn vooropleiding was beperkt tot twee jaar technische school en daarom konden deze bemiddelingsbureaus voor tijdelijk werk mij alleen maar helpen aan ongeschoolde banen in de productie of het magazijn, en dat wilde ik juist niet; ik, de zoon van de gastarbeider, de vreemde. Toch gaf ik mijn pogingen niet op. Ik stapte elk uitzendbureau binnen om mijn geluk te zoeken, want wie weet zou ik op een dag toevallig een leuke baan tegenkomen, dacht ik.

Tegelijkertijd bezocht ik allerlei scholen op zoek naar informatie ter oriëntatie op een studie. Ik ging naar de Hogeschool De Horst, die een multiculturele studierichting had, maar ik wilde juist loskomen van het stempel allochtoon.

Daarna kwam ging ik naar de Sosa, een onderdeel van de Hogeschool Haarlem. Daar hadden ze de mbo-studie Arbeidsmarktpolitiek/Personeelsbeleid, die ik graag wilde volgen om arbeidsconsulent te kunnen worden. Na twee gesprekken kreeg ik te horen dat ik niet werd toegelaten tot deze parttimestudie, omdat mijn vooropleiding te laag was. Dat was een bittere tegenslag, maar de school bood mij wel de mogelijkheid om een Vemsa-schakelprogramma van een jaar te volgen. Met dat diploma kon ik tot het mbo worden toegelaten. Hoewel ik er tegenop zag een jaar met een schakelprogramma bezig te zijn, besloot ik uiteindelijk toch mij hiervoor in te schrijven. Het traject had twee voordelen: de cursus werd door de overheid gefinancierd en was dus voor mij als werkloze gratis; en verder was de cursus één dag per week, zodat ik voldoende tijd over had om een baan te zoeken om toch wat geld te verdienen.

Dat jaar werkte ik hard en slaagde ik voor de cursus. Ik werd tot de Hogeschool Haarlem toegelaten, maar korte tijd later deed zich een nieuwe tegenslag voor. Voordat ik in september met het eerste jaar mbo mocht beginnen, moest ik eerst het schoolgeld en de studieboeken betalen. Dat was een harde voorwaarde. Het ging om een bedrag van ongeveer tweeduizend gulden per schooljaar. Met mijn uitkering kon ik zelf nog geen tien gulden betalen. Weer dienden zich zwarte wolken aan boven mijn dromen.

Ik zag nog maar één mogelijkheid om kans te maken op toelating. Ik ging opnieuw naar het arbeidsbureau, waar ze mij inmiddels goed kenden, en informeerde naar de mogelijkheden voor scholingssubsidies. Voordat ik een verzoek voor tegemoetkoming kon indienen, moest ik eerst een verklaring van de Sociale Dienst overleggen dat ik ontheven was van de sollicitatieplicht. Diezelfde middag nog bracht ik, zonder afspraak, een bezoek aan mijn contactpersoon van de Sociale Dienst. Omdat mijn dossier bekend was en men mij toch als kansloos op de arbeidsmarkt zag, kreeg ik na een paar dagen de schriftelijke toestemming per post thuis. Ik had weer een obstakel opgeruimd. Op het arbeidsbureau overhandigde ik het gevraagde document aan de consulent achter de informatiebalie en ik kreeg een stapel formulieren in mijn handen geduwd, met het verzoek die in te vullen en op te sturen. Bij het zien van al die formulieren zakte de moed mij in de schoenen. Met een diepe zucht pakte ik ze op en ik ging ze in een hoek van de ontvangstruimte invullen. Zo zou ik geen tijd verliezen door ze mee naar huis te nemen en later op te sturen. De consulent gaf mij met tegenzin een pen. Na ruim een uur meldde ik mij opnieuw bij de informatiebalie om de aanvraag in te dienen. Tot mijn grote verbazing wilde de consulent mijn aanvraag nog niet in behandeling nemen.

'Is mijn aanvraag nog niet in orde?' vroeg ik teleurgesteld. 'U had een verklaring van vrijstelling van de Sociale Dienst nodig en die heb ik u gegeven. U hebt mij een uur geleden gevraagd deze formulieren in te vullen en dat heb ik gedaan.' Ik schoof hem de stapel toe, die hij op zijn beurt weer terugschoof, terwijl hij zei: 'Ik heb een schriftelijk formeel overzicht van de school nodig, waarin de kostenspecificatie van de studie is opgenomen.' Ik liet hem een stencil met de kosten zien.

'Nee! Dat kunnen wij niet accepteren. Het moet een schriftelijke verklaring zijn met een stempel van de school,' zei de ambtenaar.

'Shit! Sorry, maar dat kan nog weken duren!' riep ik.

'Dat kan wel zijn, maar dat is nu eenmaal de procedure. Als u alle stukken bij elkaar hebt, stopt u alles in deze gefrankeerde envelop en stuurt u het naar ons terug.'

Hij gaf mij een grote envelop met alle documenten erin. Ik was bijna de hele dag bezig geweest om een subsidieaanvraag in te dienen en dan had ik nog geen resultaat. Ik pakte de dikke envelop van de balie op, nam vriendelijk afscheid van de consulent en zei dat ik terug zou komen.

Het heeft ongeveer twee weken geduurd voordat de Hogeschool Haarlem mij het gewenste document stuurde. Opnieuw meldde ik mij bij de informatiebalie van het arbeidsbureau, met alle documenten die ik in de afgelopen maand had verzameld en mijn subsidieaanvraag. Ik wilde het liever persoonlijk brengen dan met de post versturen, want dat scheelde zeker drie dagen. Het was al mei en de opleiding ging in september van start. Ik werd pas definitief op de lijst gezet als het geld was overgemaakt, en tot die tijd was ik dus niet zeker van mijn plek.

De aanvraag was ingediend. Twee weken later liep ik elke dag vóór het ontbijt naar de brievenbus beneden in de hal in de hoop een brief te vinden van het arbeidsbureau, en elke dag vond ik niets en ging ik onverrichter zake weer naar boven. Meestal had ik dan ook geen zin meer in ontbijt. Dag in, dag uit; week in, week uit – steeds weer die lege brievenbus met allcen reclamefolders of rekeningen.

In de tussentijd kocht ik van mijn laatste geld die maand in een tweedehandswinkel een elektrische schrijfmachine, die ik nodig had om sollicitatiebrieven te typen en om verslagen voor school te maken. Die kostbare investering zou zich later terugverdienen; tenminste, dat hoopte ik.

Pas half augustus en zonder er nog op voorbereid te zijn, vond ik de langverwachte brief in mijn brievenbus. Met trillende handen scheurde ik in de hal de envelop open om de reactie op mijn verzoek te lezen. De inhoud van die brief kon mijn toekomst maken of breken. Ik durfde mijn blik bijna niet over de tekst te laten gaan. Ik begon de tekst te lezen, die in formele toon was geschreven, en plots viel mijn blik op het woord 'helaas'. Mijn hart begon dubbel zo hard te slaan, mijn adem voelde zwaarder in mijn lijf en ik werd bijna duizelig. Mijn verzoek was afgewezen. Ik liep ontdaan terug naar mijn flat en las de brief opnieuw, in de hoop dat ik het verkeerd had begrepen. Opnieuw drongen de woorden tot mij door: 'Helaas kunnen wij uw verzoek niet honoreren.' Het argument was dat deze studie voor mij niet als arbeidsmarktrelevant werd gekenmerkt. Natuurlijk niet, dacht ik, de enige arbeidsmarktrelevante beroepen waren voor mij productie- of magazijnmedewerker, timmerman of loodgieter. Het vak van arbeidsconsulent was alleen arbeidsmarktrelevant voor witte Nederlanders. In die zin had het arbeidsbureau gelijk. In die functies bij arbeidsbureaus, uitzendorganisaties of personeelsafdelingen van bedrijven trof je in die tijd niet één allochtoon, dus waar haalde ik het lef vandaan? Ik moest mijn brood met mijn handen zien te verdienen en niet met mijn hoofd.

Ik zakte teleurgesteld op de bank neer, en terwijl ik mijn toekomst door mijn vingers heen zag glippen, verfrommelde ik de brief tot een prop en smeet die boos tegen de muur. 'Waarom, God?' riep ik, 'waarom ik, mijn God?' Waarom begon alles weer opnieuw? Waarom de nonacceptatie? Waarom zo veel weerstand vanuit de Nederlandse maatschappij en waarom had deze maatschappij geen vertrouwen in mij?

Het nieuwe album *Graceland* van Paul Simon verscheen in 1986 en ik raakte volledig in de ban van die muziek. Het titelnummer 'Graceland', en naar mijn idee ook een van de beste nummers van het album, gaat over een man die met zijn zoontje naar Graceland rijdt. Onderweg overdenkt hij zijn leven, terwijl hij ook ergens naar een stukje begrip van de wereld op zoek is. Prachtig mooi geschreven. In dat album kun je de Afrikaanse muziekinvloeden ook heel goed horen. Een ander nummer dat mij intrigeerde op zulke momenten van tegenslag en verlatenheid was 'You can call me Al':

A man walks down the street
It's a street in a strange world
Maybe it's the Third World
Maybe it's his first time around
He doesn't speak the language
He holds no currency
He is a foreign man
He is surrounded by the sound
The sound
Cattle in the marketplace
Scatterlings and orphanages
He looks around, around
He sees angels in the architecture
Spinning in infinity
He says Amen! and Hallelujah!

If you'll be my bodyguard
I can be your long lost pal
I can call you Betty
And Betty when you call me
You can call me Al
Call me Al

Op momenten dat het mij tegenzat, zette ik deze plaat op. Ik kon uren in trance naar deze muziek en de teksten luisteren. De brief met de afwijzing van het arbeidsbureau was zo'n moment en al snel vergat ik voor even mijn nederlaag. Ik luisterde ook veel naar de jazzmuziek van

Stanley Clarke en Marcus Miller, de twee beste bassisten ter wereld. Die muziek zuiverde mijn geest en vervulde mij met inspiratie.

De dagen na de afwijzing kon ik niet meer helder denken. Ik was te diep in mijn emoties geraakt. Eén ding wist ik zeker: ook al deed deze hele situatie erg veel pijn en had ik geen zin meer hiertegen te strijden, ik zou nooit opgeven. Het ging om mijn leven en ik had al zo veel doorstaan. Ik had nog vier weken de tijd voordat de scholen weer zouden beginnen, en in die vier weken moest ik een oplossing zien te vinden.

Ik dacht even aan mijn oude vak in de criminele branche. Ik zou er zeker binnen een week in slagen om die tweeduizend gulden bij elkaar te stelen, maar ik verwierp die optie onmiddellijk. Ik had afgerekend met mijn oude leven en met alles wat erbij hoorde. Ik deed alles nu op een eerlijke manier.

Ik had achthonderd gulden vakantiegeld ontvangen en deed hierbij tweehonderd gulden van mijn boodschappengeld. Dan zou ik het die maand wel zuinig aan doen. Nu miste ik nog duizend gulden. Zonder te overleggen met de Hogeschool Haarlem maakte ik de duizend gulden die ik had, naar hen over. Met mijn nieuwe schrijfmachine schreef ik een brief naar de directeur van de Hogeschool en vertelde ik hem dat ik de helft van mijn school- en boekengeld al had overgemaakt en legde ik hem mijn persoonlijke situatie uit. Ik verzocht de school tot de start van de studie mijn aanmelding niet te verwerpen, ondanks dat ik nog niet had voldaan aan de gehele financiële verplichting. In de brief smeekte ik de directeur mij een kans te geven de rest van het geld bij elkaar te krijgen.

Mijn ouders hadden mijn worsteling om aan het vereiste geld te komen op afstand gevolgd. Zij zagen dat ik helemaal was vastgelopen en mijn vader leende geld bij kennissen van hem. Toen ik op een dag bij hen op bezoek was, legde hij een stapel bankbiljetten voor mij neer ter waarde van precies de duizend gulden die ik nodig had.

'Hier, mijn zoon, ga je studie volgen, en als je op een dag een baan hebt met een hoog salaris, dan betaal je ons dat geld terug. Tot die tijd hoef je daar niet over in te zitten.' Mijn vader klopte mij op de schouders en ik wist niet wat ik moest zeggen. Mijn vader zag dat ik naar woorden zocht en zei: 'Je hoeft niets te zeggen. Neem het geld maar en zorg dat je slaagt in je strijd.' Zij waren zichtbaar tevreden over het feit dat ik mijn gastarbeidersstatus wilde inruilen voor een betere toekomst.

Ik omhelsde hem van dankbaarheid en verzekerde hem ervan dat ik, in tijden van zwakte, altijd aan dit moment zou denken om er de kracht uit te putten om niet op te geven. Een week later had ik aan al mijn verplichtingen voldaan en de spanning en de stress verdwenen. Het geluk lachte mij opnieuw toe; de oplossing was uit een onverwachte hoek gekomen. Ik kon de laatste twee weken van de zomervakantie in ieder geval in alle rust en zonder strijd doorbrengen. In de eerste week van september kon ik eindelijk met mijn mbo-studie Arbeidsmarktpolitiek/Personeelsbeleid beginnen.

De eerste weken waren erg zwaar. Het was zo lang geleden dat ik in de schoolbanken had gezeten. Daarnaast hadden al mijn medestudenten al een baan die voldeed aan de stage-eisen van de studie. Ik was de enige werkloze en de enige allochtoon in de klas. Ik had veel problemen met de vaktermen die in de lessen werden gebruikt en ik moest tijdens mijn huiswerk vanwege de moeilijke begrippen de studieboeken lezen met behulp van een woordenboek. De studie was voor mij in een aantal opzichten zwaarder dan voor mijn Nederlandse studiegenoten. Ik had op dinsdagmiddag en dinsdagavond les en kwam pas rond middernacht thuis. Dat kwam doordat ik vaak geen geld had voor de bus en dan lopend naar huis ging.

Ik studeerde thuis gemiddeld vier uur per dag en op zondag ongeveer zeven uur. Zo slaagde ik erin het hoge leertempo en de rest van de klas bij te houden. Vaak begreep ik bepaalde thema's niet helemaal en schaamde ik mij om dit in de klas te zeggen. Zodra ik thuis was, werkte ik hard en wist ik de stof uiteindelijk goed te begrijpen. Ik accepteerde dat ik voor bepaalde dingen gewoon meer tijd nodig had dan de anderen. Bovendien wilde ik door mijn klasgenoten en de docenten niet anders behandeld worden. Dus dan moest ik maar in het geheim harder werken. Mijn inzet was enorm. Korte tijd later nam ik actief deel aan groepsdiscussies in de klas. Ik durfde steeds meer en meer van mezelf te laten zien in de groep.

Ik was allang gestopt met het zoeken naar tijdelijk werk. Ik had daar toch geen tijd voor, hoewel ik het geld wel goed had kunnen gebruiken. Mijn koelkast was meestal leeg. Ik at bijna nooit warm, maar wel veel gebakken eieren met tomaten op bruin brood met een beetje sla, of ik maakte spaghetti met tomatensaus waar ik drie dagen van kon eten.

Voor mijn droom had ik deze ontberingen over. Ik had ontdekt dat kennis de sleutel was tot succes en een belangrijke voorwaarde om mijn dromen te realiseren. Ik las nog elke dag op mijn kaartje mijn doelen en competenties. Ik legde het kaartje zelfs op mijn studieboeken, als ik thuis aan het studeren was, en zo werd ik één met de regels op dat kaartje. De kracht die deze regels mij gaven, was enorm en ik geloofde dat God mij hielp in deze moeilijke tijden. Het kon niet anders. Er was ergens een hogere macht voor mij aan het werk, daar was ik van overtuigd. Door mijn veranderde houding leek ik de omstandigheden te scheppen die nodig waren om mijn droom waar te maken.

STRIJD TEGEN NON-ACCEPTATIE

Mijn eerste studiejaar aan de Hogeschool Haarlem verliep uitstekend. Ik slaagde voor alle tentamens en ging moeiteloos door naar het tweede jaar, waar een stage in een relevante functie noodzakelijk was.

Ik was al tijdens mijn eerste jaar op zoek naar een stageplaats. Bij het arbeidsbureau, waar ik droomde ooit te zullen gaan werken, solliciteerde ik naar een onbetaalde stageplaats. Na een kort gesprek kreeg ik de mededeling dat er geen stageplaatsen beschikbaar waren.

Ik maakte daarna een lijst van alle uitzendbureaus in de stad Utrecht. In een periode van ongeveer twee maanden ging ik bij al deze uitzendorganisaties langs en vroeg om een gesprek met de kantoormanager. Op het moment dat ik vertelde dat het om een sollicitatie ging, kreeg ik de mededeling dat ik een sollicitatiebrief moest sturen met een Curriculum Vitae. Dat was juist mijn probleem, verder dan mijn persoonlijke gegevens kwam mijn curriculum vitae niet. Maar ik probeerde nu juist in een persoonlijk gesprek vooroordelen uit de weg te ruimen: in een persoonlijk contact zou ik de gelegenheid hebben om een open en eerlijke indruk achter te laten.

Het viel me op dat ik bij alle organisaties waar ik binnenkwam, niet één buitenlander trof, of het was een schoonmaker die bezig was het kantoor van de witte consulenten schoon te maken. Dat ging ook op voor het arbeidsbureau. Ik was voor hen een vreemde.

De schrijfmachine kwam nu goed van pas. Ik ging aan de slag en schreef ongeveer vijf sollicitatiebrieven per week. De vacatures haalde ik uit de zaterdageditie van *de Volkskrant* en andere landelijke dagbladen. Elke dag begon ik met een wandeling naar de brievenbus in de hal op de begane grond van de flat, in de hoop een uitnodiging op mijn vele sollicitaties te ontvangen. De eerste weken trof ik mijn brievenbus telkens gewoon leeg. Toch gaf ik de hoop op een positieve reactie niet op.

Ik richtte mij naast uitzendbureaus en arbeidsbureaus ook op zorg-instellingen, VluchtelingenWerk, afdelingen Sociale Zaken van gemeenten, zelforganisaties, brancheorganisaties en afdelingen Personeelszaken in het bedrijfsleven. Alles wat ik tegenkwam, zag ik als een kans met mogelijkheden.

Ondertussen werkte ik dag en nacht aan mijn studie. Ik was soms tot vroeg in de ochtend nog bezig met mijn huiswerk. Mijn tafel was meestal bezaaid met studieboeken psychologie, sociologie, filosofie en andere wetenschappelijke werken. Ik had nooit verwacht dat ik zo veel plezier zou beleven aan studie. Ik vond de vakken niet alleen leerzaam, maar ook erg boeiend, en een prima aanvulling op de kennis die ik had opgedaan met mijn zelfstudie over het leven, de mensen en de wereld. Soms liep ik naar de bibliotheek om aanvullende literatuur te raadplegen voor mijn werkstukken, verslagen en presentaties.

In de weekenden ging ik vaak uit met twee nieuwe vrienden, Brian en Gerard, die ik ongeveer een halfjaar na mijn vertrek uit Arta had ontmoet. Brian was een Surinamer, jongerenwerker bij een welzijnsinstelling, en Gerard was een Nederlander, die Maatschappelijk werk studeerde aan de Hoge School De Horst. Ik noemde hen ook vaak Miami Vice, naar de detectives Sonny Crockett en Ricardo Tubbs.

Ze waren plezierig om mee om te gaan en zij hielpen mij vaak met adviezen over mijn studie en sollicitaties. Onze ontmoetingen in het weekend hadden een vast ritueel: wij begonnen de avond bij de mij nog bekende Engelse Pub King Arthur en gingen daarna meestal naar de Vrije Vloer onder de parkeergarage Paardeveld of Tivoli aan de Oudegracht, waar elk weekend livemuziek was. Het was goed om zulke vrienden te hebben, die echt om je gaven vanwege wie je was en niet om wat je had.

Uitgaan was voor mij een prima uitlaatklep om mijn stress kwijt te raken, en een manier om de accu op te laden. We dronken, praatten en lachten tot laat in de nacht. Het gevolg was meestal dat ik de laatste bus, van halfeen, miste en bijna vijf kilometer naar huis moest lopen. Geld voor een taxi had ik niet en ik weigerde een fiets te stelen, want ik wilde niet terugvallen in mijn oude patroon. Ik was mentaal schoon aan het worden en wilde die zuiverheid niet opgeven. Dan liep ik liever een uur van het centrum naar Overvecht-Zuid. Thuisgekomen was ik dan zo uitgeput dat ik meteen in slaap viel.

De eerste reactie op een dertigtal brieven ontving ik pas na twee maanden. Ik was zo nieuwsgierig dat ik de brief staande bij de brievenbus las. Het was mijn eerste schriftelijke afwijzing. Dat was niet erg: ik had nog meer ijzers in het vuur. De volgende ochtend stond ik gewoon weer vol hoop bij de brievenbus. Na vier dagen vond ik tot mijn grote blijdschap vijf brieven van instellingen en bedrijven waar ik een sollicitatiebrief naar had gestuurd. Ik onderdrukte mijn nieuwsgierigheid om ze ter plekke te openen. De spanning was groot. Ik wilde maar één uitnodiging zien, één kans om bij een potentiële werkgever te mogen komen praten. Ik legde de brieven op de tafel en ging eerst koffiezetten. Pas toen mijn ontbijt op tafel stond, begon ik tijdens het eten vol verwachting aan het openen van de brieven, die mij uit mijn lijden moesten helpen. Eén uitnodiging maar!

Ik zag in de eerste brief aan de hand van de kleine hoeveelheid tekst dat het een afwijzing betrof, in precies drie regels. Ook de tweede was een afwijzing. Nu begon ik ongeduldig te raken en liet ik mijn ontbijt staan. Ik opende snel de andere drie brieven om te ontdekken dat mijn hoop aan diggelen viel. Er zat niet één uitnodiging bij. Ik raakte zo teleurgesteld dat ik geen hap meer door mijn keel kreeg. Om mijn zenuwen tot bedaren te brengen stak ik een sigaret op. Ik zette *Graceland* op en zakte weg op de bank.

Deze teleurstelling zag ik als een onvermijdbaar proces: het hoorde bij het spel dat ik aan het spelen was. Het was incasseren, vallen, opstaan en gewoon weer doorgaan. Dat waren de regels van het spel.

De volgende dag stond ik weer bij het Job Centre van het arbeidsbureau, waar iedereen mij inmiddels kende. Ik was werkloos en ik wilde graag werken, maar niemand kon mij helpen, omdat ik mijn eigen wensen had. Ik had een droom. Anderen geloofden niet in de droom van een vreemde. Het was voor mij belangrijk dat ik erin geloofde. Voor de zoveelste keer bekeek ik de vacatures op de vacaturezuilen, die naar branche waren gegroepeerd: horeca, metaal, bouw, administratie, zakelijke dienstverlening. De procedure ging als volgt: als je een vacature vond waar je interesse naar uitging en waarvoor je aan de eisen voldeed, schreef je het vacaturenummer op een papiertje. Met dat papiertje liep je dan naar de consulent achter de balie, waar je liet uitzoeken of je in aanmerking kwam voor een voordracht bij de betreffende werkgever. Voor geen van de vacatures waarvoor ik belangstelling had en die voldeden aan de stagevoorwaarden van mijn studie kreeg ik een verwijzingsadvies. Ik liet mij niet uit het veld slaan en ging vaak daarna aan de leestafel vacaturekranten doorspitten. Terwijl ik daar dan zat, stelde ik mezelf voor als consulent van het arbeidsbureau. Het leek mij een geweldige taak om mensen als ik, met zo veel belemmeringen en tegenslagen, te helpen bij het zoeken naar scholing of werk. Dan zag ik mezelf als employé van de overheid met een agenda en een notitieblok onder de arm door het gebouw lopen of soms bij de lift praten met collega's of met een werkloze klant als ikzelf. Ik zat te dromen van een toekomst die ik zo graag wilde scheppen, en ik geloofde in mijn hart dat die droom werkelijkheid kon worden. Ik maakte gebruik van de technieken en de kracht van visualisatie, waarover ik ergens had gelezen. Natuurlijk twijfelde ik vaak aan mijn inzet en durfde ik niet te geloven dat mijn droom ooit werkelijkheid zou kunnen worden. Maar ik was bereid de droom levend te houden en hard te vechten voor die baan.

Na vier maanden had ik veertig reacties ontvangen op tachtig brieven die ik had verstuurd. En er zat niet één uitnodiging bij. Weer ging 'Graceland' op de platenspeler. Ik merkte dat, naarmate de tijd verstreek, de frustratie begon toe te nemen. Ik had in mijn tweede studiejaar ongeveer nog een halfjaar te gaan. Mocht ik er in deze periode niet in slagen een stageplek te vinden, dan was het afgelopen met mijn droom, mijn inzet, mijn vastberadenheid. Wanneer zou ik geluk in mijn leven vinden? Hoeveel weerstand kon ik verwerken? Ik las nog dagelijks mijn magische kaart met mijn dromen en mijn competenties. Die teksten stonden onuitwisbaar in mijn geest gegraveerd.

Ik besloot tot het uiterste door te gaan. Op een dag vond ik in *de Volkskrant* een vacature van het arbeidsbureau waarin stond dat zij vier consulenten zochten voor de afdelingen Bemiddeling en Scholing. Dat was mijn kans, dacht ik. Dezelfde avond zat ik achter mijn schrijfmachine een sollicitatiebrief te schrijven. Ik werkte tot laat in de nacht aan de brief. Het moest de beste worden die ik ooit had geschreven.

Twee dagen later had ik de brief gepost en restte mij niets anders dan geduldig af te wachten. Ondertussen kwamen er meer afwijzingen binnen. Ik had nu al mij hoop gezet op de vacature van het arbeidsbureau. Na het verstrijken van de sluitingstermijn begon ik weer de dag met een wandeling naar de brievenbus in de hoop een envelop te vinden van mijn toekomstige werkgever, waar ik op dat moment nog altijd als werkloze klant stond geregistreerd. Na een week had ik nog geen bericht ontvangen. Toen ik na twee weken nog geen bericht en ook geen bevestiging van ontvangst van mijn sollicitatie had ontvangen, begon ik mij zorgen te maken.

Niet lang daarna vond ik echter de langverwachte brief in de brievenbus. Ik was te ongeduldig om eerst terug te lopen naar mijn flat en opende de brief ter plekke. Mijn ogen vielen direct op de uitnodigingsdatum in de tweede alinea van de brief. Zonder de rest te lezen rende ik blij naar boven. Ik had een uitnodiging binnen! In mijn woonkamer begon ik de rest van de brief te lezen. De vreugde was helaas niet van lange duur. Hoe kon het ook anders? Hoe had ik zo veel geluk kunnen hebben?

De brief had niets te maken met mijn sollicitatie. Het betrof een uitnodiging voor een heroriëntatiegesprek om mijn situatie op de arbeidsmarkt te bespreken. Ondanks mijn teleurstelling was ik aan de andere kant opgelucht dat de brief geen afwijzing was.

Een week later meldde ik mij bij de consulent voor het heroriëntatiegesprek en vertelde ik over mijn sollicitatie naar de functie van consulent.

'Zo, je wilt dus onze collega worden?' zei de man aan de andere kant van het bureau.

'Ja. Ziet u, ik ben met een studie bezig. Ik heb al bijna honderd sollicitatiebrieven geschreven en ik wacht nog steeds op de eerste uitnodiging. Ik hoop daarom dat u mij kunt helpen om in aanmerking te komen voor een van deze functies.'

De consulent nam mijn dossier door. 'Ik begrijp wel waarom je acties geen succes hebben. De arbeidsmarkt is op dit moment niet gunstig voor werkzoekenden. Aan de functies waarop jij solliciteert, worden hoge eisen gesteld. En ook is de concurrentie groot.' Ik begreep zijn argumenten goed; er zat zeker wat in.

'Mag ik je een advies geven?' vroeg hij mij op een vriendelijke toon.

'Ja graag.'

'Waarom probeer je niet op functies te solliciteren op een lager niveau? Bijvoorbeeld de administratie of archiefwerk. Misschien kunnen mijn collega's van het Job Centre je daarbij helpen.'

Wat deze man niet wist, was dat ik twee jaar geleden al alles geprobeerd had om een dergelijke functie te krijgen, maar zonder succes. 'Het probleem is dat ik binnen twee maanden een relevante stageplaats moet hebben, want anders mag ik niet verder met mijn studie en dan zou alles voor niets zijn geweest. Kunt u mij niet helpen om hier stage te komen lopen. Ik hoef daar geen geld voor. Ik wil best voor niets werken. Jullie hoeven mij niet te betalen. Dan moet het toch kunnen?'

De man knikte dat hij mij begrepen had en legde mij uit dat hij helaas niet over stageplaatsen ging. Zijn taak was alleen gericht op het in kaart brengen van mijn situatie. Met andere woorden, ik kon niets van dit gesprek verwachten. Wij namen snel daarna afscheid van elkaar en ik verliet voor de zoveelste keer teleurgesteld het arbeidsbureau. Ik dacht bij mezelf dat als ik hier ooit kwam werken, ik dit zeker zou veranderen. In ieder geval zou ik veel meer voor mijn klanten doen, daar was ik van overtuigd.

De echte grote tegenslag volgde een paar dagen later, toen ik weer een brief van het arbeidsbureau in de brievenbus aantrof. Ditmaal opende ik de brief pas toen ik op de bank in de woonkamer zat, en ik begon de regels langzaam te lezen. Al snel trof mijn oog het woord 'helaas'. Meer hoefde ik niet te lezen. Ik raakte verstijfd door die mededeling en voelde boosheid en verdriet in mij opkomen. Mijn ogen werden vochtig, terwijl mijn hart sneller ging kloppen. Met trillende handen verfrommelde ik de brief tot een prop en smeet die boos tegen de grond. Ik sloeg van boosheid en machteloosheid met mijn vuist zo hard tegen de muur dat ik mijn hand hoorde knakken. Ik voelde de pijn door mijn bebloede knokkels trekken en ik wist niet meer wat ik deed. Ik was voor een ogenblik buiten zinnen. Sinds mijn vertrek uit Arta had ik vele tegenslagen gehad, maar dit was de ergste. En dat kwam doordat ik al mijn hoop in deze actie had gelegd. Ik had de techniek van visualisatie gebruikt en die had niet gewerkt. Omdat ze veel vacatures hadden, was ik er eigenlijk van overtuigd dat ik nu wel een uitnodiging zou krijgen. Had ik mezelf al die tijd voor de gek gehouden? Had de consulent van het arbeidsbureau misschien toch gelijk en was dit niveau voor mij te hoog gegrepen? Moest ik alles loslaten en toch een cursus volgen voor loodgieter of metselaar? Beslist niet!

Ik was nu helemaal vastbesloten mijn doel te bereiken, rechtsom of linksom. Hoeveel weerstand ik ook tegen zou komen, hoeveel tegenslag mij ook zou treffen, ik was vastberaden mijn inzet en geloof in mijn droom geen moment te laten verzwakken.

Ik vroeg de wereld om begrip, acceptatie en erkenning, maar tevergeefs. Ik was geen zwakke jongen meer. Ik was niet meer zielig of een slachtoffer. Ik leerde te incasseren zonder te klagen. Ik leerde te incasseren zonder te vervallen in emoties van zelfmedelijden. Ik leerde te incasseren zonder anderen te verwijten of te haten. Ik was vastberaden mijn doel te bereiken, wat er ook zou gebeuren. Ik wilde niet meer slachtoffer zijn, en in plaats daarvan werd ik spelbepaler, want ik had recht op een eigen plek in de wereld en was vastbesloten gebruik te maken van dat recht. Al ging het niet vanzelf en was het niet gemakkelijk, een andere weg was er niet. Dit was het pad van mijn leven en ik was bereid alle offers te brengen die noodzakelijk waren om mijn droom te realiseren. Dit was niet alleen een strijd voor mij alleen, maar ook voor mijn nageslacht. Wie zou anders strijden voor de rechten van mijn nog ongeboren kinderen?

Miami Vice

Een paar dagen na het instorten van mijn hoop kwam ik met mijn broers bij mijn ouders thuis om te vernemen dat mijn vader aan de ziekte van Parkinson leed, een ongeneeslijke ziekte. We kenden deze ziekte, die zijn lichamelijke bewegingen oncontroleerbaar en mechanisch maakte, niet. Na gesprekken met artsen en het bijwonen van voorlichtingsbijeenkomsten in het Academisch Ziekenhuis van Utrecht begrepen wij de ernst van de ziekte. De klap kwam bij ons allen hard aan. Het kwam erop neer dat mijn vader langzaam als een kaars zou uitgaan. Het was voor ons moeilijk deze situatie te verwerken. Ik had vaak slapeloze nachten en dacht alleen aan hem en aan wat ik hem in het verleden had aangedaan. Ik voelde de schuld aan mijn geweten vreten en ik hoopte dat ik genoeg tijd had om alles weer goed te maken.

De spanning van de afgelopen dagen kon ik niet meer aan en op een dag zondigde ik voor het eerst tegen mijn principes: ik liep op de terugweg naar huis langs een slijterij en kocht een fles whisky. Ik had mij voorgenomen nooit meer alcohol te drinken, maar op dat moment kon ik de spanning niet meer aan. Er was te veel gebeurd. Het zat allemaal vast in mij en ik besloot mij te bedrinken. Die avond zat ik op de bank te drinken en te roken en ik luisterde naar de muziek van Stanley Clarke. Ik staarde in de leegte voor me uit, terwijl mijn leven in *slow motion* aan mij voorbij ging. Ik dacht aan mijn jeugd en aan het leven achter de horizon, aan mijn kinderdroom om ooit de grote reis overzee te maken, de volwassen mannen van het dorp achterna. Wat had die droom mij opgeleverd? Niets anders dan ellende, onmacht en vernietiging. Ik dacht aan mijn mislukking op de middelbare school, waar ik vanaf werd gestuurd. Ik dacht aan mijn leven op straat als verslaafde in Hoog Catharijne, aan de momenten met Karim en Arien. Ik dacht aan de dood van Hans en vroeg mij af of hij in de hel of in de hemel was. Had hij niet op deze wereld al zo veel leed gekend? Was er nog een grotere hel denkbaar? Ik dacht aan de skinheads die mij voor hun vermaak en door hun haat voor buitenlanders hadden willen vermoorden. Ik dacht aan de pijn van het afkicken op Hamingen, aan de verwarring, het verdriet en de eenzaamheid. Al mijn herinneringen kwamen die avond aan mijn bewustzijn voorbij. Ik had genoeg van de strijd, een strijd die ik steeds dreigde te verliezen. Wanneer zou ik ooit winnen? Wat had het allemaal voor zin om te blijven vechten voor een recht-vaardig bestaan? Hadden Mimoun en Ricky misschien toch gelijk en zou ik ooit terugvallen in de armen van de verslaving? Ik werd die avond dronken en liet mezelf gaan in zelfmedelijden, totdat ik op de bank in slaap viel.

De vrijdagavond daarop zat ik zoals gebruikelijk met Brian en Ge-rard in King Arthur. Brian vroeg: 'Abkader, je ziet er vanavond een beet-je bedrukt uit. Wat is er aan de hand? Je doet net of er iemand dood is!'

'Je kon het niet weten, Brian, maar er gaat inderdaad iemand dood. Mijn vader heeft een ongeneeslijke ziekte, de ziekte van Parkinson.'

Zij waren oprecht geschokt door deze mededeling en bleken goed bekend te zijn met de ziekte. Ze probeerden mij moed in te praten. 'Ik heb ergens in een blad gelezen dat ze allang bezig zijn met zoeken naar een middel om die ziekte te genezen. Het zal waarschijnlijk niet lang duren of ze zullen met een medicijn komen om je vader te gene-zen. Probeer positief te blijven,' zei Gerard om mij te troosten.

'Weet je wat het is? Het zit mij al heel lang met alles tegen. Het is niet alleen de ziekte van mijn vader. Ook mijn studie vraagt veel van mij en ik kan maar geen stagebaan vinden. Ik heb al meer dan honderd sollicitatiebrieven geschreven en ik heb niet één uitnodiging ontvan-gen. Als ik binnen twee maanden geen stageplek heb, kan ik het wel schudden. Dan is het afgelopen met mij. Daar zit ik enorm mee in mijn maag.'

Ik nam een slok van mijn koffie en luisterde naar het verhaal van Brian, die ook lang bezig was geweest om een baan te vinden na zijn studie. 'Geef de hoop nooit op. Eens zal het je lukken,' vulde Gerard aan. Het gesprek met deze twee vrienden luchtte mij op en hun steun betekende erg veel voor mij.

Op school kregen we een docent arbeidsmarktpolitiek die ook als be-leidsmedewerker werkzaam was bij het arbeidsbureau. Ik greep mijn kans om in de pauzes met hem in gesprek te komen. Theo van den

Braake was een jonge docent die ons wist te intrigeren met zijn lessen over de arbeidsmarkt in Nederland en de politiek van de overheid eromheen.

Ik raakte op een avond met hem in gesprek en vertelde hem over mijn problemen en tegenslagen bij het vinden van een stage. 'Ik sta al meer dan zeven jaar bij jullie ingeschreven, maar ik kom niet verder dan adviezen voor loodgieter of timmerman. Waarom zien je collega's mij enkel als een soort Marokkaanse karikatuur, zonder inhoud? Zij hebben al die jaren geen moment vertrouwen in mij gehad.' Ik vertelde Theo van mijn sollicitatiebrief en de teleurstellende reactie.

'Het is inderdaad erg moeilijk om bij ons binnen te komen zonder aan de eisen te voldoen. Ook krijgen we veel sollicitatiebrieven, dus zodra iemand ziet dat je nog geen hbo hebt en geen werkervaring, word je als niet-geschikt bestempeld,' zei Theo.

'Ik weet dat ik niet aan de eisen voldoe, ik weet dat ik geen werkervaring heb, maar als ik nergens een kans krijg om binnen te komen, hoe kan ik dan in godsnaam ooit laten zien wat ik kan bieden, en hoe kan ik dan ooit de werkervaring opdoen die ik nodig heb?'

Theo leek geraakt door mijn laatste opmerking. 'Weet je wat? Kom maandagochtend om tien uur naar me toe. Ik zit op de vierde verdieping en ik zal kijken wat ik voor je kan doen.'

Ik bedankte Theo voor zijn begrip, zijn sympathie en zijn uitnodiging om te komen praten. Hij gaf mij weer hoop. Ik was nooit op de vierde verdieping van het arbeidsbureau geweest. Daar zat het brein van de organisatie, de directeur omringd door zijn staf. De vierde verdieping was voor werklozen als ik niet toegankelijk. Die avond ging ik met een goed gevoel naar huis.

's Avonds werd ik verrast door Miami Vice. Ik zat net mijn boeken uit te pakken, toen er werd aangebeld. Daar zag ik Brian en Gerard met twee grote plastic tassen voor de deur staan.

'Hoi, Abkader. Ik hoop niet dat we ongelegen komen,' zei Gerard.

'Helemaal niet, jullie hebben geluk. Ik kom net thuis. Maar vertel eens, jongens: vanwaar deze inval vanavond en waarom zijn jullie zo vrolijk?'

Brian lachte en legde de plastic tassen op tafel. 'Hierin, mijn vriend Abkader, zit een complete Indische rijsttafel. Ik hoop niet dat je al gegeten hebt.'

Ik vertelde eerlijk dat ik al bijna de hele dag niet had gegeten en dat ik op het punt stond om twee eieren te gaan bakken en koffie te zetten.

'Dat zal nu niet nodig zijn,' zei Gerard. 'Wij hebben ook nog niet gegeten en dachten: kom, laten we Abkader maar eens gaan verrassen.' Brian was al druk bezig met het uitpakken van de feestmaaltijd. Hij zette twee flessen wijn op tafel en een blikje cola.

'Ik begrijp niet waarom jullie dat doen, jongens,' zei ik toen alles op tafel was gezet.

'Ja, vertel ons waarom wij dat doen!' zei Brian uitdagend.

'Is het soms de laatste maaltijd van een ter dood veroordeelde?'

Zij lachten.

'Als jullie mij met dit gebaar een beetje licht komen brengen in mijn leven, dan kan ik jullie vertellen dat jullie daarin zeker geslaagd zijn. Weet je, ik heb al sinds mijn kinderjaren niet meer zo'n vriendschap ervaren zoals nu met jullie. Maar ga het niet in je hoofd halen medelijden met mij te hebben, want daar heb ik een hekel aan.'

Zij lachten allebei. We begonnen onder het genot van wijn en de muziek van Stanley Clarke aan de uitgebreide maaltijd. Ik had in maanden niet zo veel eten bij elkaar gezien. 'Dat moet jullie een fortuin hebben gekost,' zei ik. En ik vertelde hun van mijn gesprek met mijn docent.

'Dat klinkt goed! Als ik je ergens mee kan helpen?' zei Gerard.

'Jullie doen al genoeg. De warmte van een geweldige vriendschap, het lekkere eten en de gezelligheid. Wat kan een mens zich nog meer wensen?'

Ik had Brian en Gerard in vertrouwen genomen en mijn geheim over mijn drugsverleden met hen gedeeld. Ik had hun ook verteld dat ik vastbesloten was dit donkere verleden van mijn leven te begraven. Zij hadden hier veel begrip en respect voor.

Na het feestmaal zette ik een pot koffie en terwijl ik genoot van een sigaret gingen mijn gasten, tegen mijn zin, afruimen en de afwas doen.

Tot laat in de nacht bleven we aan de eettafel zitten filosoferen over het bestaan, over de mensen en over de wereld om ons heen. Deze avond relativeerde mijn situatie en ik was erg blij met mijn twee nieuwe vrienden, voor wie ik bereid was mijn leven te geven.

DE KANS VAN MIJN LEVEN

Twee dagen later zat ik bij Theo van den Braake aan zijn bureau. De man van de receptie, die mij maar een lastpost vond, geloofde niet dat ik door het brein van de organisatie was uitgenodigd voor een gesprek. Pas na een bevestiging van hogerhand, liet hij mij met tegenzin de lift naar de vierde verdieping nemen.

Theo ontving mij in zijn kamer en wij spraken even kort over koetjes en kalfjes. Daarna vertelde ik hem de reden van mijn verzoek om hulp. Ik vertelde dat ik al van ver kwam en ook hem vertelde ik dat ik meer dan honderd sollicitatiebrieven had geschreven zonder één uitnodiging te ontvangen. Ik vertelde hem dat het mijn droom was om ooit bij het arbeidsbureau te komen werken en hij vroeg zonder omwegen: 'Waarom zou het arbeidsbureau met jou in zee moeten gaan? Wat heb je de organisatie te bieden?'

Hij bracht mij met zijn directheid een beetje in verwarring, maar dat liet ik niet blijken. In plaats daarvan dacht ik na over zijn vraag en antwoordde: 'Arbeidsbureaus en uitzendbureaus zijn volledig witte organisaties zonder allochtone consulenten, terwijl meer dan een kwart van hun klanten buitenlander is. Ik had daarom verwacht dat ik misschien een welkom geschenk zou zijn voor deze instellingen, maar kennelijk dachten ze daar zelf anders over. Veel van de reacties die ik kreeg tijdens mijn bezoeken aan uitzendbureaus of het arbeidsbureau hadden een verwijtende toon in de sfeer van "waar haal jij het lef vandaan?" Ik kreeg het gevoel dat ik aan de voorkant van de balie moest blijven, waar ik thuishoorde, als klant en niet als collega. Blijkbaar zit dat arbeidsmarktsegment potdicht voor allochtone gelukzoekers als ik.'

Theo leek tevreden door mijn reactie op zijn vraag. Hij knikte. 'Je weet in ieder geval je mening goed te formuleren.'

Voordat hij verder kon gaan, ging ik zelf verder. 'Maar dat is nog niet alles. Wij hebben op de opleiding geleerd dat volgens de Universe-

le Verklaring van de Rechten van de Mens "alle mensen [...] vrij en gelijk in waardigheid en rechten [worden] geboren. Zij zijn begiftigd met
verstand en geweten, en behoren zich jegens elkander in een geest van
broederschap te gedragen." In artikel 2 staat dat "eenieder [...] aanspraak [heeft] op alle rechten en vrijheden [...] zonder enig onderscheid van welke aard ook, zoals ras, kleur, geslacht, taal, godsdienst,
politieke of andere overtuiging, nationale of maatschappelijke afkomst, eigendom, geboorte of andere status." Het verbaast me dat deze overheidsinstelling niet op de hoogte is van deze Universele Verklaring van de Rechten van de Mens.' Ik had duidelijk een beetje geïrriteerd geklonken en Theo merkte dat. Ik verontschuldigde mij voor
mijn emotie.

'Nee, nee, je hoeft je helemaal niet te verontschuldigen,' zei hij resoluut. 'Als er iemand is die zich moet schamen voor zijn gedrag, dan
zijn wij het. Wij zoeken alleen maar mensen die op ons lijken, dat is
veilig. Mensen die van ons beeld afwijken, vinden wij vreemd en eng.
Een betere verklaring voor deze gang van zaken kan ik niet bedenken.'
Theo stelde mij helemaal in het gelijk en dat gaf mij het gevoel dat ik
een medestander in deze organisatie had gevonden.

'Weet je, Abkader, ik denk dat jij uitstekend geschikt bent voor de
functie van consulent, alleen heb je de pech dat je cv niet aantrekkelijk
is. Ik denk dat het goed is als ze je in een persoonlijk gesprek leren
kennen.' En zonder verder met mij te overleggen pakte hij de telefoon,
zocht op een telefoonlijst naar een naam en toetste vier cijfers in.

'Zeg Hans, jullie zijn bezig met de selectie voor die vacatures voor
consulenten. Zijn jullie al rond of zijn er nog vacatures die nog niet
zijn ingevuld?' Ik zag aan de manier waarop Theo zijn collega's bena-
derde, dat hij geen kleine jongen was in de organisatie. 'Ik heb Abkader, een relatie van mij, hier bij mij zitten, die gesolliciteerd heeft op
die vacatures, maar omdat hij niet aan alle eisen voldeed, is zijn brief
niet verder meegenomen. Als je hem leert kennen, zul je zeker ontdekken dat zijn cv hem geen recht doet. Zie je kans een gesprek met hem
te hebben?'

Ik hoorde hem daarna zeggen dat hij wel even kon wachten; hij
wendde zich tot mij en zei: 'Hans is je sollicitatiebrief erbij gaan halen.'

Terwijl Hans aan de andere kant van de lijn praatte, maakte Theo aantekeningen. Ik hoorde hem iets herhalen over een vacature Scholing en over selectiegesprekken, die diezelfde week werden gevoerd. Toen hij de hoorn oplegde, keek hij mij lachend aan: 'Ik denk dat we je ertussen hebben kunnen krijgen. Bijna alle vacatures zijn al vervuld. Er is nog één vacature over bij de afdeling Scholing. Hiervoor zijn vier sollicitanten uitgenodigd. De eerste gespreksronde begint over drie dagen. Ik heb Hans Poorthuis bereid gevonden je het voordeel van de twijfel te geven en hij heeft je als vijfde kandidaat voor de eerste ronde toegevoegd. Voel je daar wat voor?'

Theo zag dat ik helemaal verdwaasd was van dit goede nieuws.

'Of ik daar wat voor voel? Ben je helemaal gek geworden. Dit is mijn eerste uitnodiging na meer dan honderd sollicitatiebrieven. Theo, hoe kan ik je ooit bedanken?'

Ik voelde mij helemaal warm worden in mijn hoofd. Ik had een uitnodiging voor een gesprek, en wel over drie dagen al. Ik had zo vaak van dit moment gedroomd en nu was het zover. Theo vroeg mij even te wachten en liep weg. Twee minuten later keerde hij met stapels documenten terug.

'Luister, Abkader, er is één vacature en er zijn vijf sollicitanten. Er kan er maar één overblijven en dat is de beste van de vijf. Om je te helpen je voor te bereiden geef ik je deze stukken mee.' Hij legde de stapel op zijn bureau. 'Dat mag ik eigenlijk niet doen, maar ik mag je. Je vindt hier beleidsplannen, verslagen, jaarrapportages, activiteitenplannen en statistieken. Doe hiermee je voordeel. Je hebt om precies te zijn drie dagen om je deze materie eigen te maken. Hier, alsjeblieft, en ik heb geen doos voor je.'

Aan Theo's houding was duidelijk te zien dat het hem voldoening gaf dat hij mij te hulp had kunnen schieten. Hij was op de een of andere manier met mijn situatie begaan. Mij helpen om aan een baan te komen leek hij als een persoonlijke uitdaging te beschouwen. Bovendien geloofde hij in mij, in tegenstelling tot alle collega's van hem die ik in de afgelopen jaren had gesproken.

Met bijna twee kilo papier onder mijn arm nam ik even later dankbaar afscheid van de man die als breekijzer voor mij had gefungeerd om de deur op een kier te krijgen. Hij blies weer leven in mijn droom, de droom om bij het arbeidsbureau te gaan werken, het beeld dat ik had gevisualiseerd. Werkt de visualisatietechniek dan toch? Ik had een ingang, een deur op een kier. Nu moest ik zien binnen te komen. Het was een hele opgave om met de andere vier onbekende deelnemers te concurreren. Eén kenmerk klopte, maar dat gold waarschijnlijk ook voor de andere deelnemers: ze wilden voor deze vacature beslist een allochtone consulent aannemen. Op papier was ik geen sterke kandidaat gebleken, maar nu moest ik in werkelijkheid laten zien wat ik waard was.

Ik had drie dagen om mij mentaal en fysiek klaar te stomen voor het gesprek van mijn leven. Ik had nog nooit een sollicitatiegesprek gehad op dit niveau. Daarom maakte ik voor de drie daaropvolgende dagen een strak werkschema, waar ik mij vol inzet, zelfdiscipline en vastberadenheid aan overgaf. Ik besloot mijzelf drie dagen van de buitenwereld af te zonderen. Ik stond 's morgens om acht uur op. Na een licht ontbijt werkte ik ongeveer twee uur aan mijn gewone studie. Ik was gelukkig goed op schema en kon gemakkelijk drie dagen wat gas terugnemen voor andere zaken. Rond twaalf uur begon ik aan de stapel documenten die ik van Theo had gekregen. Ik had de stapel op prioriteit gerangschikt. De beleidsstukken lagen bovenaan en daaronder de organisatiestructuur en het organigram. Terwijl ik de beleidsplannen bestudeerde, maakte ik aantekeningen van punten die ik belangrijk vond, zoals de analyse van de Utrechtse arbeidsmarkt, de doelgroepenindeling, de instrumenten en nog veel meer. Ik zocht moeilijke vaktermen in het woordenboek op en maakte ook van die woorden aantekeningen. Ik werkte zonder onderbreking door tot ongeveer vier uur. Daarna at ik een banaan, trok mijn joggingpak aan en ging een uur hardlopen in de richting van Westbroek. Ik moest mij ook fysiek voorbereiden. Na een douche maakte ik een eenvoudige diepvriesmaaltijd uit de supermarkt klaar en na het eten rustte ik een uur, waarna ik om acht uur met een pot koffie weer aan de slag ging en mijn aantekeningen op de schrijfmachine uitwerkte. Op die manier bleef de materie beter hangen. De eerste avond ging ik door met het bestuderen van de stukken, die mij naar een baan moesten leiden, tot ongeveer twee uur 's nachts, totdat ik bijna uitgeput in slaap viel aan tafel.

De tweede dag werkte ik zo veel mogelijk documenten door. Ik leerde de doelgroependefinities, het organigram en de instrumenten van het arbeidsbureau uit mijn hoofd. Ik probeerde de politiek van de overheid met betrekking tot werkgelegenheid en werkloosheid in relatie tot de economie te begrijpen. Ik moest sommige teksten wel vijf keer lezen voordat ik de liberale gedachte achter het marktmechanisme kon begrijpen.

Ook die avond werkte ik mijn aantekeningen uit. Ik zat goed op schema. Daarna ben ik mij gaan verdiepen in de statistieken, een erg saai deel van mijn kennisprogramma. Ik wist hoeveel werklozen er in Utrecht waren naar geslacht, bevolkingsgroep, opleidingsniveaus, leeftijd en zelfs de duur van de werkloosheid. Ik wist hoeveel vacatures er in de regio Utrecht beschikbaar waren naar functie, branche, opleidingsniveau en uren. De belangrijkste cijfers schreef ik op mijn aantekeningenlijst en werkte ik later weer op de schrijfmachine uit.

Op de derde dag had ik alle belangrijke stukken een paar keer doorgelezen en voldoende aantekeningen gemaakt om een globaal, maar wel compleet beeld te krijgen van het beleid en het werkveld van het arbeidsbureau. Ik had erg hard gewerkt. Die dag deed ik het wat rustiger aan en verdiepte me alleen in mijn eigen aantekeningen.

Ik bedacht dat ik geen geschikte kleding had voor het sollicitatiegesprek. Voor mijn representativiteit zou het mooi zijn als ik over een pak kon beschikken en ik wist een winkel in de stad die tweedehandskleding verkocht. Ik ging naar de kast en telde het geld dat ik had om de maand door te komen. Ik had tweehonderd gulden in de pot en moest hier nog drie weken van eten. Aan de andere kant bedacht ik dat een investering in een pak de doorslag kon geven in het sollicitatieproces. Zonder er verder al te lang over na te denken ging ik naar de tweedehandskledingzaak en vond algauw wat ik zocht: een zwart, modern pak van zachte stof met een paar zwarte schoenen voor ongeveer honderd gulden. Ik paste ze en werd een ander mens. Een wit overhemd had ik thuis liggen. Thuis trok ik het pak en de schoenen opnieuw aan en inspecteerde mezelf voor de spiegel aan de binnenkant van de kast in de slaapkamer. Ik was trots op de man in de spiegel. Ik had die avond een goed gevoel. Ik begon een ander beeld van mezelf te scheppen, zowel mentaal als fysiek.

De rest van de avond gebruikte ik voor ontspanning: een beetje muziek, een film en gewoon nietsdoen.

Overwinning van de vreemde

De volgende dag om halftien meldde ik mij, gekleed in het pak met de zwarte schoenen, bij de receptie van het arbeidsbureau voor het gesprek. De grote man achter de receptiebalie, die mij bijna niet herkende, vroeg: 'Wat voor bijzonders heb jij vandaag?'

Ik legde hem uit dat ik een afspraak had met Hans Poorthuis en de sollicitatiecommissie. Hij keek ervan op. 'Met een beetje geluk word ik uw collega!'

Hij lachte, terwijl hij de telefoon pakte om mij bij de afdeling van Hans Poorthuis te melden, en zei niet onvriendelijk: 'Heb je je hier eindelijk naar binnen geworsteld?'

Ik meldde mij bij de receptie van de afdeling Scholing op de derde verdieping, die ik goed kende. Op deze afdeling had ik het advies gekregen om timmerman of loodgieter te worden. Om tien uur werd ik opgehaald door een jongedame, die mij naar een kamer bracht waar twee mensen met elkaar zaten te praten. Toen ik binnenkwam, stond de man op en, terwijl hij mij een hand gaf, stelde hij zich voor als Hans Poortman. 'En dit is mijn collega Hetty Kronen.'

Ik was erg nerveus en voelde het zweet in mijn handen. De vrouw gaf mij ook een hand en gebaarde mij plaats te nemen op de derde stoel. Ik kreeg koffie aangeboden en Hans en Hetty probeerden mij gerust te stellen. Hans begon het gesprek door te refereren aan zijn telefoongesprek met Theo.

'Hij heeft veel vertrouwen in je. Wij hebben je brief zeker gelezen, maar we hebben honderden brieven ontvangen voor deze vacatures. Je begrijpt dat het voor ons erg moeilijk is om ons een goed oordeel te vormen op basis van de brieven.'

Ik knikte en zei dat ik blij was dat ik deze kans had gekregen. Hetty legde de sollicitatieprocedure uit. Na dit eerste gesprek met de vijf kandidaten zouden er twee doorgaan naar de volgende ronde, die geleid zou worden door de managers van de afdeling Scholing en de afdeling Bemiddeling. Ook Hans zou er dan weer bij zijn. Uit die tweede ronde zou één kandidaat overblijven voor nog een selectiegesprek met de directeur van het arbeidsbureau, Aart Visser.

Hans en Hetty zaten beiden naar mijn curriculum vitae te kijken. Ik kon hun gedachten bijna lezen, geen diploma's, geen werkervaring, langdurig werkloos en ga zo maar door.

'Beoordeel mij alsjeblieft niet op mijn cv. Dat heeft nauwelijks inhoud,' zei ik verontschuldigend. Zij stelden vragen over de keuze voor mijn studie en over de reden waarom ik zo lang werkloos was. Ik vertelde eerlijk dat ik jaren in de muziek had gezeten en daar mijn brood mee had geprobeerd te verdienen. Ik vertelde ook eerlijk dat ik vanaf mijn vijftiende op straat had rondgehangen en de achtergrond van mijn mislukking: verkeerde keuzes van het onderwijs en van mijn ouders. Ik zag dat Hans en Hetty gecharmeerd waren door mijn openheid en eerlijkheid. Ik had besloten eerlijk te zijn tot een bepaalde hoogte: ik verzweeg mijn drugsperiode van vijf jaar. Ik was ervan overtuigd dat ik anders geen kans maakte op de baan; er stond te veel op het spel om het risico te nemen. Zij vroegen of ik wist waar het arbeidsbureau voor stond, en die vraag had ik al gehoopt te krijgen, want nu kon ik mijn inzet van de afgelopen drie dagen te gelde maken. Ik koos mijn woorden zorgvuldig en zette het beleid, de doelgroepen en de instrumenten van het arbeidsbureau uiteen. Ik vertelde over mijn persoonlijke ervaring als klant en ik vertelde ook over de zakelijke kennis die ik had opgedaan.

Het gesprek duurde een uur en dat leek voor mij wel een eeuwigheid. Ze bleven maar doorvragen. Tot slot zei Hans dat het wel genoeg was voor het eerste gesprek. 'Het is vandaag vrijdag. Maandagmiddag hopen we een besluit te nemen met welke twee kandidaten we verder gaan. Waar kan ik je bereiken?'

Ik durfde bijna niet te zeggen dat ik geen telefoon had, maar kon niet anders. 'Vind je het goed als ik je maandagmiddag zelf bel? Ik ben werkloos, weet je nog?' antwoordde ik en ze begonnen beiden te lachen. Er was aan het einde van het gesprek een ongedwongen, ontspannen en vriendelijke sfeer ontstaan. Ik had een goed gevoel bij Hans en Hetty en volgens mij zij ook bij mij, al durfde ik dat niet met zekerheid vast te stellen. Ik nam afscheid van de twee en ging met de lift naar beneden. Toen ik langs de man van de receptie kwam, vroeg hij glimlachend: 'En word je collega?'

Ik lachte terug en zei niets, maar groette hem wel vriendelijk. Ik besloot wat door de stad te lopen om de ervaring van die ochtend op mij te laten inwerken. Maandag kreeg ik pas antwoord en ik moest een heel weekend in spanning afwachten.

Die avond vertelde ik mijn vrienden Miami Vice over mijn sollicitatiegesprek bij het arbeidsbureau. 'We zullen voor je duimen,' zei Brian. 'Het komt vast wel goed.'

Maandag klokslag vier uur stond ik in een telefooncel met het telefoonnummer van Hans Poorthuis en een muntstuk in de aanslag. Ik was zo zenuwachtig over de uitslag dat ik de nummers op het toestel niet durfde te draaien. Mijn mond voelde droog aan en mijn hart klopte sneller in mijn lijf. Stel dat ik bij de drie afgewezen kandidaten zat. Hoe zou ik de boodschap dan te horen krijgen? Tot tweemaal toe pakte ik de hoorn van de haak en legde die weer neer. De derde keer verzamelde ik al mijn moed en draaide ik de cijfers. De telefoon ging over en het duurde voor mijn gevoel erg lang voordat ik de stem van Hans hoorde.

'Ja, goedemiddag Hans!' stotterde ik een beetje van de zenuwen. 'Ik zou je vanmiddag bellen voor uitsluitsel over het gesprek van afgelopen vrijdag.'

Hans leek naar iets te zoeken en kwam snel terzake. 'We hebben alle gesprekken geëvalueerd en ik zal je niet langer in spanning houden: je bent erdoor.'

Ik wist niet wat ik hoorde. Was ik erdoor? Ik dacht dat ik hem verkeerd had begrepen en durfde niet te juichen. 'Bedoel je dat ik niet ben afgewezen?' vroeg ik. 'Nee, Nee,' antwoordde Hans. 'Je bent niet afgewezen. Zowel Hetty als ik vond dat je je goed gepresenteerd hebt. Je voorbereiding was uitstekend en wij zijn onder de indruk van je openheid en van je doorzettingsvermogen.' Nu pas drong het tot mij door. Ik was verder in de procedure en er ging een geweldig gevoel van bevrijding door me heen. 'Abkader, ben je er nog?' hoorde ik Hans in de hoorn roepen.

'Ja, ja, sorry, ik ben er nog,' antwoordde ik met een blije stem.

'Luister, Abkader, het gesprek voor de tweede ronde is morgenmiddag om twee uur op dezelfde verdieping. Zorg dat je op tijd bent.

'Ik zal er zijn,' antwoordde ik en hing op. Ik was door de eerste ronde. Prachtig! Nu op weg naar de volgende test.

Die avond voelde ik mij erg gelukkig en die nacht sliep ik goed. De volgende dag stond ik weer een halfuur te vroeg bij de man van de receptie, die nu aardig gewend was aan mijn nieuwe uitstraling.

'Is het je tweede gesprek?' vroeg hij geïnteresseerd.

'Ja,' antwoordde ik. Hij zag dat ik nerveus was en wenste mij veel succes. 'Jongeman, ik hoop echt dat het je lukt. Je hebt er hard voor geknokt. Je verdient het om hier te komen werken.' Ik vond het erg aardig dit te horen van een man van wie ik dacht dat hij een hekel aan mij had. Hij meende het oprecht. Ik bedankte hem en liep naar de lift.

Het gesprek begon ontspannen en even later werd ik onder handen genomen door de twee managers, terwijl Hans zich meer op de achtergrond hield. Een van de managers was Gerard de Jong, die afdelingshoofd was van het team Scholing. Hij stelde dezelfde vragen als Hans en Hetty over mijn werkloosheid en studie. Ik besloot gewoon mezelf te zijn. Zij wilden mijn visie op een aantal zaken weten. Als ik een antwoord op een vraag niet wist, zei ik dat open en ik vertelde erbij dat ik een snelle leerling was, die bereid was te leren van iedereen om zich heen. Ik vertelde dat ik de beste leerschool had doorlopen, namelijk die van de werkloosheid. Ik wist wat het was om zonder baan te zijn. Hoe het was om steeds weer afgewezen te worden en vast te zitten in hopeloze belemmeringen en afwijzingen, zonder hoop op oplossingen. Met deze persoonlijke ervaring en de zakelijke benadering die ik nog moest leren, kon ik de klanten van het arbeidsbureau misschien beter begrijpen en wellicht ook beter helpen. Dat vonden zij een interessante invalshoek.

Ik voelde dat ik ook deze mensen wist te raken. Toen het uur om was, stonden de drie heren op en bedankten mij voor mijn komst. Omdat ze met de andere kandidaat al die ochtend hadden gesproken, beloofden zij mij dat ze diezelfde middag nog een beslissing zouden nemen. Hans liep met mij naar de lift en vroeg mij hem rond halfvijf te bellen. Het gesprek was toch minder soepel verlopen dan het eerste. Eigenlijk had ik Hans willen vragen wat hij van mijn optreden had gevonden en hoe hoog hij mijn kansen achtte, maar ik wilde hem niet in verlegenheid brengen.

Het was al bijna halfvier en ik had dus ongeveer een uur de tijd. De spanning was enorm. Zo dicht was ik nog nooit bij een baan geweest: een kans van vijftig procent.

Om het uur door te komen ging ik lopend naar huis en om precies halfvijf stond ik met de hoorn in mijn ene hand en een muntstuk in mijn andere klaar om Hans te bellen. Ik belde, de telefoon ging over en ik hoorde de stem van Hans.

'Ja, ik ben het, Abkader,' zei ik nerveus. Ik durfde nauwelijks adem te halen en was op het ergste voorbereid. Ik verwachtte een introductie van Hans, die mij misschien zou bedanken voor de moeite die ik had gedaan. Maar Hans was heel direct, misschien omdat hij mijn spanning aanvoelde. Zonder omwegen antwoordde hij op mijn vraag over het resultaat van die tweede ronde: 'Gefeliciteerd, Abkader. Je bent geselecteerd voor de functie van consulent Scholing. Jij gaat als enige door naar de derde ronde, het gesprek met onze directeur.'

Ik kon het niet geloven. 'Meen je dat, Hans?'

'Ja, Abkader. Het was kantje boord. Deze commissie vond jullie allebei sterke kandidaten, maar hoewel de andere kandidaat al bijna afgestudeerd is, hebben ze toch gekozen voor het avontuur. Zij zien in jou een avontuur. Ik weet niet hoe je het gedaan hebt, maar je bent bij de manager binnen.'

Ik was er bijna; nog één gesprek. De laatste ronde was ook meteen de volgende ochtend om negen uur. Ik realiseerde mij niet wat mij overkwam. Zo veel geluk in korte tijd had ik nog nooit van mijn leven gehad. Het was gewoon onwerkelijk en tegelijk beangstigend. Dit moment zou een keerpunt in mijn leven worden. Nog een test, door de grote baas zelf.

Door het resultaat van de eerste twee ronden was mijn zelfvertrouwen toegenomen. Ik had het gevoel de hele wereld aan te kunnen. Op zo'n moment had ik al meer dan een jaar gewacht. Mijn inzet, vastberadenheid en geduld werden beloond. Nog één gesprek en ik was definitief binnen. De deur, die eerst op een kier stond, was nu wijd open en ik stond op het punt om naar binnen te gaan. Als de laatste ronde maar geen obstakel vormde.

De volgende ochtend meldde ik mij in hetzelfde pak bij de man achter de receptie voor een afspraak met de directeur. Hij trok zijn wenkbrauwen op. 'Het is niet waar. Gaat het er toch van komen?' Hij gaf mij een knipoog bij wijze van aanmoediging en gebaarde mij door te lopen naar de lift. Op de vierde verdieping zou de secretaresse van de heer Visser mij opvangen.

De secretaresse van de directeur bracht mij naar de grootste kamer van het gebouw, een hoekkamer met grote ramen en een grote eiken vergadertafel, waarachter ik plaats mocht nemen. Ze bracht mij koffie en zei dat de heer Visser over enkele minuten zou arriveren. Weer spanning. Ik wist niet wat ik kon verwachten van dat gesprek, maar veel tijd om daarover na te denken was er niet. Een man van ongeveer vijfendertig jaar kwam binnen. Hij was zo jong dat ik niet had gedacht dat hij de baas was van zo'n grote organisatie. Hij kwam net van buiten, deed zijn jas uit en hing die aan een kapstok in de kamer. Hij gaf me het teken te blijven zitten en schudde mij de hand. Hij stelde zich voor als Aart Visser. Ik bedankte meneer Visser voor zijn uitnodiging. Hij stelde mij gerust door te zeggen dat we dit gesprek maar als informeel moesten beschouwen.

'Ik heb gehoord van Theo hoe je je hier naar binnen hebt geworsteld. Nu ik je zelf ontmoet, begrijp ik wat Theo bedoelde met een geïnspireerde jongeman die niet te stoppen was in zijn inzet en vastberadenheid. Ik begrijp dat je in eerste instantie niet door de schriftelijke selectie was gekomen. Uiteindelijk hebben ze je het voordeel van de twijfel gegeven en heb je de vier andere kandidaten, die meer bagage in hun cv hadden dan jij, naar huis gestuurd. En nu zit je hier voor de laatste fase van de sollicitatieprocedure.' Meneer Visser was goed geïnformeerd. Ik wist niet hoe ik op zijn uiteenzetting van de situatie moest reageren.

'Weet je,' vervolgde hij op vriendelijke toon. 'Je hebt al drie stations gepasseerd en wie ben ik om je tegen te werken. Het lijkt mij verstandig om met je in zee te gaan.'

Hij gaf mij een hand en feliciteerde mij met mijn aanstelling. Ik was zo blij dat mijn ogen vochtig werden, toen ik zijn hand vasthield en die van dankbaarheid bijna niet meer losliet.

'Meneer Visser,' zei ik opgelucht, 'bedankt voor de kans die u mij geeft. Ik zal u zeker niet teleurstellen. Ik zal mij voor de volle honderd procent inzetten. En ik zal hard werken om mijn achterstand in te halen.'

Hij knikte bemoedigend en stelde voor om informeel nog wat meer met elkaar kennis te maken. Ik vertelde hem waar ik vandaan kwam en hoe het in Marokko was. Ik vertelde over mijn muziekambities en mijn al zo lang gekoesterde droom om bij zijn organisatie te komen werken.

Meneer Visser was geïnteresseerd in de persoon Abkader en niet in procedures, processen, ervaring of diploma's. Hij sprak over de glans in mijn ogen, de moed en de strijdlust die hij in mij zag. Die mentaliteit sprak hem aan. Hij stond open voor nieuwe uitdagingen.

'U kunt u niet voorstellen hoe blij u mij vandaag hebt gemaakt. U hebt mijn leven weer hoop gegeven. Ik was uw klant en na vandaag word ik uw medewerker. Onvoorstelbaar gewoon. Nogmaals bedankt voor deze kans.'

Hij wuifde mijn opmerking met zijn hand weg. 'Jij hebt het voor elkaar gekregen, niet ik,' zei hij.

Even later nam ik afscheid van mijn nieuwe sympathieke directeur, die mij vertelde dat ik bij de afdeling Personeelzaken werd verwacht voor de arbeidsvoorwaarden. Zijn secretaresse liep met mij mee naar de juiste kamer, waar ik door een wat oudere mevrouw met een strenge blik werd ontvangen. Zij bleek al op de hoogte te zijn van mijn komst.

Hoewel de vrouw formeel, zakelijk en rationeel was, toonde ze toch ook een zacht karakter. Zij liet mij allerlei formulieren invullen en ondertekenen voor pensioen, ziekenfonds en andere verzekeringen. Daarna liet zij mij twee verklaringen tekenen, een voor de medische keuring en de andere voor het antecedentenonderzoek. Ik maakte mij daar geen zorgen over. In Arta was ik regelmatig medisch onderzocht en ik bleek kerngezond, en ondanks mijn bewogen verleden was ik erin geslaagd geen strafblad te hebben. Ik was dus gezond en schoon. Ze begon over de arbeidsvoorwaarden en maakte ter plekke een arbeidsovereenkomst.

'Meneer Chrifi, u krijgt een contract voor twee jaar en u begint met een nettosalaris van tweeduizend gulden per maand.'

Ik dacht dat ik haar niet goed had verstaan. Zei ze tweeduizend gulden per maand? Dat was vier keer zoveel als ik in de bijstand had. Zij zag mijn verwarring en bevestigde nogmaals het salaris dat ik ging verdienen.

'Je krijgt een scholingsregeling. Dat betekent dat je studie door ons wordt betaald en dat je één dag per week studieverlof hebt. Daarvoor moet je deze verklaring ondertekenen, dat je akkoord gaat met de voorwaarden.'

Ik wilde alles ondertekenen. Ik wist niet wat ik hoorde. Een geweldig salaris, mijn studiekosten werden vergoed, ik kreeg betaalde tijd om te studeren. Mijn geluk kon die dag niet op. Wij spraken af dat ik op de eerste dag van de volgende maand zou beginnen, over twee weken. Toen we klaar waren met alle formaliteiten, vroeg de dame mij haar te volgen naar de derde verdieping, waar Hans en Hetty mij opwachtten voor een kennismakingsronde op de afdeling. Het hoofd van de afdeling Personeelszaken nam afscheid van mij en wenste mij veel succes met mijn nieuwe baan. Hans liep met mij over de afdeling en stelde mij voor aan de twintig consulenten van het team. De teammanager Gerard de Jong zag mij en kwam mij feliciteren. Daarna trok hij zich terug op zijn kamer. Sommigen van die gezichten kende ik van mijn vele bezoeken tijdens mijn zoektocht naar een omscholing. En daar zag ik de man die mij had vernederd. Nu gaf hij mij vriendelijk een hand en verwelkomde hij mij.

'Loodgieter, hè!' zei ik sarcastisch, maar met een lach. Hij voelde zich ongemakkelijk. Waarschijnlijk voelde hij zich schuldig en een beetje beschaamd. Maar ik had geen rancunes en lachte vriendelijk naar hem. Uiteindelijk moest ik met hem samenwerken. Bij de ontmoeting met die consulent voelde ik mij in een overwinningsroes, en met dat gevoel verliet ik het gebouw van het bedrijf waar ik jarenlang een haat-liefderelatie mee had gehad. Voordat ik het gebouw verliet, kwam de man achter de receptie mij feliciteren met mijn succes.

'Ik ben nu je collega,' zei ik met een glimlach. Triomfantelijk liep ik naar buiten. Ik was gelukkig. Ik had meer dan vijfhonderd dagen gestreden voor een baan. En het gebeurde allemaal in de laatste tien dagen. Een nieuwe fase in mijn leven brak aan. Ik voelde vanbinnen dat dit pas het begin was, een begin waar ik lang op had gehoopt. Mijn lang gekoesterde droom was nu werkelijkheid geworden. Eenmaal buiten in de lentezon stak ik mijn armen omhoog en dankte ik God voor dit gebaar, voor dit mooiste geschenk in mijn leven. Ik kon wel huilen van blijdschap zingen en dansen van vreugde, maar omdat de voorbijgangers mij nu al vreemd aankeken, besloot ik me in te houden, voordat ze mij voor gek zouden verklaren. Die dag ging mijn geschiedenisboek in als mijn geluksdag. Ik stak een sigaret op en met een heerlijk gevoel van overwinning verdween ik uit het zicht van het arbeidsbureau.

A man walks down the street. It's a street in a strange world. Maybe it's the Third World. Maybe it's his first time around. He doesn't speak the language. He holds no currency. He is a foreign man. He is surrounded by the sound. The sound. Cattle in the marketplace. Scatterlings and orphanages. He looks around, around. He sees angels in the architecture. Spinning in infinity. He says Amen! and Hallelujah!

If you'll be my bodyguard, I can be your long lost pal. I can call you Betty. And Betty when you call me, you can call me Al. Call me Al.

Epiloog:
De vreemde is geen vreemde meer

'De Nederlandse samenleving verandert snel en de bevolking wordt meer pluriform. Mensen voelen zich soms onzeker en zoeken naar houvast en geborgenheid. Die gevoelens kunnen diep ingrijpen. Daarom is extra inspanning nodig om de samenhang in ons land te vergroten en verdraagzaamheid en onderling respect te versterken.

Veranderingen kunnen een bron van kracht zijn. In het verleden heeft vernieuwing ons vooruitgang gebracht. Juist ons vermogen tot veranderen en vernieuwen geeft ons de dynamiek die onmisbaar is om in te spelen op de uitdagingen van de toekomst.'

Deze woorden uit de troonrede van koningin Beatrix klinken nog na in mijn hoofd, terwijl ik naar de kleine Aya kijk, die met kleine pasjes op het gras rent. Ze kijkt achterom naar Laila, die doet alsof ze achter haar aankomt om haar bang te maken. Aya heeft krullen, precies zoals ik vroeger had; Laila heeft lang stijl haar en een fijn smal gezichtje en lijkt veel meer op haar moeder. Ik zit inderdaad naar een klein pluriform samenlevinkje te kijken: twee kleine Hollandse meisjes met Marokkaanse ouders.

Aya is twee jaar en heeft duidelijk plezier in het spel; zij heeft nog geen besef van de zorgen van onze koningin. Laila is negen jaar en gehecht aan haar kleine zusje. Verderop zit Sarah dicht bij het water te zonnen. Sarah is dertien en voelt zich te oud voor de spelletjes van die andere twee. Zij is meer op zichzelf sinds ze naar de middelbare school gaat. Sarah is lang voor haar leeftijd, heeft halflang krullend haar en grote donkere ogen. Ze heeft op school de bijnaam Larga gekregen, wat 'lange' betekent.

Het is oktober 2007, en een mooie dag om met het gezin naar het park te gaan. Het Julianapark aan de Amsterdamsestraatweg in Utrecht is voor ons een plek van ontspanning en rust, een plek waar de kinderen kind kunnen zijn, waar ze kunnen rennen en spelen. Even later valt Aya op haar zij en roept Saliha, die naast me op een bankje zit: 'Sarah, kijk even naar je zusje, wil je!' Ik doe mijn zonnebril af en kijk in Aya's richting.

Laila is dichterbij en rent al naar haar zusje toe. Sarah loopt met tegenzin naar Aya en constateert dat er niets aan de hand is. Aya staat weer op en begint weer hard te rennen, tot grote geruststelling van Saliha, die lekker zit te genieten van de warmte van de herfstzon. Saliha is mijn vrouw, met wie ik vijftien jaar getrouwd ben en met wie ik drie geweldige meiden heb. Samen vormen wij een gelukkig gezin.

Saliha heeft lang, zwart stijl haar, bruine ogen en een strakke mond. Haar schoonheid is heel bijzonder. Ze is erg slank en in stijl gekleed. Saliha is een vrouw die voor alle mensen openstaat. Naast haar geweldige uitstraling heeft ze een groot hart, en dat maakt haar erg geliefd bij iedereen die haar kent. Saliha is het mooiste wat mij ooit in mijn leven is overkomen en zij is het fundament van ons gezin.

'Hoe laat ga je naar kantoor?' vraagt Saliha.

'Dat maakt niet uit. Ik moet een paar uur werken aan een offerte voor een opdrachtgever. Als ik die maar vanavond op de post doe, is het goed.'

'Ben je vanavond dan op tijd terug voor het eten?'

'Eet jij maar alvast met de kinderen, want die zullen straks wel honger hebben. En bewaar dan wat voor mij voor als ik vanavond later thuiskom.'

Saliha knikt; ze weet goed dat wij voor onze inkomsten afhankelijk zijn van deze potentiële opdrachtgevers. We genieten van de herfstzon, van het leven en van onze kinderen. Saliha loopt naar de auto, een terreinwagen Hyundai Tucson uit 2006, om een sapje te halen voor Aya, die dorst heeft van al dat rennen in de warme zon.

Ik denk aan hoe ik een jaar geleden van start ging met mijn eigen bedrijf en directeur werd van mijn advies- en trainingsbureau Le-Succès BV. Met mijn bedrijf slaag ik erin een jaaromzet te realiseren van ruim 450.000 euro. Wie had dat ooit kunnen voorspellen?

Direct na mijn mbo heb ik de vervolgstudie hbo Arbeidsmarktpolitiek/Personeelsbeleid gedaan, en in de loop van de tijd heb ik meer dan dertig vakcursussen gevolgd die ik nodig had voor mijn loopbaan. Na veertien jaar werken in de arbeidsmarktbranche als bemiddelaar, scholingscoördinator, regiocoördinator, projectmanager, vestigingsmanager en landelijk projectleider vond ik het tijd worden voor een nieuw avontuur.

Ik nam ontslag bij mijn laatste werkgever, Agens Nederland, een commercieel re-integratiebedrijf, waar ik als landelijk projectleider werkte. In Lage Weide, in Utrecht-Zuid, huurde ik kantoorruimte en ik ging aan de slag om mijn eigen productlijn in de markt te zetten.

In september 2004 werd mijn succeshandboek *Het succes ligt op straat* gepubliceerd. Het eerste exemplaar nam ik in ontvangst op de dag dat mijn jongste dochter Aya werd geboren.

Mijn vader heeft helaas de geboorte van Aya niet gehaald. Mohamed Mezian Chrifi stierf op 12 mei 2004 aan de langdurige ziekte van Parkinson, die hem in zijn laatste jaren volledig had verlamd. Zijn overlijden heeft mij veel pijn en verdriet gedaan. Ik heb dan ook het gevoel dat ik zijn verlies nooit volledig zal kunnen verwerken; ik draag hem altijd in mijn hart. *Het succes ligt op straat* heb ik opgedragen aan mijn vader en aan alle Marokkaanse gastarbeiders die in de jaren zestig onder afschuwelijke omstandigheden in Nederland zijn komen werken. Een leven in eenzaamheid, verlatenheid, heimwee, angst en zware arbeid.

Met *Het succes ligt op straat* wil ik allochtone medelanders inspireren en kennis laten maken met technieken en methodieken voor een gelukkig, rijk en succesvol leven. Ik heb mijn eigen persoonlijke ervaring – van totale mislukking, minderwaardigheid, vernedering en machteloosheid, en vervolgens van de strijd van positief denken, zelfvertrouwen, discipline en vastberadenheid – gebruikt als model voor het succesprogramma.

Met het schrijven en publiceren van het succeshandboek had ik een groots plan voor ogen: ik had een doel in mijn leven, een ideaal om voor te vechten. Het beschrijven van een succesformule gericht op het herstel van de Marokkaanse gemeenschap in Europa was voor mij het allerhoogste doel dat ik in mijn leven kon bereiken. En dat allerhoogste was voor mij persoonlijk de goddelijke liefde om te geven zonder iets terug te verwachten. Het was niet mijn bedoeling om roem of geld te vergaren of iets van dien aard. Diep in mij was er een verlangen om de mensen vreugde, rust en geluk te brengen, zoals ik die zelf heb ontdekt na jaren van strijd tegen mezelf en alles om mij heen. Mijn lijden was niet voor niets geweest.

In mijn jarenlange ervaring op de arbeidsmarkt met de problematiek van de Marokkaanse gemeenschap in Nederland ben ik tot de conclusie gekomen dat de meeste individuen binnen deze groep op zoek zijn naar een eigen, nieuwe identiteit. Dat is de situatie, niet meer en niet minder.

Ik heb mij regelmatig beziggehouden met de vraag wat de zin van het leven is, waar mensen naar op zoek zijn in hun aardse leven. Het antwoord is voor alle mensen gelijk: wij zijn allen op zoek naar geluk. Dat streven naar innerlijk welzijn en innerlijke vreugde is een universele behoefte van ieder mens, ongeacht zijn nationaliteit, ras, cultuur of religie. Dat geluk proberen wij ieder op onze eigen manier te bereiken, door middel van geld en materiële zaken, religie en gebed, kennis en wijsheid, drugs (zoals ik dat zelf jarenlang heb gedaan) en ga zo maar door.

Een belangrijke voorwaarde voor het geluk dat vanuit onze innerlijke menselijke bron of vanuit onze ziel ontstaat, is dat de mens zichzelf kent en zichzelf ervaart. Dus jezelf kennen en ervaren in de wereld is van wezenlijk belang om vreugde te ervaren. Daarin schuilt de kern van het probleem van de Marokkaanse gemeenschap. In hoeverre is het mogelijk om vanuit isolement en zonder eigen identiteit gelukkig te zijn in een individualistisch ingestelde westerse maatschappij? Het antwoord is eenvoudig en simpel: onmogelijk! Daarvoor is een hoger niveau van bewustzijn nodig. Daarvoor is kennis en wijsheid nodig.

Als mensen geen mentale binding meer hebben met hun land van herkomst en ook niet met het land waarin zij leven, kun je spreken van een gemeenschap met een verloren identiteit. Er is zelfs sprake van cultuurloosheid. Dat proces heb ik niet alleen persoonlijk doorgemaakt, maar ik heb het ook ervaren bij vele volwassenen en jongeren van de tweede generatie en ik zie dat het zich zelfs nog voltrekt bij de derde generatie.

In mijn streven naar herstel van evenwicht in de gemeenschap heb ik ervoor gekozen om door middel van een nieuwe succesidentiteit de strijd aan te gaan tegen onwetendheid, onrechtvaardigheid, minderwaardigheid en armoede. Dat was de opzet van het boek. Ik wilde mensen een alternatief bieden, een andere manier van denken en leven, gebaseerd op de principes van zelfreflectie, positief denken, zelfvertrouwen en vastberadenheid. Ik heb een succesformule ontwikkeld die de westerse psychotherapie combineert met de islamitische/Arabische cultuur. Ik wilde mensen nieuwe hoop geven. Net als ikzelf heb gekregen.

Ik wilde mensen ervan overtuigen dat wij geen slachtoffer zijn maar schepper van onze eigen werkelijkheid. Dan ontstaat harmonie en evenwicht in het denken van de nieuwe mens.

Ik heb voor het boek verschillende succesvolle Marokkanen geïnterviewd en hun gevraagd naar hun geheim van het succes. De geheimen van deze mannen en vrouwen illustreren het handboek en geven het kleur. Deze mannen en vrouwen hebben hard gewerkt en een toppositie bereikt. Onder hen zijn staatssecretaris Ahmed Aboutaleb, cabaretier Najib Amhali en politica Samira Bouchibti.

Het succeshandboek heeft veel aandacht gekregen in de publiciteit. Ik werd bij verschillende televisieprogramma's gevraagd, zoals TweeVandaag, Vara Laat, RTL Nieuws, en radioprogramma's als 1 op de Middag. Verder werden er interviews gepubliceerd in *de Volkskrant*, het *Financieele Dagblad*, de *Telegraaf*, *Trouw*, *NRC Handelsblad* en de *Staatscourant*. Ik heb het boek persoonlijk mogen presenteren aan minister-president Jan Peter Balkenende, staatssecretaris Ahmed Aboutaleb en de voormalige minister van Integratie Rita Verdronk. Ik ben in de gelegenheid geweest tijdens een diner mijn boek te presenteren aan voormalig minister van Sociale Zaken Aart Jan de Geus, en daarnaast heb ik de minister voor Wonen, Wijken en Integratie Ella Vogelaar meermalen ontmoet in de tijd dat zij voorzitter was van Borea en van de Raad van Commissarissen van Unilever. Ik heb vele contacten kunnen leggen met kopstukken in de politiek, maatschappelijke organisaties en het bedrijfsleven. Ook ben ik in de gelegenheid geweest om mijn succesaanpak te presenteren aan een overheidsdelegatie uit Duitsland, aan het ministerie van Arbeidszaken van Tsjechië en aan organisaties in Denemarken. In België werd ik door de gemeente Antwerpen uitgenodigd om een lezing te geven aan overheidsambtenaren over mijn succesfilosofie. Het is duidelijk dat men in heel West-Europa behoefte heeft aan onorthodoxe methoden om maatschappelijke binding in de samenlevingen te scheppen tussen autochtone en allochtone bevolkingsgroepen. De basis van mijn aanpak is universeel, in die zin dat die stoelt op verschillende levensstromingen en de psychologie, waarvan de toepasbaarheid wetenschappelijk is bewezen.

Ik heb lezingen gegeven op congressen en conferenties door het hele land over mijn visie op succes met betrekking tot de multiculturele samenleving. Tijdens een lezing in de schouwburg in Venray sprak ik over vreedzaam verzet als reactie op de opkomst van de anti-islam in Nederland. Ik riep mijn publiek op Geert Wilders, die door sommige moslims met de dood was bedreigd, niet te haten voor zijn pogingen het hele land tegen ons op te zetten. Ik maakte gebruik van de filosofie van vreedzaam verzet: volgens de methode van Martin Luther King zijn niet wij het slachtoffer, maar juist hij. Hij is slachtoffer van de haatziekte, die aan hem vreet, en daarom moeten wij zijn haat niet met haat bestrijden, want dat is net zoiets als vuur met vuur bestrijden. Wij moeten Geert Wilders knuffelen. Ik moedigde de mensen aan om Wilders juist onze vrede en liefde te tonen, en dan zou hij vanzelf tot bezinning komen. Dat is de methode van vreedzaam verzet, dan zou zijn programma van onrust en haat zaaien geen vruchtbare bodem meer hebben en niet kunnen groeien. Geert Wilders begrijpt niets van het leven, bedacht ik. Hij leeft buiten de werkelijkheid!

In de zaal zat een journalist van het ANP en nog diezelfde dag stond mijn oproep in alle kranten en spraken de nieuwsuitzendingen van de NOS en RTL4 over mijn lezing. De dagen daarna stond de telefoon bij mij niet stil: bijna alle tv-praatprogramma's wilden mij in hun uitzending hebben, maar ik besloot nergens op in te gaan en heb mij verder buiten het mediacircus gehouden. Achteraf bleek dit tactisch een juiste keuze te zijn geweest, want maar al te vaak vallen mensen in mijn vak in de valkuil van de media.

Ik word bij evenementen of lezingen door trouwe lezers en 'medelichtdragers' herkend en mensen vragen mij het succeshandboek te signeren. Ik, die voor iedereen een vreemde, een onbekende was. Mijn succesbenadering van de maatschappij lijkt goed aan te slaan.

Het lijkt wel alsof dit gedeelte van mijn leven zonder slag of stoot is verlopen, maar dat is allesbehalve waar. Het heeft mij meer dan vijf jaar gekost om een politieke en maatschappelijke ingang te vinden om draagvlak te scheppen voor mijn ideeën. Overal waar ik kwam, ontmoette ik weerstand voor mijn onorthodoxe succesmethode om mensen te leren het heft van hun eigen leven in eigen hand te nemen. Jarenlang kreeg ik de ene tegenslag na de andere te verwerken en toch heb ik geen moment gewanhoopt of getwijfeld aan mijn inzet om een maatschappelijke verandering teweeg te brengen. Ik beschikte immers over die straatmentaliteit, waarin ik was opgegroeid, en waar de wet van de jungle geldt! Die wet geldt ook in de wereld van politici, maatschappelijke functionarissen en de media. Wat dat betreft is het verschil met het leven in Hoog Catharijne niet erg groot.

Na vijf lange jaren van onophoudelijk hard werken wist ik pas met succes de vruchten te plukken van mijn inzet, vastberadenheid, discipline en geduld, zonder gefrustreerd te raken of in de slachtofferrol terug te vallen. De hardheid van het leven heeft een vechter van mij gemaakt.

Met Le-Succès BV doe nu ik opdrachten voor het ministerie van Sociale Zaken, uitzendorganisaties, onderwijsinstellingen, gemeenten, politiekorpsen, brancheorganisaties en Arbo-diensten. Ik help daar bij het trainen van intercedenten, docenten en mbo-scholieren, klantmanagers, politieagenten, praktijkbegeleiders, bedrijfsartsen, arbeidsdeskundigen en psychologen. Ik werk aan deze opdrachten samen met vijftien freelancetrainers. Wie had ooit gedacht dat ik, de vreemde, de man van de straat en van Hoog Catharijne, de professionals van de Nederlandse maatschappij zou trainen in een succesformule en culturele diversiteit?

Ik, Abkader Chrifi, ben trendsetter geworden, trendsetter van een positieve levensstijl.

De tijd dat ik nauwelijks te eten had, is voorgoed voorbij. Mijn armoede behoort tot het verleden en staat nu in mijn geschiedenisboek. Ik hoef mij geen zorgen te maken over mijn kinderen. Ik kan ze alles geven wat ze nodig hebben. Vorig jaar hebben Saliha en ik, naast onze twee-onder-een-kapwoning in Nederland, een vakantiehuis gekocht in Saidia, een van de mooiste badplaatsen van Marokko, aan de Middellandse Zee. Marokko – meer dan twintig jaar lang had ik ermee gebroken en nu ben ik er weer verliefd op. Wij zijn erg gelukkig met al deze geschenken van God. Het kan niet anders: ik heb veel doorstaan en niet voor niets; God heeft met mijn leven een duidelijk doel. Ik weet dat ik er nog lang niet ben, maar ik ben op de juiste weg. Daar heb ik geen twijfel over.

Saliha roept de kinderen en ik sta met tegenzin op. We wandelen in de richting van de auto. Ik heb eigenlijk geen zin om nog naar kantoor te gaan voor die klus. Saliha zit achter het stuur en we rijden naar huis in Vleuten.

Het leven is prima. Het leven voelt goed. Mijn leven is goed.

De vreemdeling

Weet je wat zo vreemd is
aan een vreemdeling?
Een vreemdeling
wordt maar een vreemdeling
als hij uit zijn decor stapt.
En een niet-vreemdeling
wordt een vreemdeling
als hij in dat decor stapt.
Het is dus vaak
maar een kwestie
van decor en attributen

Uit: Vreemdgaan, Geert De Kockere, Uitgeverij De Eenhoorn, 2007.